L'urbanisme

# Du même auteur

*Françoi*

# L'urbanisme

UTOPIES ET RÉALITÉS

une anthologie

*Éditions du Seuil*

1001890081

EN COUVERTURE : René Magritte.
*La Poitrine* (détail), 1961,
huile sur toile 90 × 110. © ADAGP.

ISBN 2-02-005328-4.
(ISBN 2-02-002009-2, 1re publication.)

# L'urbanisme en question

La société industrielle est urbaine. La ville est son horizon. Elle produit les métropoles [1], conurbations [2], cités industrielles, grands ensembles d'habitation. Et pourtant, elle échoue à aménager ces lieux. La société industrielle possède des spécialistes de l'implantation urbaine. Et pourtant, les créations de l'urbanisme sont partout, à mesure de leur apparition, controversées, mises en question. Des *quadras* de Brasilia aux quadrilatères de Sarcelles, du forum de Chandigarh au nouveau forum de Boston, des *highways* qui disloquent San Francisco aux autoroutes qui éventrent Bruxelles, la même insatisfaction et la même inquiétude se font jour. L'am-

---

1. La métropole existe depuis l'antiquité; sinon Ninive et Babylone, du moins Rome et Alexandrie posaient déjà pour leurs habitants certains des problèmes que nous vivons aujourd'hui (cf. J. Carcopino, *La vie quotidienne à Rome,* Hachette, Paris 1939). Mais la métropole était alors une exception, un cas extraordinaire; on pourrait au contraire désigner le XXᵉ siècle comme l'ère des métropoles. Celles-ci atteignent des chiffres de population devant lesquels avait reculé l'imagination des esprits les plus audacieux. David Hume ne fut-il pas l'un des plus aventureux qui, dans un essai *On the Populousness of Ancient Nations,* estimait que « d'après l'expérience des temps passés et présents, il y a une sorte d'impossibilité à ce qu'aucune cité puisse jamais s'élever au-delà de 700.000 habitants ». Seul, à son époque, William Petty approchait de la réalité lorsque, en 1686, il fixait à cinq millions le chiffre limite de la population future de Londres. En 1889, Jules Verne prévoiera des villes de dix millions d'habitants, mais seulement pour 2889.

2. Le terme a été créé par Patrick Geddes pour désigner ces agglomérations urbaines qui envahissent une région entière, du fait de l'influence attractive d'une grande ville. Dans *Cities in Evolution* (1915), il indique (p. 34) qu' « un nom est nécessaire pour désigner ces régions urbaines, ces agrégats à allure de ville », et ajoute : « Pourquoi ne pas utiliser conurbation comme expression de ce nouveau mode de groupement de la population ? » Il emploiera ce néologisme pour désigner le grand Londres, et les régions qui entourent, notamment, Manchester et Birmingham.

pleur du problème est attestée par l'abondante littérature qu'il suscite depuis vingt ans [1].

Ce livre ne se propose pas d'apporter une contribution supplémentaire à la critique des faits; il ne s'agit pas de dénoncer une fois de plus la monotonie architecturale des villes neuves ou la ségrégation sociale qui y règne. Nous avons voulu chercher la signification même des faits, mettre en évidence les raisons des erreurs commises, la racine des incertitudes et des doutes que soulève aujourd'hui toute nouvelle proposition d'aménagement urbain. Notre analyse et notre critique portent donc sur les idées qui fournissent ses bases à l'urbanisme.

Ce terme même doit être tout d'abord défini, car il est lourd d'ambiguïté. Annexé par le langage courant, il y désigne aussi bien les travaux du génie civil que les plans de villes ou les formes urbaines caractéristiques de chaque époque. En fait, le mot « urbanisme » est récent. G. Bardet fait remonter sa création à 1910 [2]. Le dictionnaire Larousse le définit comme « science et théorie de l'établissement humain ». Ce néologisme correspond à l'émergence d'une réalité nouvelle : vers la fin du XIXᵉ siècle, l'expansion de la société industrielle donne naissance à une discipline qui se distingue des arts urbains antérieurs par son caractère réflexif et critique, et par sa prétention scientifique. Au cours des pages

---

1. On aura une idée de cette abondance en se reportant à deux recueils bibliographiques : *Villes nouvelles, éléments d'une bibliographie annotée* réunis par J. Viet (*Rapports et documents des sciences sociales*, n° 12, U.N.E.S.C.O., Paris 1960), qui rassemble plus de six cents titres, parmi lesquels les pays socialistes fournissent une contribution importante; et *Urban Sociology : A Bibliography*, publié à la fin de 1963 par R. Gutman, professeur à l'*Urban Studies Center* de l'Université d'État de Rutgers. Dans cette bibliographie, l'auteur se propose de montrer qu'un « nombre croissant d'urbanistes professionnels *(planners)*, au lieu de se concentrer sur la transformation et le contrôle de l'environnement physique, s'attachent maintenant à modeler les structures sociales et culturelles des cités ».

2. Selon G. Bardet (*L'urbanisme*, P.U.F., Paris, 1959) le mot urbanisme semble être apparu pour la première fois en 1910 dans le *Bulletin de la Société géographique de Neufchatel*, sous la plume de P. Clerget. *La Société française des architectes-urbanistes* a été fondée en 1914 sous la présidence d'Eugène Hénard. L'*Institut d'urbanisme* de l'Université de Paris a été créé en 1924. L'urbanisme n'est enseigné à l'École des Beaux-Arts de Paris que depuis 1953, par A. Gutton, et seulement dans le « cadre de la théorie de l'architecture ». Le cours professé par A. Gutton est devenu le tome VI de ses *Conversations sur l'architecture*, sous le titre *L'urbanisme au service de l'homme*, Vincent Fréal, Paris, 1962.

suivantes, « urbanisme » sera employé exclusivement dans cette acception originelle.

L'urbanisme ne met pas en question la nécessité des solutions qu'il préconise. Il prétend à une universalité scientifique : selon les termes d'un de ses représentants, Le Corbusier, il revendique « le point de vue vrai ». Mais les critiques adressées aux créations de l'urbanisme le sont également au nom de la vérité. A quoi tient cet affrontement de vérités partielles et antagoniques ? Quels sont les paralogismes, les jugements de valeur, les passions et les mythes que révèlent ou dissimulent les théories des urbanistes et les contre-propositions de leurs critiques ?

Nous avons cherché à dégager le sens explicite ou latent des unes comme des autres. Pour ce faire, au lieu de partir directement des controverses les plus récentes, nous avons fait appel à l'histoire des idées. Car l'urbanisme veut résoudre un problème (l'aménagement de la cité machiniste) qui s'est posé bien avant sa création, dès les premières décades du XIXᵉ siècle, au moment où la société industrielle commençait à prendre conscience de soi et à mettre ses réalisations en question. L'étude des premières réponses apportées à cette question doit éclairer les propositions qui suivirent et révéler, dans leur pureté, certaines motivations fondamentales que les sédiments du langage, les rationalisations de l'inconscient et les ruses de l'histoire ont par la suite dissimulées.

Nous avons donc interrogé d'abord des penseurs qui, pendant tout le cours du XIXᵉ siècle, d'Owen et Carlyle à Ruskin et Morris, de Fourier et Cabet à Proudhon, Marx et Engels, se sont penchés sur le problème de la ville, sans d'ailleurs jamais le dissocier d'une interrogation sur la structure et la signification du rapport social. Nous grouperons l'ensemble de leurs réflexions et propositions sous le concept de « pré-urbanisme ».

Ce recours à l'histoire devrait permettre de construire un cadre de référence à partir duquel saisir le sens réel de l'urbanisme proprement dit, sous ses diverses formulations et formules, et situer les problèmes actuels de l'aménagement urbain. Toutefois, cette méthode ne doit pas prêter à confusion. Dans les pages qui suivent, on ne trouvera pas une histoire [1] de l'urbanisme ou des

---

1. Les histoires de l'urbanisme sont d'ailleurs peu nombreuses. Nous

idées relatives à l'aménagement urbain mais une tentative d'interprétation.

# I. LE PRÉ-URBANISME

## A. GENÈSE : LA CRITIQUE DE LA VILLE INDUSTRIELLE

Pour situer les conditions dans lesquelles se posent, au XIXᵉ siècle, les problèmes de l'aménagement urbain, rappelons brièvement quelques faits.

Du point de vue quantitatif, la révolution industrielle est presque aussitôt suivie par une impressionnante poussée démographique dans les villes, par un drainage des campagnes au profit d'un développement urbain sans précédent. L'apparition et l'importance de ce phénomène suivent l'ordre et le niveau d'industrialisation des pays. La Grande-Bretagne est le premier théâtre de ce mouvement, sensible dès les recensements de 1801 ; en Europe, la France et l'Allemagne suivent à partir des années 1830.

Les chiffres sont significatifs. Londres, par exemple, passe de 864.845 habitants en 1801 à 1.873.676 en 1841 et 4.232.118 en 1891 : en moins d'un siècle sa population a pratiquement quintuplé. Parallèlement, le nombre des villes anglaises de plus de cent mille habitants est passé de deux à trente, entre 1800 et 1895 [1].

Du point de vue structurel, dans les anciennes cités d'Europe, la transformation des moyens de production et de transport, ainsi

---

renvoyons à celle de Pierre Lavedan qui fait autorité en la matière (*Histoire de l'urbanisme*, H. Laurens, 1926-1952).

[1]. Pour la même période, le nombre des villes de plus de cent mille habitants passe de deux à vingt-huit pour l'Allemagne et de trois à douze pour la France. En 1800, les États-Unis n'ont aucune ville de plus de 100.000 habitants ; mais en 1850, ils en comptent six, qui totalisent 1.393.338 habitants ; et, en 1890, ils en possèdent vingt-huit avec une population de 9.697.960 habitants.

que l'émergence de nouvelles fonctions urbaines, contribuent à faire éclater les anciens cadres, souvent juxtaposés, de la ville médiévale et de la ville baroque. Un nouvel ordre se crée, selon le processus traditionnel [1] de l'adaptation de la ville à la société qui l'habite. En ce sens, Haussmann, lorsqu'il veut adapter Paris aux exigences économiques et sociales du Second Empire, fait œuvre réaliste. Et le travail qu'il entreprend, s'il brime la classe ouvrière, choque les esthètes passéistes, gêne les petits bourgeois expropriés, contrarie des habitudes, est en revanche la solution la plus immédiatement favorable aux capitaines d'industrie et aux financiers qui constituent alors un des éléments les plus actifs de la société. C'est ce qui fait dire à Taine à propos du développement de Marseille : « Une ville comme celle-ci ressemble aux brasseurs d'affaires. »

On peut schématiquement définir cet ordre nouveau par un certain nombre de caractères. D'abord, la rationalisation des voies de communication, avec la percée de grandes artères [2] et la création des gares. Ensuite, la spécialisation assez poussée des secteurs urbains (quartiers d'affaires du nouveau centre, groupés dans les capitales autour de la Bourse, nouvelle Église; quartiers d'habitation périphériques destinés aux privilégiés). Par ailleurs, de nouveaux organes urbains sont créés qui, par leur gigantisme, changent l'aspect de la ville : grands magasins (à Paris, Belle Jardinière, 1824, Bon Marché, 1850), grands hôtels, grands cafés (« à 24 billards »), immeubles de rapport. Enfin, la suburbanisation prend une importance croissante : l'industrie s'implante dans les faubourgs, les classes moyennes et ouvrières se déversent sur les banlieues et la ville cesse d'être une entité spatiale bien délimitée (en 1861, la banlieue de Londres représente 13 % de l'agglomération totale, et celle de Paris, 24 % en 1896) [3].

---

1. Ce processus d'éclatement des structures anciennes se retrouve tout au long de l'histoire, à mesure des transformations économiques des sociétés.
2. Moins pour des raisons policières que pour l'intensification des contacts et l'accélération des transports, devenus nécessité quotidienne.
3. Ces chiffres sont donnés par P. Meuriot : *Des agglomérations de l'Europe contemporaine*, Paris, 1897, qui signale « l'accroissement de plus en plus grand des régions suburbaines » sans préciser les limites territoriales choisies pour définir les banlieues de Londres et de Paris. Ces chiffres doivent donc être admis avec réserves; mais le mouvement démographique en question n'est pas

Or, dans le temps même où la ville du xɪxᵉ siècle commence à prendre son visage propre, elle provoque une démarche nouvelle, d'observation et de réflexion. Elle apparaît soudain comme un phénomène extérieur aux individus qu'elle concerne. Ceux-ci se trouvent devant elle comme devant un fait de nature, non familier, extraordinaire, étranger. L'étude de la ville prend, au cours du xɪxᵉ siècle, deux aspects bien différents.

Dans un cas, elle est *descriptive* ; on observe les faits avec détachement, on tente de les ordonner de façon quantitative. La statistique est annexée par la sociologie naissante : on tente même de dégager les lois de la croissance des villes. Levasseur et Legoyt sont, en France, des précurseurs qui, plus tard, inspireront aux U.S.A. les travaux d'Adna Ferrin Weber [1]. De tels esprits cherchent essentiellement à comprendre le phénomène de l'urbanification [2], à le situer dans un réseau de causes et d'effets. Ils s'efforcent aussi de dissiper un certain nombre de préjugés qui, malgré leurs efforts, persisteront cependant jusqu'à nos jours, et qui concernent notamment les incidences de la vie urbaine sur le développement physique, le niveau mental et la moralité des habitants [3].

A cette approche scientifique et détachée, qui est l'apanage de quelques savants, s'oppose l'attitude d'esprits que heurte la réalité des grandes villes industrielles. Pour ceux-ci, l'information est destinée à être intégrée dans le cadre d'une *polémique,* l'observation ne peut être que critique et normative; ils ressentent la grande

---

contestable; il n'a depuis cessé de s'accentuer. Aujourd'hui, Paris compte quatre millions d'habitants, et sa banlieue cinq millions si on la définit d'après le *Plan d'aménagement et d'organisation générale de la région parisienne* (limites coïncidant pratiquement avec celles qu'a adoptées l'Institut national de la statistique).

1. Cf. Adna Ferrin Weber, *The Growth of Cities in the Nineteenth Century* (première édition 1899; réédité ensuite par Cornell reprints in Urban Studies, Cornell University Press, 1963).

2. Terme proposé par G. Bardet pour désigner le phénomène *spontané* du développement urbain, par opposition à l'expression *organisée* que veut en être l'urbanisme.

3. L'alcoolisme et la prostitution sont particulièrement étudiés. Legoyt, avant d'autres, montre à l'aide de statistiques que les prostituées se recrutent principalement dans les milieux ruraux, et que l'alcoolisme est aussi développé dans certaines campagnes que dans les villes. Il réfute également les théories allemandes concernant la détérioration des facultés intellectuelles par la grande ville.

ville comme un processus pathologique, et créent pour la désigner les métaphores du cancer et de la verrue [1].

Les uns sont inspirés par des sentiments *humanitaires* : ce sont des officiers municipaux, des hommes d'Église, surtout des médecins et hygiénistes, qui dénoncent, faits et chiffres à l'appui, l'état de délabrement physique et moral dans lequel vit le prolétariat urbain. Ils publient des séries d'articles dans les journaux et les revues, particulièrement en Angleterre où la situation est la plus aiguë ; c'est sous leur influence que, dans ce pays, seront nommées les célèbres Commissions royales d'enquêtes sur l'hygiène, dont les travaux, publiés sous forme de Rapports au Parlement, fournirent une somme irremplaçable d'informations sur les grandes villes de cette époque et contribuèrent à la création de la législation anglaise du travail et de l'habitat.

L'autre groupe de polémistes est constitué par des penseurs *politiques*. Souvent leur information est d'une ampleur et d'une précision remarquables. Engels, en particulier, peut être considéré comme un des fondateurs de la sociologie urbaine. Si l'on se reporte aux analyses de *La situation de la classe laborieuse en Angleterre* [2], on constate qu'outre ses propres enquêtes, poursuivies pendant des mois, dans les *slums* de Londres, Edimbourg, Glasgow, Manchester, il utilise systématiquement et scientifiquement tous les témoignages disponibles : rapports de police, articles de journaux, ouvrages savants, ainsi que les rapports des Commissions royales que Marx, à son tour, utilisera vingt ans plus tard dans *Le Capital* [3]. Dans ce groupe des penseurs politiques, les esprits les plus divers ou même opposés, Matthew Arnold et Fourier, Proudhon et Carlyle, Engels et Ruskin, se rencontrent pour dénoncer l'hygiène physique déplorable des grandes villes indus-

1. Celles-ci sont destinées à une longue carrière. Pour Le Corbusier encore, Paris « est un cancer qui se porte bien ».
2. Première édition allemande, Leipzig, 1845. Dans cet ouvrage, la condition du prolétaire anglais est prise comme « type idéal », du fait que la Grande-Bretagne a été le premier théâtre de la révolution industrielle, en même temps que le lieu de naissance du prolétariat urbain. Parmi les sources d'Engels, citons particulièrement le *Journal of the Statistical Society of London* et le *Report to the Home Secretary from the Poor Law Commissioners on an Enquiry into the Sanitary Condition of the Labouring Classes of Great Britain*, présenté au Parlement en 1842.
3. *Le Capital*, annexe 10.

trielles : habitat ouvrier insalubre fréquemment comparé à des tanières, distances épuisantes qui séparent lieux de travail et d'habitation (« la moitié des ouvriers du *Strand* sont déjà obligés de faire une course de deux miles pour se rendre à leur atelier », constate Marx), voirie fétide et absence de jardins publics dans les quartiers populaires. L'hygiène morale est également mise en cause : contraste entre les quartiers d'habitation des différentes classes sociales aboutissant à la ségrégation, hideur et monotonie des constructions « pour le plus grand nombre ».

La critique de ces auteurs n'est en aucune façon détachable d'une critique globale de la société industrielle, et les tares urbaines dénoncées apparaissent comme le résultat de tares sociales, économiques et politiques. La polémique emprunte ses concepts à la pensée économique et philosophique de la fin du xviiie et du début du xixe siècle. Rousseau, Adam Smith, Hegel sont largement mis à contribution. Industrie et industrialisme, démocratie, rivalités de classe, mais aussi profit, exploitation de l'homme par l'homme, aliénation dans le travail sont, dès les premières décades du xixe siècle, les pivots de la pensée de Owen, Fourier ou Carlyle [1], dans leur vision de la ville contemporaine.

Il est étonnant de constater qu'à l'exception de Marx et de Engels, les mêmes esprits qui relient avec tant de lucidité les défauts de la ville industrielle à l'ensemble des conditions économiques et politiques du moment, ne demeurent pas dans la logique de leur analyse. Ils refusent de considérer ces tares còmme l'envers d'un ordre nouveau, d'une nouvelle organisation de l'espace urbain, promue par la révolution industrielle et le développement de l'économie capitaliste. Ils ne songent pas que la disparition d'un ordre urbain déterminé implique l'émergence d'un ordre autre. Et c'est ainsi qu'est avancé, avec une étrange inconséquence, le concept de désordre. Matthew Arnold intitule son livre *Culture et anarchie*. Fourier publie *L'anarchie industrielle et scientifique* (1847). De son côté, Considérant déclare : « Les grandes villes, et Paris surtout, sont de tristes spectacles à voir ainsi, pour quiconque pense à l'anarchie

---

1. Cf. par exemple les *Observations on the Effects of the Manufacturing System,* où Owen dénonce le rôle aliénant du **travail** industriel. On se rappellera également les analyses de Fourier et son obsession du « travail agréable ».

sociale que traduit en relief, avec une hideuse fidélité, cet amas informe, ce fouillis de maisons »; et, quelques lignes plus loin, il parle de « chaos architectural ». Bref, la distinction n'est pas faite entre ordre déterministe et ordre normatif. Sans doute cette confusion procède-t-elle de tendances profondes puisque, un siècle plus tard, on la retrouve chez Gropius qui décrit le « *planless chaos* » de New York et la « *chaotic disorganization of our towns* [1] »; et même chez Lewis Mumford qui évoque, à propos des villes du XIXe siècle, le « *non-plan of the non-city* [2] ».

## B. LES DEUX MODÈLES

Ce qui est ressenti comme désordre appelle son antithèse, l'ordre. Aussi va-t-on voir opposer à ce pseudo désordre de la ville industrielle, des propositions d'ordonnancements urbains librement construites par une réflexion qui se déploie dans l'imaginaire. Faute de pouvoir donner une forme pratique à sa mise en question de la société, la réflexion se situe dans la dimension de l'utopie [3]; elle s'y oriente selon les deux directions fondamentales du temps, le passé et le futur, pour prendre les figures de la *nostalgie* ou du *progressisme*. D'un ensemble de philosophies politiques et sociales (Owen, Fourier, Considérant, Proudhon, Ruskin, Morris) ou de

1. *The New Architecture and the Bauhaus,* Faber & Faber, London, 1935, p. 108 et 110 de la troisième édition.
2. L. Mumford, *The Culture of Cities,* Harcourt, Brace & Cie, New York, 1932, titre du sous-chapitre p. 183.
3. Ce concept ne peut plus être utilisé sans référence à l'ouvrage capital de K. Mannheim, *Idéologie et utopie* (trad. franç., Marcel Rivière, Paris, 1956). Contrairement à Marx, Mannheim a insisté sur le caractère actif de l'utopie dans son opposition au statu quo social et sur son rôle désintégrateur. « Nous considérons comme utopiques toutes les idées situationnellement transcendantes (et pas seulement les projections de désirs) qui ont, d'une façon quelconque, un effet de transformation sur l'ordre historico-social existant (p. 145). » Nous n'avons pu ici reprendre sa classification des formes de la mentalité utopique : notre modèle progressiste englobe à la fois son « idée humanitaire-libérale » et une partie de son « idée socialiste-communiste ». Par ailleurs, notre modèle culturaliste n'est pas entièrement assimilable à l' « idée conservatrice » (W. Morris était socialiste).

véritables utopies [1] (Cabet, Richardson, Morris), on voit ainsi se dégager, avec un plus ou moins grand luxe de détails, deux types de projections spatiales, d'images de la ville future, que nous appelerons désormais des « modèles ». Par ce terme, nous entendons souligner à la fois la valeur exemplaire des constructions proposées et leur caractère reproductible. Toute résonance structuraliste devra être écartée de l'emploi de ce mot : ces modèles du « pré-urbanisme » ne sont pas des structures abstraites, mais au contraire des images monolitiques, indissociables de la somme de leurs détails.

### 1. *Le modèle progressiste* [2].

On peut le définir à partir d'ouvrages aussi différents que ceux d'Owen, Fourier, Richardson, Cabet, Proudhon [3].

Tous ces auteurs ont en commun une même conception de l'homme et de la raison, qui sous-tend et détermine leurs propositions relatives à la ville. Lorsqu'ils fondent leurs critiques de la grande ville industrielle sur le scandale de l'individu « aliéné », et lorsqu'ils se proposent comme objectif un homme accompli, c'est au nom d'une conception de *l'individu* humain comme *type*, indépendant de toutes les contingences et différences de lieux et de temps, et définissable en besoins-types scientifiquement déductibles. Un certain rationalisme, la science, la technique doivent permettre de résoudre les problèmes posés par la relation des hommes avec le monde et entre eux. Cette pensée optimiste est orientée vers l'avenir, dominée par l'idée de progrès. La révolution industrielle est l'événement historique-clé qui entraînera le devenir

1. Le XIXᵉ siècle fut l'âge d'or des utopies. Parmi les plus intéressantes, nous ne citons pas *Looking Backward* de Edward Bellamy (1888) ni *Un voyage à Terre libre* de Théodor Hertzka (Vienne, 1893) : toutes deux sont trop exclusivement centrées sur la question juridique et économique pour avoir place ici. Sur le problème de l'utopie, cf. J.O. Hertzeller, *The History of Utopian Thought*, 1926; R. Ruyer, *L'utopie des utopies* ; O. Riesman, *Some Observations on Community Plans & Utopias*, in *Yale Law Journal*, décembre 1947.

2. Le cadre de cet ouvrage ne nous permettra pas d'analyser les rapports du pré-urbanisme progressiste avec le rationalisme de la philosophie des lumières.

3. Une dernière version est donnée par G. H. Wells, *A Modern Utopia*, traduction française : *Une utopie moderne*, Pékin, 1907.

humain et promouvra le bien-être. Ces prémisses idéologiques nous permettront d'appeler progressiste le modèle qu'elles inspirent.

Il peut être déduit a priori des seules « propriétés » de l'homme-type. Considérant pose le problème sans ambiguïté : « Étant donné l'homme, avec ses besoins, ses goûts et ses penchants natifs, déterminer les conditions du système de construction le mieux approprié à sa nature. » On aboutit ainsi à la « solution de la belle et grande question de l'architectonique humaine, calculée sur les exigences de l'organisation de l'homme, répondant à l'intégralité des besoins et des désirs de l'homme, déduite de ses besoins, de ses désirs et mathématiquement ajustée aux grandes convenances primordiales de sa constitution physique [1] ». Autrement dit, l'analyse rationnelle va permettre la détermination d'un ordre-type, susceptible de s'appliquer à n'importe quel groupement humain, en n'importe quel temps, en n'importe quel lieu. On peut reconnaître à cet ordre un certain nombre de caractères.

Tout d'abord, l'espace du modèle progressiste est largement *ouvert,* troué de vides et de verdure. C'est là l'exigence de l'hygiène. Comment le dire plus clairement que Richardson dont le projet explicite dans *Hygeia* [2] est « une ville ayant le plus faible coefficient possible de mortalité » ? La verdure offre notamment un cadre pour le temps des loisirs, consacré au jardinage et à la culture systématique du corps. « Nous avons la France à transformer en un vaste jardin, mêlé de bosquets », écrit de son côté Proudhon [3]. L'air, la lumière et l'eau doivent être également distribués à tous. C'est, dit Godin, « le symbole du progrès ».

En second lieu, l'espace urbain est découpé conformément à une analyse des fonctions humaines. Un *classement* rigoureux installe en des lieux distincts l'habitat, le travail, la culture et les loisirs. Fourier en arrive même à localiser séparément les diverses formes de travail (industriel, libéral, agricole).

Cette logique fonctionnelle doit se traduire dans une disposition *simple,* qui frappe immédiatement la vue et la satisfasse. Dans le système et la terminologie de Fourier, les villes de la sixième

1. V. Considérant, *Description du phalanstère,* 2ᵉ éd., Paris, 1848.
2. Londres, 1876.
3. J. Proudhon, *Du principe de l'art et de sa destination sociale,* Paris, 1865, p. 374.

période, dite du « garantisme », sont ordonnées d'après le visuisme (garanties accordées à la passion sensitive de la vue), d'où « nous verrons ressortir le principe de tout progrès social [1] ».

Cette importance accordée à l'impression visuelle indique assez le rôle de l'esthétique dans la conception de l'ordre progressiste. Il faut toutefois souligner l'austérité de cette esthétique, dans laquelle *logique et beauté* coïncident. La ville progressiste récuse tout l'héritage artistique du passé, pour se soumettre exclusivement aux lois d'une géométrie « naturelle ». Des ordonnances nouvelles, simples et rationnelles, remplacent les dispositions et ornements traditionnels. Considérant ne trouvera pas de termes assez condescendants pour qualifier les stériles regrets de Victor Hugo devant la disparition du pittoresque Paris médiéval.

Dans certains cas, l'ordre spécifique de la ville progressiste est exprimé avec une précision de détails et une rigidité qui éliminent la possibilité de variantes ou d'adaptations à partir d'un même modèle. Tel est par exemple le cas des dessins dans lesquels Fourier représente la ville idéale avec ses quatre enceintes « chacune distante de mille toises », ses voies de circulation minutieusement calibrées, ses maisons dont les alignements, les gabarits et même les types de clôture sont une fois pour toutes chiffrés.

Les édifices sont, exactement comme les ensembles urbains, des prototypes définis une fois pour toutes, dès lors qu'ils ont fait l'objet d'une analyse fonctionnelle exhaustive. Ainsi Proudhon écrit-il : « Nous avons à découvrir les *modèles* d'habitation. » Et Fourier assortit son « phalanstère », modèle d'habitation collective, d'ateliers modèles et de constructions rurales types, exactement comme Owen préconise un type d'école et Richardson un type d'hôpital ou un type de buanderie municipale.

Parmi les divers édifices types, le *logement standard* occupe dans la vision progressiste une place importante et privilégiée. Les formules sont frappantes : « La connaissance de l'organisation d'une commune... se compose de la connaissance du mode de tra-

---

1. Ch. Fourier, *Des modifications à introduire dans l'architecture des villes,* Paris, 1845. Dans le système de Fourier, « la civilisation » correspond à la société contemporaine. Fourier cherche à promouvoir pour la suite le « garantisme » (société des garanties), qui doit précéder à son tour les périodes supérieures du « sociantisme » (7e période) et de « l'harmonisme » (8e période).

vail (etc.) et, avant tout, du mode de construction de la demeure où l'homme sera LOGÉ », car, la tâche de l'architecte, « ce n'est plus de bâtir le taudis du prolétaire, la maison du bourgeois, l'hôtel de l'agioteur ou du marquis. C'est le palais où l'homme doit loger. » Ainsi parle Considérant [1]. Et Proudhon affirme : « La première chose qu'il nous importe de soigner est l'habitation [2]. » Deux formules différentes se dégagent d'emblée : solution collective préconisée par Fourier et les adeptes des diverses formes d'association et de coopération, solution individuelle de « la petite maison, faite à ma guise que j'occupe seul, au centre d'un petit enclos d'un dixième d'hectare où j'aurai de l'eau, de l'ombre, de la pelouse et du silence », préconisée par Proudhon. Mais le fait essentiel est la place centrale du logement et la conception de celui-ci à partir d'un prototype : la maison individuelle de Richardson, avec son toit-terrasse destiné à l'héliothérapie, sa cuisine-laboratoire à l'étage élevé et ses salles d'eau, est dotée de la même valeur universelle que le phalanstère.

Si, au lieu d'en analyser les éléments, on considère le modèle progressiste en tant qu'ensemble, on s'aperçoit qu'à l'encontre de la cité occidentale traditionnelle et du centre des grandes villes industrielles, il ne constitue plus une solution dense, massive et plus ou moins organique, mais propose un établissement *éclaté*, atomisé : dans la plupart des cas, les quartiers, ou communes, ou phalanges, auto-suffisants, sont juxtaposables indéfiniment, sans que leur sommation aboutisse à une entité de nature différente. Un espace libre préexiste aux unités qui y sont disséminées, avec une abondance de verdure et de vides qui exclut une atmosphère proprement urbaine. Le concept classique de la ville se désagrège tandis que s'amorce celui de ville-campagne dont nous verrons plus loin la fortune.

En dépit de ces dispositions, destinées à libérer l'existence quotidienne d'une partie des tares et des servitudes de la grande ville industrielle, les différentes formes du modèle progressiste se présentent comme des systèmes *contraignants et répressifs*. La contrainte s'y exerce, à un premier niveau, par la rigidité d'un cadre spatial

---

1. *Loc. cit.*, p. 29.
2. *Loc. cit.*, p. 351.

prédéterminé; Fourier réglemente jusqu'aux embellissements de la cité, ces « ornements obligés » qui, sous l'égide des « comités d'apparat », pareront les différentes enceintes, contrairement à la « licence anarchique actuelle ». A un second niveau, l'ordre spatial s'avère devoir être assuré par une contrainte plus proprement politique. Celle-ci prend tantôt la forme du paternalisme (chez Owen ou Godin), tantôt la forme du socialisme d'État (chez Cabet, par exemple [1]); parfois enfin, comme chez Fourier, c'est un système de valeurs communautaires, ascétiques et répressives, qui se cache derrière les formules aimables, par quoi l'on veut opposer au technocratisme despotique des Saint-Simoniens la défense et le souci du consommateur.

L'autoritarisme politique de fait, que dissimule dans toutes ces propositions une terminologie démocratique, est lié à l'objectif commun, plus ou moins bien assumé, du *rendement* maximum. On le voit chez Owen, qui n'hésite pas à comparer, pour la rentabilité à en attendre, le bon traitement des instruments mécaniques avec « le bon traitement des instruments vivants ». C'est aussi l'obsession de Fourier, qui traduit en termes de rendement les avantages du « garantisme » et de « l'harmonie », sur les stades historiques précédents [2].

---

1. L'Icarie de Cabet a un régime particulièrement autoritaire. Il a été mis au point par Icar, dictateur dont le modèle a été fourni à Cabet par Napoléon, comme l'ont bien montré d'abord Kropotkine, puis L. Mumford, dans un ouvrage de jeunesse, dont les analyses, parfois rapides, sont très suggestives : *The Story of Utopia,* 1922 (réédité par The Viking Press, New York, 1962).

2. « On voit que nos sciences ne savent aucunement nous acheminer vers le progrès réel, vers la société des garanties qui remédierait aux misères civilisées et élèverait le produit de moitié en sus, selon cette table de produit appliquée à la France :

| | | |
|---|---|---|
| en PATRIARCAT | 3e période | 2 milliards |
| en BARBARIE | 4e — | 4 — |
| en CIVILISATION | 5e — | 6 — |
| en GARANTISME | 6e — | 9 — |
| en SOCIANTISME | 7e — | 15 — |
| en HARMONISME | 8e — | 24 — |

(*L'anarchie industrielle et scientifique,* p. 48.)

## 2. *Le modèle culturaliste.*

Le deuxième modèle se dégage des œuvres de Ruskin et de William Morris; on le retrouve encore à la fin du siècle chez Ebenezer Howard, le père de la cité-jardin [1]. Fait remarquable, ce modèle ne compte aucun représentant français. Son point de départ critique n'est plus la situation de l'individu, mais celle du *groupement* humain, de la cité. A l'intérieur de celle-ci, l'individu n'est pas une unité interchangeable comme dans le modèle progressiste; par ses particularités et son originalité propre, chaque membre de la communauté en constitue au contraire un élément irremplaçable. Le scandale historique dont partent les partisans du modèle culturaliste est la disparition de l'ancienne unité *organique* de la cité, sous la pression désintégrante de l'industrialisation.

C'est en grande partie le développement des études historiques et de l'archéologie, née avec le romantisme, qui fournissent l'image nostalgique de ce qu'en termes hégéliens on peut appeler la « belle totalité » perdue. En France, on trouve ce type d'évocation dans les œuvres de Victor Hugo et de Michelet [2]. Plus tard, *La cité antique* de Fustel de Coulanges est en partie construite sur ce thème. Et pourtant, les descriptions littéraires des villes médiévales ou antiques n'ont suscité chez les Français aucune proposition du pré-urbanisme. En Angleterre, celles de Ruskin et Morris prennent appui sur une tradition de pensée qui, depuis le début du siècle, a analysé et critiqué les réalisations de la civilisation industrielle, en leur comparant celles du passé. Des séries de concepts ont été ainsi opposés deux à deux : organique et mécanique, qualitatif et quantitatif, participation et indifférence. On trouve déjà là en germe la fameuse distinction entre *culture* et

1. E. Howard publie en 1898 *Tomorrow,* dont la 2ᵉ édition portera le titre *Garden Cities of Tomorrow,* et sera traduit en français dès 1902, sous le titre *Villes-Jardins de demain.* Par ses appartenances socialistes et son caractère utopique d'une part, par son retentissement pratique immédiat sur la création des premières *garden-cities* anglaises d'autre part, cet ouvrage constitue une véritable charnière entre le pré-urbanisme et l'urbanisme. Nous avons choisi de le traiter avec l'urbanisme.

2. Celui-ci dans son *Histoire de France* (t. 3, 1837) écrit : « La forme de Paris est non seulement belle mais vraiment *organique* » (p. 375; c'est nous qui soulignons), anticipant ainsi la terminologie de Sitte et surtout de Wright.

*civilisation* qui jouera par la suite un si grand rôle en Allemagne, dans la philosophie de l'histoire et la sociologie de la culture.

Les essais de Ruskin et Morris ont pour antécédents le livre de Pugin : *Contrasts or a parallel between the Noble Edifices in the Middle Ages and Contrasting Buildings of the present Days showing the présents decay of Taste* ainsi que les *Essais* de Th. Carlyle. Dès 1829, celui-ci avait opposé, dans son article *Signs of the Time,* le mécanisme moderne et l'organicisme du passé. Les mêmes termes seront repris un peu plus tard par Matthew Arnold pour qui « dans notre monde moderne, la civilisation entière est, à un degré bien plus considérable que dans la civilisation de la Grèce ou de Rome, mécanique et extérieure, et tend à le devenir toujours davantage [1] ».

La critique sur laquelle repose ce modèle est donc au départ *nostalgique.* Par une démarche dont le préraphaélisme a donné, dans le cas particulier des arts plastiques, la première formulation et la première illustration [2], elle postule la possibilité de faire revivre un stade idéal passé, et en voit le moyen dans un retour aux formes de ce passé. La clé de voûte idéologique de ce modèle n'est plus le concept de progrès mais celui de culture.

« Les phalanstères de Fourier et toutes choses de ce genre n'impliquaient rien d'autre qu'un refuge contre la pire indigence », écrit William Morris dans les *Nouvelles de Nulle Part.* On ne peut exprimer avec plus de brutalité la différence idéologique qui oppose les deux modèles; dans le modèle culturaliste, la prééminence des besoins matériels s'efface devant celle des besoins *spirituels.* Il est donc facile de prévoir que l'aménagement de l'espace urbain s'y fera selon des modalités moins rigoureusement déterminées. Cependant, pour pouvoir réaliser la belle totalité culturelle, conçue comme un organisme où chacun tient son rôle original, la ville du modèle culturaliste doit présenter, elle aussi, un certain nombre de déterminations spatiales et de caractères matériels.

---

1. Matthew Arnold, *Culture and Anarchy* (1869), éd. Murray, p. 10.
2. Ruskin et Morris sont liés au mouvement préraphaélite. Le premier a d'abord influencé les futurs préraphaélites par ses *Peintres modernes* (1843), puis les a à plusieurs reprises publiquement défendus, avant d'écrire enfin *Les préraphaélites* en 1853. Le second a été fortement influencé par D. G. Rossetti qu'il connut en 1856, après la dissolution de la *Preraphaelite Brotherhood* (1851). Le préraphaélisme est lui-même lié au réveil religieux d'Oxford et à la renaissance gothique anglaise.

Au contraire de l'agglomération du modèle progressiste, cette ville est, tout d'abord, bien *circonscrite* à l'intérieur de limites précises. En tant que phénomène culturel, elle doit former un contraste sans ambiguïté avec la nature, à laquelle on tente de conserver son état le plus sauvage : dans les *Nouvelles,* William Morris propose même de véritables « réserves » paysagistes. Les dimensions de la ville sont modestes, inspirées des cités médiévales qui, telles Oxford, Rouen, Beauvais, Venise, ont séduit Ruskin et Morris. Celui-ci bannit de son utopie les grandes villes tentaculaires. Londres y est réduite à ce qui fut son centre et toutes les anciennes agglomérations industrielles y perdent leurs banlieues. Ainsi, la population est tout à la fois décentralisée, dispersée en une multiplicité de points, et, dans chacun de ceux-ci, regroupée de façon plus dense.

A l'intérieur de la cité, nulle trace de géométrisme. « Faites le tour de vos monuments édimbourgeois... des damiers, encore des damiers, toujours des damiers, un désert de damiers... Ces damiers ne sont pas des prisons pour le corps mais des sépultures pour l'âme », s'écrie Ruskin, dans une de ses conférences [1]. Morris et lui prônent l'irrégularité et l'*asymétrie* qui sont la marque d'un ordre organique, c'est-à-dire inspiré par la puissance créatrice de la vie, dont l'expression la plus élevée est donnée par l'intelligence humaine. Seul un ordre organique est susceptible d'intégrer les apports successifs de l'histoire et de tenir compte des particularités du site.

Chez Ruskin et chez Morris, l'*esthétique* joue. le rôle que jouait l'hygiène chez Owen, Fourier et Richardson. « Une partie considérable des caractères essentiels de la beauté est subordonnée à l'expression de l'énergie vitale dans les objets organiques ou à la soumission à cette énergie d'objets naturellement passifs et impuissants [2]. » La laideur répandue par la société industrielle résulte d'un processus léthal, d'une désintégration par carence culturelle. Celle-ci ne peut être combattue que par une série de mesures collectives, parmi lesquelles s'impose notamment le retour à une conception de l'art inspirée par l'étude du Moyen Age. « Si l'art

1. J. Ruskin, *Eloge du gothique,* trad. franç., 1910, 2ᵉ conférence, p. 38.
2. *Idem,* p. 278.

qui est maintenant malade doit vivre et non mourir, il devra, dans l'avenir, venir du peuple, être destiné au peuple et fait par lui [1]. » Cet art, moyen par excellence d'affirmer une culture, est lié à la tradition et ne peut se développer que par la médiation d'un artisanat.

En matière de construction, *pas de prototypes,* ni de standards. Chaque bâtiment doit être différent des autres, exprimant par là sa spécificité. L'accent est mis sur les édifices *communautaires* et culturels, aux dépens de l'habitat individuel. La somptuosité et la recherche architecturale des uns contrastent avec la simplicité de l'autre. Cependant, il n'y aura pas deux demeures semblables : « Elles peuvent se ressembler pour le style et la manière, mais du moins les voudrais-je voir avec des différences capables de convenir aux caractères et aux occupations de leurs hôtes », précise Ruskin [2].

La cité du modèle culturaliste s'oppose à la ville du modèle progressiste par son climat proprement urbain. Sur le plan politique, l'idée de communauté et d'âme collective s'achève en formules *démocratiques.* Sur le plan économique, *l'anti-industrialisme* est manifeste, et la production n'est pas envisagée en termes de rendement, mais du point de vue de son rapport avec l'harmonieux développement des individus, qui « jouissent d'une vie heureuse et pleine de loisirs ». Cependant, pour assurer le fonctionnement du modèle culturaliste selon les normes pré-industrielles que nous venons de définir, la contrainte s'y réintroduit insidieusement. L'intégration du passé dans le présent n'a lieu qu'à condition d'éliminer l'imprévisible. C'est ce dont témoignent et le *malthusianisme* auquel sont soumises les villes, et l'ostracisme qui frappe les transformations techniques introduites par la révolution industrielle dans les modes de production. La temporalité créatrice n'a pas cours dans ce modèle. Fondé sur le témoignage de l'histoire, il se ferme à l'historicité.

---

1. W. Morris, *Collected Works,* t. 22, p. 133 (*The Prospects of Architecture in Civilization*).
2. J. Ruskin, *Les sept lampes de l'architecture,* trad. franç., p. 320.

*\
\* \*

Bien entendu, les deux modèles progressiste et culturaliste ne se présentent pas, chez tous les auteurs et dans tous les textes, sous une forme aussi rigoureuse et contrastée. Proudhon a beau se faire le champion du fonctionnalisme et raisonner en termes d'individu moyen, son individualisme l'empêche de déterminer avec rigueur le plan de la ville idéale. Fourier, le promoteur des cités-standards, veut paradoxalement assurer le plaisir et la variété à leurs habitants; il critique l'ordre « monotone », imparfait, des « villes civilisées que l'on sait par cœur quand on a vu deux ou trois rues [1] ». Ruskin, lui-même a des sursauts contre sa tendance passéiste et il lui arrive de mettre le système gothique en question.

Néanmoins, et c'est là le point important, tous ces esprits pensent la ville de l'avenir en termes de modèle. Dans tous les cas, la ville, au lieu d'être pensée comme processus ou problème, est toujours posée comme une chose, un objet reproductible. Elle est arrachée à la temporalité concrète et devient, au sens étymologique, utopique, c'est-à-dire de nulle part [2].

En pratique, d'ailleurs, les modèles du pré-urbanisme n'ont donné lieu qu'à un nombre insignifiant de réalisations concrètes, entreprises à une échelle réduite. Ce sont essentiellement, en Europe, les établissements de Owen à New Lanark et de Godin au phalanstère de Guise; aux États-Unis, les « colonies » fondées par les disciples d'Owen, de Fourier et de Cabet. On sait que toutes celles-ci périclitèrent assez rapidement. Leur échec s'explique par le caractère contraignant et répressif de leur organisation, mais surtout par leur coupure d'avec la réalité socio-économique contemporaine.

Ces expériences appartiennent pour nous aux curiosités sociologiques. En revanche, les modèles du pré-urbanisme présentent aujourd'hui un intérêt épistémologique considérable. En effet, par leur origine critique et leur foi naïve en l'imaginaire, ils annoncent

---

1. *Loc. cit.*, p. 18.
2. Comme le rappelle L. Mumford, Th. More, l'inventeur du terme « utopia », a révélé lui-même le jeu de mots sur lequel était construit ce néologisme, et sa double étymologie : eutopia (lieu agréable) et outopia (sans lieu, de nulle part).

la méthode même de l'urbanisme, dont les propositions suivront au xx<sup>e</sup> siècle une démarche analogue. Ils sont modèles de modèles [1].

## C. LA CRITIQUE SANS MODÈLE DE ENGELS ET DE MARX

A l'encontre des autres penseurs politiques du xix<sup>e</sup> siècle, et malgré leurs emprunts aux socialistes utopiques, Marx, et plus explicitement Engels, ont critiqué les grandes villes industrielles contemporaines sans recourir au mythe du désordre, ni proposer sa contrepartie, le modèle de la cité future.

La ville possède chez eux le privilège d'être le *lieu de l'histoire*. C'est là que, dans un premier temps, la bourgeoisie s'est développée et a joué son rôle révolutionnaire [2]. C'est là que naît le prolétariat industriel, auquel principalement reviendra la tâche d'accomplir la révolution socialiste et de réaliser l'homme universel. Cette conception du rôle historique de la ville exclut le concept de désordre; la ville capitaliste du xix<sup>e</sup> siècle est, au contraire, pour Engels et Marx, l'expression d'un *ordre* qui fut en son temps créateur et qu'il s'agit de détruire pour le dépasser.

Ils n'opposent pas à cet ordre l'image abstraite d'un ordre nouveau. La ville n'est pour eux que l'aspect particulier d'un problème général et sa forme future est liée à l'avènement de la société sans classe. Il est impossible et inutile, avant toute prise de pouvoir révolutionnaire, de chercher à en prévoir l'aménagement futur. La perspective d'une action transformatrice remplace pour eux le modèle, rassurant mais irréel, des socialistes utopistes. L'action révolutionnaire doit dans son développement historique réaliser l'établissement socialiste puis communiste : l'avenir demeure ouvert.

1. La continuité idéologique entre l'urbanisme et le pré-urbanisme est réelle dans le cas des *garden-cities* anglaises. Au contraire, du côté progressiste, la coïncidence idéologique entre urbanisme et pré-urbanisme est le plus souvent fortuite. Le Corbusier se réclame de Fourier seulement à propos de l'unité d'habitation.
2. Cf. Engels, *Les principes du communisme* (1847); Marx, *Manifeste du parti communiste* (1848).

C'est pourquoi, en dehors de leur contribution à la sociologie urbaine, signalée plus haut, l'attitude de Engels et de Marx en face du problème urbain se caractérise essentiellement par son *pragmatisme*. Les certitudes et les précisions d'un modèle sont refusées au profit d'un avenir indéterminé, dont les contours n'apparaîtront que progressivement, à mesure que se développera l'action collective. Ainsi, dans *La question du logement*[1], Engels n'apporte aucune panacée, aucune solution théorique à un problème cruellement vécu par le prolétariat. Il cherche seulement à assurer aux prolétaires, par n'importe quel moyen, une sorte de minimum existentiel; d'où son souci du logement, à quoi il réduit momentanément la question urbaine. « Pour le présent, la seule tâche qui nous incombe est un simple rafistolage social et l'on peut même sympathiser avec les tentatives réactionnaires », écrit-il sans ambiguïté. Les « maisons ouvrières » préconisées par certains socialistes lui paraissent haïssables parce qu'elles dissimulent leur inspiration paternaliste sous l'apparence d'une solution révolutionnaire. Plutôt que de définir prématurément des types et des standards qui seront forcément inadaptés et anachroniques par rapport aux structures économiques et sociales de l'avenir, mieux vaut, purement et simplement, installer les ouvriers dans les demeures et les beaux quartiers des bourgeois.

La démarche de Marx et de Engels se veut radicale dans sa volonté d'indétermination. On trouve toutefois chez eux une image célèbre touchant à l'avenir urbain : celle de la *ville-campagne* résultant de la « suppression de la différence entre la ville et la campagne[2] ». Sans doute, cette ville-campagne peut-elle évoquer

---

1. *Zur Wohnungsfrage*, 1<sup>re</sup> édition allemande, 1887. Trad. franç., Editions Sociales, Paris, 1957. Cet ouvrage est un recueil d'articles essentiellement *polémiques* écrits en 1872 : ce sont des réponses aux « boniments sociaux » publiés par un médecin proudhonien, sous forme d'articles, dans le *Volksstaat*.

2. La suppression de la différence entre la ville et la campagne n'est pas un objectif propre à Marx et à Engels. On le trouve notamment développé, en termes analogues, par le socialiste chrétien Ch. Kingsley. Dans un essai, *Great Cities,* celui-ci prédit « une complète interpénétration de la ville et de la campagne, une complète fusion de leurs différents modes de vie et une combinaison des avantages de chacune, telles qu'aucun pays dans le monde n'en a jamais vu ». Il ne semble pas douteux que cette perspective soit issue de l'observation du développement des *suburbs,* dans lesquels beaucoup de bons esprits de la fin du XIX<sup>e</sup> siècle avaient mis leurs espoirs. Cf. A. F. Weber :

le modèle des villes vertes de Fourier ou même de Proudhon. Engels observe lui-même que « dans les constructions modèles (des premiers socialistes utopiques Owen et Fourier), l'opposition entre la ville et la campagne n'existe plus ». Mais la notion de « suppression de la différence » ne peut, chez Engels et Marx, être ramenée à une projection spatiale. Elle doit être essentiellement entendue du point de vue du déséquilibre démographique et des inégalités économiques ou culturelles qui séparent les hommes de la ville de ceux de la campagne : elle correspond au moment de la réalisation de l'homme total, et possède surtout une valeur symbolique.

Après Engels et Marx, le refus d'un modèle ne sera plus assumé qu'à de rares reprises. On le retrouvera chez l'anarchiste Kropotkine pour qui « réglementer, chercher à tout prévoir et à tout ordonner serait simplement criminel[1] ». Dans la suite du XXe siècle — à part le bref moment consécutif à la révolution d'Octobre, où, dans *L'A.B.C. du communisme*[2], Boukharine et Préobrajensky reprendront rigoureusement la position adoptée par Engels dans *La question du logement* — les dirigeants de l'Union soviétique comme ceux de la Chine populaire seront, lorsqu'il s'agira d'édifier des villes neuves, aux prises avec des modèles et soucieux de typologie[3].

## D. L'ANTI-URBANISME AMÉRICAIN

La majorité des auteurs qui, dans l'Europe du XIXe siècle, ont critiqué la grande ville industrielle, n'en étaient pas moins marqués par une longue tradition urbaine; à travers l'histoire, les cités

---

« C'est le développement des *suburbs* qui nous offre la base solide d'un espoir pour que les maux de la vie urbaine soient, dans la mesure où ils résultent d'une surdensification, en grande partie éliminés », *loc. cit.*, p. 475.

1. *Les temps nouveaux*, 1894, p. 51.
2. N. Boukharine et E. Préobrajensky, *L'A.B.C. du Communisme*, éd. nouvelle intégrale, traduite en français, François Maspéro, Paris, 1963. Chap. 17, *La question du logement*.
3. Cf. P. George, *La ville*, P.U.F., Paris, 1952.

européennes leur sont apparues comme le berceau des forces qui transforment la société. L'inverse a lieu aux États-Unis, où l'époque héroïque des pionniers est liée à l'image d'une nature vierge. Aussi, avant même que n'y soient perçus les premiers contrecoups de la révolution industrielle, la nostalgie de la *nature* inspire dans ce pays un violent courant anti-urbain.

L'attaque est sans pitié mais elle ne débouche sur aucun modèle de remplacement. Une tradition anti-urbaine commence ainsi avec Thomas A. Jefferson, pour se poursuivre avec R. Waldo Emerson, Thoreau, Henry Adam, Henry James, et s'achever paradoxalement avec le plus grand architecte de l'École de Chicago, Louis Sullivan. Les travaux de M. et L. White [1] ont remarquablement analysé les étapes de ce courant, par rapport à quoi les chantres de la ville américaine, de Walt Whitman à William James, ne représentent que quelques voix perdues dans le « désert de la cité », complètement submergées par le « fracas anti-urbain du panthéon littéraire national [1] ».

La grande ville est ainsi successivement critiquée sous une série d'angles différents; au nom de la démocratie et d'un empirisme politique par Jefferson; au nom d'une métaphysique de la nature par Emerson, et surtout Thoreau [2]; en fonction, enfin, d'une simple analytique des rapports humains, par les grands romanciers. Tous ces auteurs, à l'unisson, mettent naïvement leurs espoirs dans la restauration d'une sorte d'*état rural* dont ils pensent qu'il est, à quelques réserves près, compatible avec le développement économique de la société industrielle et que, seul, il permet d'assurer la liberté, l'épanouissement de la personnalité, voire la véritable sociabilité.

L'anti-urbanisme américain n'a pas la portée des courants de pensée examinés plus haut; il ne s'est à aucun moment érigé en méthode. Il devait cependant être mentionné ici, en raison de son influence sur l'urbanisme américain au XXᵉ siècle.

---

1. M. et L. White, *The American Intellectual versus the American Cities*, in *The Future Metropolis*, Braziller, New York, 1961.
2. Cf. R. W. Emerson, *Nature*, 1836, et H. Thoreau, *Walden*, 1854.

## II. L'URBANISME

L'urbanisme diffère du pré-urbanisme sur deux points importants. Au lieu d'être l'œuvre de généralistes (historiens, économistes ou politiques), il est sous ses deux formes, théorique et pratique, l'apanage de *spécialistes,* le plus généralement d'architectes.

« L'urbaniste n'est pas autre chose qu'un architecte », affirme Le Corbusier. Aussi l'urbanisme cesse-t-il de s'insérer dans une vision globale de la société. Alors que le pré-urbanisme avait été lié à des options politiques tout au long de son histoire [1], l'urbanisme est *dépolitisé.* Cette transformation de l'urbanisme peut s'expliquer par l'évolution de la société industrielle dans les pays capitalistes. Après la phase militante, héroïque, du XIXe siècle, les sociétés capitalistes se libéralisent et leurs classes dirigeantes reprennent, en les coupant de leurs racines, certaines idées et propositions de la pensée socialiste du XIXe siècle.

En outre, ces idées vont être mises en application. Au lieu d'être cantonné dans l'utopie, l'urbanisme va assigner à ses techniciens une tâche *pratique.*

Cependant l'urbanisme n'échappe pas complètement à la dimension de l'imaginaire. Les premiers urbanistes ont une prise réduite sur le réel : tantôt ils doivent faire face à des conditions économiques défavorables, tantôt ils se heurtent à la toute puissance de

---

1. Nous ne sommes donc pas d'accord avec N. Benevolo qui, dans *Le origini dell' urbanistica moderna* (Laterza, 1963), fait dater de 1848 la dépolitisation de la pensée relative à l'aménagement urbain. D'une façon générale, l'approche des pré-urbanistes est davantage concernée par une théorie des rapports sociaux que par une politique proprement dite. Mais cette vision globale de la ville subsiste jusqu'au début du XXe siècle. William Morris en donne un admirable exemple. Les projets techniques qui attirent l'attention de Benevolo à partir de 1848 ne constituent qu'un cas — particulièrement spectaculaire (du fait de la révolution industrielle) — d'une pratique, qui a toujours existé; il tend à confondre urbanisme et génie civil.

structures économiques et administratives héritées du xixᵉ siècle. Dès lors leur tâche polémique et formatrice s'affirme à son tour dans un mouvement utopique.

C'est pourquoi, en dépit des différences signalées plus haut, et bien qu'on ne puisse parler d'une continuité idéologique consciemment assumée entre pré-urbanisme et urbanisme, ce dernier fait lui aussi jouer dans sa méthode un rôle à l'imaginaire. Nous y retrouverons, sous une forme modernisée, les deux modèles du pré-urbanisme.

## A. UNE NOUVELLE VERSION DU MODÈLE PROGRESSISTE

La version nouvelle du modèle progressiste trouve une première expression dans *La cité industrielle* de l'architecte Tony Garnier. Cet ouvrage, édité seulement en 1917, se compose d'une brève introduction accompagnée d'une imposante série de planches illustrées, qui furent, elles, exposées et connurent une grande notoriété dès 1904. On y découvre, selon Le Corbusier, « une tentative de mise en ordre et une conjugaison des solutions utilitaires et des solutions plastiques. Une règle unitaire distribue dans tous les quartiers de la ville le même choix de volumes essentiels et fixe les espaces suivant des nécessités d'ordre pratique et les injonctions d'un sens poétique propre à l'architecte [1] ».

L'influence de *La cité industrielle* fut considérable sur la première génération des architectes « rationalistes » [2]. Mais ceux-ci devaient attendre la fin de la guerre de 1914, et la double sollicitation du progrès technique et de certaines recherches plastiques d'avant-garde, pour donner son expression achevée au modèle progressiste

[1]. Le Corbusier, *Vers une architecture*, p. 38 de la réédition Vincent Fréal, 1958.
[2]. Le concept d'architecture *rationaliste* a été utilisé par les historiens de l'architecture (B. Zevi surtout) pour désigner le mouvement qui s'affirma, après la guerre de 1914, en faveur des formes pures (contre l'Art nouveau et sous l'influence du cubisme); il proscrit toute décoration et ornementation des édifices, et préconise l'exploitation radicale des ressources de la technique

de l'urbanisme. Malgré des situations politiques et économiques très différentes, une image analogue de la cité future se dégage des recherches entreprises, presque simultanément, aux Pays-Bas autour de J. P. Oud, G. Rietveld et C. Van Eesteren, en Allemagne autour du *Bauhaus* de Gropius [1], en Russie autour des constructivistes, en France autour de A. Ozenfant et Le Corbusier.

A partir de 1928, le modèle progressiste trouve son organe de diffusion dans un mouvement international, le groupe des C.I.A.M. [2]; en 1933, ce groupe propose une formulation doctrinale sous le nom de *Charte d'Athènes*. Celle-ci est donc le bien commun des urbanistes progressistes; son contenu est repris dans leurs

---

et de l'industrie. Ses principaux partisans furent Gropius, Le Corbusier, Mies Van der Rohe, Oud et Mendelsohn. L'architecture rationaliste s'est répandue en une deuxième vague aux U.S.A. juste avant, mais surtout après, la deuxième guerre mondiale. Les architectes rationalistes ont créé le « style international » (expression consacrée par H. R. Hitchcock et Ph. Johnson dans *The International Style, Architecture since 1922*, Norton, New York, 1932).

1. Prenant la suite de l'œuvre accompli par le *Deutsches Werkbund* de H. Van de Velde, et développant des idées que lui-même avait déjà résumées en 1910, Gropius fonde en 1919 le *Bauhaus* de Weimar. Cette célèbre école se donne pour objectif la synthèse des arts et de l'industrie, l'élaboration, par un travail d'équipe, de normes et de standards destinés, dans le cas des arts appliqués et de l'architecture, à la production en série. C'est dans cet esprit que le *Bauhaus* tentera de définir un style. Parmi les professeurs appelés par Gropius : P. Klee, W. Kandinsky, Moholy-Nagy. Malevitch et Van Doesbourg feront des conférences. L'urbaniste du groupe est L. Hilberseimer. En 1926, le *Bauhaus* se transporte à Dessau. Mies Van der Rohe en prend la direction en 1930. Les Nazis fermeront l'école en 1932. Comme le justement fait observer B. Zevi, dans l'Allemagne, jeune nation industrielle, l'urbanisme est enseigné officiellement : Gropius est essentiellement un professeur. La situation est inverse en France : Le Corbusier demeurera un polémiste et un outsider.

2. Le groupe des C.I.A.M. (Congrès internationaux d'Architecture moderne) réunit non seulement des européens comme V. Bourgeois, Gropius, Hilberseimer, Le Corbusier, Rietveld, Sert, Van Eesteren, mais des représentants des États-Unis (Neutra, Wiener), du Brésil (Costa), du Japon (Sakakura), etc. D'abord absorbés par le problème du logement, les C.I.A.M. mirent l'urbanisme au premier rang de leurs préoccupations à partir du congrès de 1930, date à laquelle leur présidence revint à Van Eesteren, qui était alors chef du département de *Town Planning* de la ville d'Amsterdam. Les architectes des C.I.A.M. élaborèrent, en 1933, la *Charte d'Athènes* ou *Town Planning Chart* au cours de leur 4e congrès, qui prit la forme d'une croisière en Méditerranée, vers la Grèce et Athènes. Les principes dégagés alors furent réunis plus tard sous deux formes destinées au public non spécialisé : *La charte d'Athènes, l'urbanisme des C.I.A.M.*, par Le Corbusier, Plon, Paris, 1943, et *Can our Cities Survive* par J. L. Sert (vice-président des C.I.A.M.), Harvard University Press, 1944.

nombreux écrits respectifs. On a cependant emprunté la plupart des citations qui suivent à Le Corbusier : un exceptionnel talent de journaliste (entretenu par la nécessité de polémiquer sans cesse contre le passéisme du public français) a, quarante-cinq ans durant, inspiré à ce dernier les images et les formules les plus frappantes [1].

L'idée-clé qui sous-tend l'urbanisme progressiste est l'idée de *modernité*. « Une grande époque vient de commencer, il existe un esprit nouveau », proclame Le Corbusier dans la revue *L'esprit nouveau,* qu'il vient de fonder en 1919 avec A. Ozenfant. Cette modernité, il la voit essentiellement à l'œuvre dans deux domaines : l'industrie et l'art d'avant-garde (en l'occurence le cubisme et les mouvements qui en dérivent).

Comme dans le pré-urbanisme progressiste, on trouve donc à la base de l'urbanisme progressiste une conception de l'ère industrielle comme rupture historique radicale. Mais l'intérêt des urbanistes s'est déplacé des structures économiques et sociales vers les structures *techniques* et *esthétiques.* La grande ville du XXe siècle est anachronique parce qu'elle n'est la contemporaine véritable ni de l'automobile, ni des toiles de Mondrian : voilà le scandale historique qu'ils vont dénoncer et tenter de supprimer.

Il faut que la ville du XXe siècle accomplisse à son tour sa révolution industrielle : et ce n'est pas assez de mettre systématiquement en œuvre les matériaux nouveaux, acier et béton, qui permettent un changement d'échelle et de typologie, il faut, pour obtenir l' « efficacité » moderne, annexer les méthodes de standardisation et de mécanisation de l'industrie. La rationalisation des formes et des prototypes recoupe d'ailleurs les recherches des arts plastiques. Effectivement, les membres du *Bauhaus* comme les urbanistes néerlandais ont été étroitement liés avec P. Mondrian, Van Doesbourg et les promoteurs du *Stijl ;* les architectes urbanistes soviétiques ont gravité dans le groupe constructiviste, autour de Malevich et Tatlin; Le Corbusier a été avec A. Ozen-

---

1. En quarante-cinq ans, on ne relève guère d'évolution ou de transformation dans la pensée urbanistique de Le Corbusier. Aujourd'hui ses idées paraissent dépassées dans certains pays, mais non en France où, effectivement, la situation de la construction et la mentalité du public n'ont guère changé de 1918 aux années 1950.

fant, en 1920, le fondateur du « purisme ». Ces divers mouvements proposent tous un nouveau rapport avec l'objet, rapport fondé sur une conception austère et rationnelle de la beauté. Ils cherchent à dégager des formes universelles, poursuivant le propos des cubistes dont D. H. Kahnweiler note suggestivement qu'ils voulaient donner de l'objet « une image complète et dépouillée en même temps de tout ce qui est momentané, accidentel, retenant seulement l'essentiel, le durable [1] ».

Ainsi, l'industrie et l'art se rejoignent dans leur visée de l'*universel,* et leur double déploiement à l'échelle mondiale confirme les urbanistes progressistes dans la conception de l'homme-type du pré-urbanisme : identique sous toutes les latitudes et au sein de toutes les cultures, l'homme est pour Le Corbusier défini « par la somme des constantes psycho-physiologiques reconnues, inventoriées par des gens compétents (biologistes, médecins, physiciens et chimistes, sociologues et poètes [2]) ».

Cette image de l'homme-type inspire la Charte d'Athènes qui analyse les besoins humains universels dans le cadre de quatre grandes fonctions : habiter, travailler, circuler, se cultiver le corps et l'esprit. Telle est la base qui doit permettre de déterminer a priori, en toute certitude, ce que Gropius appelle « le type idéal de l'établissement humain ».

Ce type s'appliquera, identiquement, à travers un espace planétaire homogène, dont les déterminations topographiques sont niées. L'indépendance par rapport au site ne résulte plus seulement, comme au XIXe siècle, de la certitude de détenir la vérité d'une bonne forme, mais aussi des nouvelles possibilités techniques : « l'architecture du bulldozer » est née, qui nivelle les montagnes et comble les vallées. A condition qu'il remplisse ses fonctions et soit efficace, les urbanistes adopteront le même plan de ville pour la France, le Japon, les États-Unis et l'Afrique du Nord. Le Corbusier en arrive à proposer pratiquement le même schéma pour Rio et Alger, et le plan pour la reconstruction de Saint-Dié

---

1. D. Kahnweiler, *Juan Gris,* Gallimard, Paris, 1946.
2. Le Corbusier, *Manière de penser l'urbanisme,* L'architecture d'aujourd'hui, Paris, 1946, réédition Ed. Gonthier, 1963, page 38. Cf. « Tous les hommes ont mêmes organismes, mêmes fonctions. Tous les hommes ont les mêmes besoins. » in *Vers une architecture,* p. 108.

reproduit à petite échelle le plan Voisin de Paris des années 1920.

Pas plus qu'au site, le plan de la ville progressiste n'est lié aux contraintes de la tradition culturelle; il veut n'être que l'expression d'une démiurgique liberté de la raison, mise au service de l'efficacité et de l'esthétique. Ce sont ces deux impératifs qui confèrent à l'espace du modèle progressiste ses caractères particuliers.

Le souci de l'efficacité se manifeste d'abord dans l'importance accordée à la question de la santé et de l'hygiène. L'obsession de l'hygiène se polarise autour des notions de soleil et de verdure. Elle est liée aux progrès contemporains de la médecine et de la physiologie, aux applications pratiques qui en sont tirées [1], ainsi qu'au rôle nouveau dévolu, après la première guerre mondiale, à la culture du corps et à l'héliothérapie. Ces objectifs conduiront les urbanistes progressistes à faire éclater l'ancien espace clos pour le *dédensifier,* pour isoler dans le soleil et la verdure des édifices qui cessent d'être liés les uns aux autres pour devenir des « unités » autonomes. La conséquence majeure est l'abolition de la rue, stigmatisée comme un vestige de barbarie, un anachronisme révoltant. Parallèlement, la plupart des urbanistes préconiseront la construction en hauteur, pour substituer à la continuité des anciens immeubles bas, un nombre réduit d'unités ou pseudo-cités verticales. En termes de *Gestalt Psychologie,* on constate une inversion des termes forme et fond; au lieu que des morceaux d'espace libre jouent le rôle de figures sur le fond construit de la ville, l'espace devient fond, milieu sur quoi se développe l'agglomération nouvelle. Ce nouveau fond est en grande partie investi par la verdure. « La ville se transformera petit à petit en un parc, » anticipe Le Corbusier; et Gropius ajoute : « Le but de l'urbaniste doit être de créer entre la ville et la campagne un contact de plus en plus étroit [2]. » Ainsi est-on conduit aux concepts de la « cité-

1. Cf. Rey et Pidoux, *Une révolution dans l'art de bâtir : l'orientation solaire de habitations* (Communication au congrès d'hygiène de l'Institut Pasteur, 1921). Ces auteurs exaltent « la lumière solaire, suprême facteur de la vie » et proposent une « solution rigoureuse du problème de l'éclairage solaire des habitations », qu'ils reprendront plus tard dans *La science du plan des villes,* 1928.
2. Le Corbusier, *Manière de penser l'urbanisme,* p. 86. Gropius, *loc. cit.,* p. 100.

jardin » verticale de Le Corbusier et de l'*urbs in horta* de Hilberseimer.

Cet espace éclaté n'en est pas moins gouverné par un *ordre* rigoureux qui répond à un nouveau niveau d'efficacité, celui de l'activité productive. En effet, la ville industrialisée est aussi industrieuse, c'est-à-dire, pour l'urbanisme progressiste, « un outil de travail ». Pour que la ville puisse remplir cette fonction d'ustensilité, elle doit être « classée », analysée ; chaque fonction doit y occuper une aire spécialisée. A la suite de Tony Garnier, les urbanistes progressistes séparent soigneusement les zones de travail des zones d'habitat, et celles-ci des centres civiques ou des lieux de loisirs. Chacune de ces catégories est à son tour divisée en sous-catégories également classées et ordonnées. Chaque type de travail, bureaucratique, industriel, commercial reçoit son affectation. Il n'est pas jusqu'aux « cafés, restaurants, boutiques... vestiges demeurés de l'actuelle rue » qui ne doivent « être mis en forme ou en ordre, en état de pleine efficacité. Lieux concertés de badauderie et de sociabilité[1] ». La circulation, à son tour, est conçue comme une fonction séparée que, paradoxalement, on traite en faisant abstraction de l'ensemble construit où elle s'insère ; il y a « indépendance réciproque des volumes bâtis et des voies de circulation », dit Le Corbusier, et il ajoute « les voies autoroutes traverseront en transit et selon le réseau le plus direct, le plus simplifié, entièrement lié au sol... mais parfaitement indépendamment des édifices ou immeubles pouvant se trouver à plus ou moins grande proximité[2] ». La rue n'est donc pas seulement abolie au nom de l'hygiène, mais en tant qu'elle « symbolise à notre époque le désordre circulatoire ». L'ordre circulatoire risque d'ailleurs souvent de s'achever en soumission inconditionnée à la puissance de l'automobile dont on a pu dire, non sans une part de justesse, qu'elle seule finissait par déterminer le parti d'un grand nombre de projets.

*Ville-outil,* le modèle progressiste est également *ville-spectacle.* L'esthétique est un impératif aussi important que l'efficacité pour ces urbanistes-architectes auxquels la tradition européenne a donné,

1. Le Corbusier, *loc. cit.,* p. 74.
2. *Loc. cit.,* p. 27 et 77. Cf. la thèse inverse in *Rapport Buchanan,* ci-dessous, p. 327, 333-4.

au premier chef, une formation d'artistes. Mais conformément à leur modernisme, ils rejettent toute sentimentalité à l'égard de l'apport esthétique du passé. Des anciennes cités, qu'il s'agit de réaménager, ils ne gardent que les linéaments, pratiquant cet urbanisme du couteau qui satisfait également aux exigences du rendement. « Plus Haussmann taillait, plus il gagnait d'argent », note Le Corbusier[1]. Le même auteur, dans son plan de Paris, rasera sans hésiter l'ensemble des vieux quartiers « pittoresques » (attribut passéiste, proscrit de l'agglomération progressiste) pour ne garder que quelques édifices majeurs (Notre-Dame, la Sainte Chapelle, les Invalides) promus à la dignité de symbole et à la fonction muséologique.

C'est sur la planche à dessin, à la manière d'un tableau, que l'urbaniste « compose » sa future cité. Conformément aux principes du cubisme, et davantage encore à ceux du purisme et du Stijl, il élimine tout détail anecdotique au profit de formes simples, dépouillées, où l'œil ne puisse achopper à aucune particularité; il s'agit en quelque sorte de construire le cadre a priori de tout comportement social possible[2].

La composition reprend le thème de l'éclatement; elle s'organise autour de centres de vision multiples, dans une démarche qui évoque celle du cubisme synthétique. Chacun de ces foyers dissociés est ordonné selon les principes d'une géométrie simple, qui caractérise également les compositions des écoles apparentées au cubisme. « La géométrie, disait Apollinaire, est aux arts plastiques ce que la grammaire est à l'art de l'écrivain. » Cependant — D. H. Kahnweiler et M. Raynal l'ont bien souligné — il s'agissait chez les cubistes d'un géométrisme instinctif, dans lequel la mathématique avait peu à voir. Au contraire, pour la plupart des urbanistes progressistes, tels Le Corbusier et ses disciples, la géométrie devient le point de rencontre du beau et du vrai : l'art est régi par une logique mathématique. « La géométrie est la base... Toute l'époque contemporaine est donc de géométrie, éminemment; son rêve, elle l'oriente vers les joies de la géométrie.

1. *Urbanisme*, Crès, Paris, 1923, p. 255.
2. D. H. Kahnweiler a fort judicieusement rapproché la démarche cubiste de la philosophie husserlienne (d'ailleurs ignorée par les cubistes). Cf. *loc. cit.*, p. 267.

Les arts et la pensée moderne, après un siècle d'analyse, cherchent au-delà du fait accidentel et la géométrie les conduit à un ordre mathématique [1]. » Encore ne faut-il pas se laisser prendre au mirage des mots. La géométrie qui ordonne le modèle progressiste est très élémentaire. Elle consiste essentiellement à disposer des éléments cubiques ou parallélépipédiques selon des lignes droites qui se coupent à angle droit : l'orthogonisme est la règle d'or qui détermine les rapports des édifices entre eux et avec les voies de circulation. Le Corbusier affirme : « La culture est un état d'esprit orthogonal [2]. » Finalement, à l'espace éclaté mais ordonné de la ville-objet, correspond rigoureusement l'espace dissocié mais géométriquement composé de la ville-spectacle.

Le même fonctionnalisme et les mêmes principes esthétiques, inspirés par un identique rationalisme, président à la conception des éléments de la composition, c'est-à-dire des *édifices* répartis dans l'espace. A chaque destination correspond un prototype; celui-ci exprime la vérité d'une fonction. Le *Bauhaus* s'assigne précisément pour tâche la détermination de ces « formes-types »; elles appartiennent d'ailleurs à la logique d'une production industrielle bien comprise. « Une prudente limitation de la variété à quelques types d'édifices standards augmente leur qualité et abaisse leur prix de revient », écrit Gropius [3]. Sa vie entière, il n'a cessé d'envisager la production industrielle du bâtiment sous forme d'éléments légers. Chez Le Corbusier, l'industrialisation du bâtiment est plutôt un rêve, exprimé surtout au cours des années 1920. Dans la pratique, ses lourds bâtiments de béton, dont seules les superstructures sont industrialisées, font une part bien mince à l'industrie. Il n'en prône pas moins, lui aussi, la nécessité de définir des prototypes : unités d'habitation, unités de travail, unités de culture de l'esprit et du corps, unités agraires, unités de circulation horizontales et verticales. Il descend ainsi jusque dans le détail du plus humble équipement.

Dans la mesure où le modèle progressiste, à l'encontre du modèle culturaliste, privilégie l'individu-type plutôt que la communauté-type, il est normal que ses recherches les plus poussées aient porté

1. Le Corbusier, *Urbanisme*, p. 35.
2. *Idem.*
3. *Loc. cit.*, p. 38.

sur l'habitat. Les premiers travaux des C.I.A.M. ont été axés autour de celui-ci. La Charte d'Athènes en porte témoignage. J. L. Sert, dans l'ouvrage où il la résume, intitule un chapitre : *Dwelling, the first urban « function »*.

D'une façon générale, deux types d'habitat sont envisagés parallèlement, tout comme à l'époque de Fourier et Proudhon. D'une part, on retrouve la *maison basse,* individuelle ou réservée à un petit nombre de familles : cette solution est surtout étudiée par les Anglo-Saxons, les Hollandais et certains membres du *Bauhaus.* D'autre part, on voit proposer *l'immeuble collectif géant,* qui correspond davantage à l'idéal d'une société moderniste. Des prototypes remarquables en ont été mis au point au *Bauhaus* et par certains architectes soviétiques d'avant-garde, comme Ol et Ginsburg, au cours des années 1920. Le Corbusier devait ultérieurement concevoir le modèle le plus élaboré : *l'unité d'habitation* ou *cité radieuse,* réalisée pour la première fois à Marseille [1], avant d'être répétée à Nantes, Briey, Berlin.

La *cité radieuse* reprend explicitement la conception fouriériste du phalanstère. Construite pour abriter le même nombre de familles (1.500 à 2.000 personnes), offrant les mêmes services collectifs et les mêmes organes, en particulier « la rue galerie », l' « unité » est une version du phalanstère modernisée, et marquée par les progrès de la technique : l'invention du béton armé et de l'ascenseur ont permis de remplacer l'horizontalité par la verticalité d'un immeuble de dix-sept niveaux. Mais la cellule ou logement familial, que le système de Fourier laissait délibérément dans l'indétermination (« on trouve à se loger selon sa fortune et ses goûts »), devient au contraire chez Le Corbusier un appartement-type, à fonctions classées dans un espace minimum, intransformable. Force est à l'occupant de se plier au schéma de circulation et au mode de vie que ce logement implique, et dont l'architecte a déduit qu'ils étaient les meilleurs possibles.

L'ordre matériel que nous venons de définir par sa projection dans l'espace contribue également à créer un *climat mental* particulier. Dans la mesure où il a été conçu comme une expression plastique de la modernité, il suscite d'emblée une atmosphère de

1. La première pierre fut posée en 1947 et l'édifice achevé en 1952.

manifeste. La rupture avec le passé est assumée de façon agressive, provocante, les nouvelles valeurs (mécanisation, standardisation, rigueur, géométrisme) affirmées dans un style d'avant-garde, en quelque sorte exposées au public dont il s'agit de conquérir l'adhésion par une impression de futurisme. L'ambition du projet, sa dimension historique créent un sentiment d'exaltation. Mais le non-conformisme des urbanistes progressistes est menacé par un nouveau conformisme. Leur intransigeance, leur refus polémique de s'ouvrir à la négativité de l'expérience humaine, en éliminant tous les éléments susceptibles de porter atteinte à l'ordonnance théorique d'un projet, risque de se figer en académisme.

Par ailleurs, il ne règne pas dans l'agglomération progressiste un climat vraiment urbain. Cette affirmation peut sembler paradoxale si l'on évoque les cités de plusieurs millions d'habitants proposées par Hilberseimer ou Le Corbusier. Il est cependant significatif que l'un des mots les plus fréquemment utilisés par ce dernier soit « unité ». Il précise même que les « outils de l'urbanisme prendront la forme d'unités » (d'habitations, de circulation etc.). Cette terminologie trahit bien *l'atomisation,* la dislocation de l'établissement qui groupe dans la verdure des séries de gratte-ciels ou petites villes verticales.

Enfin, les agglomérations de l'urbanisme progressiste sont des lieux de contrainte [1]. Ici encore un mot-clé : *l'efficacité.* Cette valeur justifie la rigide détermination du cadre de vie. L'inscription, irrémédiablement fixée, de chacune des activités humaines dans des termes spatiaux, symbolise le rôle réificateur de cet urbanisme dont on ne peut donner une image plus saisissante que ne l'a fait Le Corbusier lui-même : « Plus rien n'est contradictoire... chacun bien aligné en ordre et hiérarchie occupe sa place [2]. » Et, de fait,

---

1. Le caractère contraignant des cités corbusiennes a été particulièrement bien dégagé par L. Mumford. Cf. notamment in *The Highway & the City,* Londres, 1964, l'essai intitulé *The Marseille Folly :* « En bref, ce plan, avec ses dimensions arbitraires, la façon dont il frustre les occupants de toute possibilité d'isolement, son échec dans l'utilisation de la lumière naturelle, offre une parfaite démonstration des conditions procustéennes qui commencent à régner sur l'architecture moderne. *Comme l'antique aubergiste grec, l'architecte de la cité radieuse fait appel à la violence afin de plier les êtres humains aux dimensions inflexibles de son édifice monumental.* » (p. 77). C'est nous qui soulignons la dernière phrase.
2. *Manière de penser l'urbanisme,* p. 11.

l'individu humain une fois défini en termes de développement physique, de fonctionnement, de productivité, de besoins-types universels, quelle place est laissée au champ infini et indéterminé des valeurs à créer et des désirs possibles ? Même l'unité ultime du système, l'appartement de la famille (reproductrice), n'échappe pas à la contrainte; dans le jargon des spécialistes, il porte le nom expressif de cellule. Ainsi la nouvelle ville devient, en même temps que le lieu de la production la plus efficace, une sorte de centre d'élevage humain, à l'horizon duquel se profile, menaçante, l'image analytique du père [1] castrateur de ses enfants. Le rôle est tenu (en tout cas au niveau des premiers modèles de l'urbanisme progressiste) par l'urbaniste, détenteur de la vérité. « C'est ainsi que le troupeau se trouve conduit », avoue Le Corbusier, pour qui, d'ailleurs, « le monde a besoin d'harmonie et de se faire guider par des harmoniseurs [2] ». Selon les cas, l'urbaniste père s'assimilera à un démiurge-artiste ou se voudra l'incarnation de la technologie.

## B. UNE NOUVELLE VERSION DU MODÈLE CULTURALISTE

Le modèle culturaliste prend la forme proprement urbanistique très tôt, avant le modèle progressiste, avant même la création du terme « urbanisme ». On peut le reconnaître, sur les plans théorique et pratique, dans l'Allemagne et l'Autriche des années 1880 et 1890. Selon une loi mise en évidence par Marx, le retard industriel d'un pays constitue souvent un facteur positif dans la mesure où ce pays peut, par là même, bénéficier d'un équipement plus moderne et plus rentable que les pays anciennement industrialisés, dont l'équipement n'est pas encore amorti. Au moment où

---

1. Une confirmation de notre analyse nous est fournie par les paroles mêmes d'André Gutton dans l'*Introduction* à son *Cours d'urbanisme* de l'École des Beaux-Arts. Indiquant aux futurs urbanistes, leur tâche, il conclut : « *Là, vous ne serez plus un médecin mais un père* (libéré du paternalisme, naturellement), vous rechercherez pour l'homme l'ambiance de paix qui lui est nécessaire. » *Loc. cit.*, p. 23 (c'est nous qui soulignons).
2. *Manière de penser l'urbanisme*, p. 92 et appendice I.

l'Allemagne, illustrant cette loi, tend à prendre la première place dans l'économie européenne, elle bénéficie d'avantages semblables en matière d'aménagement urbain. L'expérience des premières villes industrielles anglaises ne se répétera pas; l'expansion industrielle sera assortie de propositions qui constitueront même, dans la première décade du xxᵉ siècle, pour les urbanistes culturalistes anglais un exemple et un objet d'étude.

A l'époque de l'urbanisme, pas plus qu'au temps du pré-urbanisme, le modèle culturaliste ne compte de représentants en France. Parmi ses fondateurs on retiendra : Camillo Sitte, le grand urbaniste autrichien qui, en 1889, publie *Der Städtebau* [1], et dont l'influence sera considérable en Allemagne et en Grande-Bretagne; Ebenezer Howard, l'auteur socialiste de *Tomorrow* (1898), que l'on classerait volontiers parmi les pré-urbanistes s'il n'avait été le père spirituel des cités-jardins et s'il n'avait joué un rôle dans les premiers Congrès d'urbanisme; enfin Raymond Unwin, l'architecte urbaniste qui réalisa avec B. Parker la première *garden-city* anglaise de Letchworth.

Les principes idéologiques de ce modèle sont comparables à ceux de son précurseur. La *totalité* (l'agglomération urbaine) l'emporte sur les parties (les individus), et le concept *culturel* de cité sur la notion matérielle de ville. Mais tandis que le socialiste Ebenezer Howard était, comme l'ensemble des pré-urbanistes, mû, au premier chef, par des considérations politiques et sociales, la vision de Unwin et celle de Sitte sont dépolitisées — au profit, surtout chez Sitte, d'une approche esthétique, que viennent étayer toutes les ressources de l'archéologie et du musée imaginaire de l'aménagement urbain. « Ce n'est qu'en étudiant les œuvres de nos prédécesseurs que nous pourrons réformer l'ordonnance banale de nos grandes villes », écrit Sitte [2].

Aussi l'espace du modèle culturaliste s'oppose-t-il point par point à celui du modèle progressiste. Des *limites précises* sont assignées à la cité. La métropole de l'ère industrielle fait horreur à Howard, qui fixe à trente mille ou cinquante-huit mille le nombre

---

1. Traduit en français en 1902, sous le titre l'*Art de bâtir les villes*. Sitte était architecte et directeur de l'École impériale et royale des Arts industriels à Vienne.
2. *Loc. cit.*, éd. 1918, p. 118.

d'habitants de sa cité [1]. Celle-ci est circonscrite de façon précise, bornée par une ceinture verte destinée à empêcher toute coalescence avec d'autres agglomérations. Une *garden-city* ne peut s'étendre dans l'espace; elle ne peut que se dédoubler à la manière des cellules vivantes, la population surnuméraire allant fonder un nouveau centre, à une distance suffisante, et qui sera lui-même entouré de verdure.

Chaque cité occupe l'espace de façon particulière et *différenciée;* c'est la conséquence du rôle que les culturalistes accordent à l'individualité. Dans la recherche de la différenciation, Howard met surtout l'accent sur les facteurs sociologiques; la population devra faire une part équilibrée aux différentes classes d'âge et à tous les secteurs du travail. Sitte, pour sa part (fidèlement suivi par Unwin, en ce qui concerne l'organisation du noyau central des *garden-cities*) s'attache exclusivement aux moyens d'assurer particularité et variété à l'espace intérieur de la ville. Il recourt à l'analyse des cités du passé (de l'antiquité au xvᵉ siècle) : c'est là qu'inlassablement il étudie le tracé des voies de circulation, la disposition et les mesures des places dans leur rapport aux rues qui y accèdent aux édifices qui les délimitent, aux monuments qui les ornent. Le maître viennois repère encore, dans le plus grand nombre de cas possibles, la situation et les dimensions des points d'échappée. Si l'étude s'arrête à la Renaissance italienne, c'est que l'aménagement des villes y fait déjà (malheureusement, selon Sitte) intervenir la planche à dessin en vue d'effets perspectifs.

De la multiplicité des relevés et analyses, Sitte tire la définition d'un ordre spatial modèle. Au lieu de l'espace abstrait, éclaté, sur lequel, dans le modèle progressiste, se découpent les formes-unités des bâtiments, Sitte préconise un espace concret, découpé dans la continuité d'un fond d'édifices. Même en matière de monuments, il est nécessaire de réagir contre « la maladie moderne de l'isolement [2] ». A l'analyse typologique, Sitte substitue l'analyse *rela-*

---

1. Le chiffre maximum de la population assigné aux villes par Howard est de 30.000 habitants, plus 2.000 propriétaires agricoles. Ces villes (par définition isolées les unes des autres par des ceintures vertes) peuvent être éventuellement groupées à la périphérie d'une ville centrale (distante de 5 à 32 km), dont la population ne devra pas excéder 58.000 habitants.

2. *Loc. cit.,* p. 39.

*tionnelle ;* la rue est un organe fondamental, les formes directrices ne sont plus celles des édifices mais celles des lieux de passage et de rencontre, c'est-à-dire des rues et des places; et la verdure elle-même, pratiquement éliminée par Sitte du centre urbain, est soigneusement mise en forme lorsque, incidemment, elle apparaît dans quelque quartier résidentiel.

Cet espace est clos et intime; car le « caractère fondamental des villes anciennes consiste dans la limitation des espaces et des impressions... La rue idéale doit former un tout fermé. Plus les impressions y seront limitées, plus le tableau sera parfait. On se sent à l'aise si le regard ne peut se perdre à l'infini [1] ». Cet espace doit, en outre, être imprévisible et divers, et pour cela refuser toute subordination à de quelconques principes de symétrie, suivre les sinuosités naturelles du terrain, les incidences du soleil, se plier aux vents dominants, ou au plus grand confort existentiel de l'usager.

Le climat mental de ce modèle est *rassurant,* à la fois confortable et stimulant; il est favorable à l'intensité et à la multiplication des relations inter-personnelles, même si, dans le cas de Sitte, on sacrifie résolument à la pure esthétique, entendue dans le même sens vitaliste que chez Ruskin et Morris.

Mais les promoteurs de ce modèle, bien qu'essentiellement attachés à l'histoire, méconnaissent l'originalité historique du présent et la spécificité de ses problèmes. S. Giedion ne se fait pas faute d'accuser Sitte de vouloir en plein XXᵉ siècle, retourner à la « cité médiévale », et le traite de « troubadour »; Le Corbusier, plus cinglant, constatera : « On vient de créer la religion du chemin des ânes. Le mouvement est parti de l'Allemagne, conséquence d'un ouvrage de Camillo Sitte [2]. » De fait, l'urbaniste viennois est tellement obsédé par les problèmes esthétiques et les formes du passé qu'il en arrive à méconnaître complètement l'évolution des conditions de travail, ainsi que les problèmes de la circulation. Unwin lui-même voit bien la contradiction et, en bon empiriste, essaie de concilier le modèle culturaliste avec les exigences du présent. Malgré ses efforts, particulièrement en ce qui concerne les trans-

1. *Loc. cit.,* p. 137.
2. *Urbanisme,* p. 9.

ports en commun, il n'y réussit pas toujours. Dans le cas des *garden-cities*, le contrôle exigé de l'expansion urbaine et sa stricte limitation ne sont pas facilement compatibles avec les nécessités du développement économique moderne.

C'est qu'en définitive, ce modèle est *nostalgique*. Pour saisir pleinement la nature de cette nostalgie, on se reportera aux œuvres d'une série d'auteurs allemands à peu près contemporains des premiers urbanistes; la vision des historiens du XIXᵉ siècle y est approfondie, complétée par certaines acquisitions ultérieures, et éclairée parfois à l'aide de concepts hégeliano-marxistes. Ainsi, malgré la divergence de leurs positions et de leurs préoccupations (dans lesquelles la philosophie, l'histoire de la culture et l'économie politique jouent respectivement le rôle principal), des esprits aussi divers que Max Weber, Sombart [1], ou Spengler nous présentent une image assez semblable de la cité européenne pré-industrielle; elle est pour tous trois un lieu et un moment exceptionnels où, grâce au climat particulier de la communauté urbaine, l'individu humain put se réaliser et la culture se développer. Dans la dernière page de ses Remarques introductives du recueil *The City* de Weber, D. Martindale résume bien cette vision et les échos nostalgiques qu'elle trouve encore aujourd'hui : « La théorie de la cité de Max Weber nous conduit ainsi à une conclusion assez intéressante. La cité moderne est en train de perdre sa structure externe et formelle. Du point de vue intérieur, elle est en cours de dégénérescence, tandis que la communauté représentée par la nation se développe partout à ses dépens. L'âge de la cité semble devoir atteindre son terme [2]. »

De cette volonté de recréer un passé mort, qui est finalement le moteur idéologique de l'urbanisme culturaliste, on doit tirer deux conséquences critiques. A un premier niveau — méthodologique et spéculatif — la valorisation inconsidérée du passé conduit à une réification du temps, qui est traité à la manière d'un espace, et comme s'il était réversible. On aboutit ainsi, par des voies diffé-

---

1. Cf. particulièrement W. Sombart, *Der moderne Kapitalismus*, 1902-1927, Munich, t. II, 2ᵉ p.; et *Der Begrief der Stadt und das Wesen der Städtebildung*, in *Brauns Archiv*, vol. 4, 1907.
2. Max Weber, *The City*, translated and edited by D. Martindale and G. Neuwirth, Collier Books, New York, 1962.

rentes, au même résultat que dans l'urbanisme progressiste. A l'utopisme progressiste s'oppose l'utopisme nostalgique, et à la religion du fonctionnalisme le culte des valeurs ancestrales, dont l'histoire et l'archéologie ont dévoilé les modes de fonctionnement.

Si nous nous plaçons à un second niveau critique, celui de l'inconscient, l'urbanisme culturaliste traduit lui aussi certaines tendances névrotiques. Au lieu du recours progressiste à l'image paternelle, nous avons cette fois une franche régression. Et la répétition quasi rituelle de conduites anciennes traduit l'inadaptation, la fuite devant un présent inassumable. A la limite, cette attitude s'achèverait en perte de la fonction du réel, compensée par un comportement de type magique, à caractère compulsif.

### C. UN NOUVEAU MODÈLE : NATURALISTE

Les idées du courant anti-urbain américain cristallisent, au XXe siècle, dans un nouveau modèle. Trop radicalement utopique pour s'être prêté à une réalisation, mais appelé cependant à marquer la pensée d'une partie des sociologues et *town-planners* américains, ce modèle a été élaboré sous le nom de *Broadacre-City* par le grand architecte américain F. L. Wright. Ce dernier travailla sans discontinuer, de 1931 à 1935, à ce projet d'établissement idéal dont il exposa en 1935 la maquette géante; les conceptions directrices en avaient été révélées dès 1932 dans *The Disappearing City*, livre dont F. L. Wright ne cessa de reprendre les thèmes jusqu'à sa mort, en 1959 [1].

Les principes idéologiques sur lesquels il fonde Broadacre sont ceux d'un fidèle disciple d'Emerson. La grande ville industrielle est accusée d'aliéner l'individu dans l'artifice. Seul, le contact avec la nature peut rendre l'homme à lui-même et permettre un harmonieux développement de la personne comme totalité. F. L. Wright

1. Dans la suite de cette analyse, toutes nos citations seront empruntées au livre *When Democracy Builds,* Chicago, 1945, qui constitue une réédition, légèrement modifiée, de *The Disappearing City.*

décrit ce rapport originel et fondamental avec la terre en des termes qui, pour le lecteur européen, évoquent les pages où Spengler reconstitue les débuts de la culture occidentale. Mais pour F. L. Wright, — comme pour ses maîtres, Jefferson et Emerson — il n'est possible de s'arracher aux servitudes de la mégalopolis et de retrouver la nature que par la réalisation de la « démocratie ». Ce terme ne doit d'ailleurs pas induire en erreur et laisser croire à une réintroduction de la pensée politique dans l'urbanisme : il implique essentiellement la liberté pour chacun d'agir à sa guise. « Notre propre idéal de l'état social, la démocratie... fut originellement conçu comme la libre croissance de nombreux individus en tant qu'individus », écrit Wright. « Démocratie » désigne pour lui un individualisme intransigeant, lié à une dépolitisation de la société, au profit de la technique : car c'est finalement l'industrialisation qui permettra d'éliminer les tares consécutives à l'industrialisation.

A partir de ces prémisses, F. L. Wright, propose une solution à laquelle il a toujours gardé le nom de *City,* bien qu'elle élimine non seulement la mégalopolis mais l'idée de ville en général. La nature y redevient un milieu continu, dans lequel toutes les fonctions urbaines sont *dispersées* et isolées sous forme d'*unités réduites.* Le logement est individuel : pas d'appartements, mais des maisons particulières dont chacune dispose d'au moins quatre acres [1] de terrain, que les occupants consacrent à l'agriculture (activité privilégiée de la civilisation des loisirs, selon F. L. Wright) et aux loisirs divers. Tantôt le travail jouxte le logement (ateliers, laboratoires et bureaux individuels), tantôt il s'intègre dans de petits centres spécialisés : unités industrielles ou commerciales sont chaque fois réduites au plus petit volume viable, destinées à un minimum de personnes. Il en va de même pour les centres hospitaliers et les établissements culturels, dont le nombre compense la dispersion et l'échelle généralement réduite. Toutes ces cellules (individuelles et sociales) sont liées et *reliées* entre elles par un abondant réseau de routes terrestres et aériennes : l'isolement n'a de sens que s'il peut être à tout moment rompu. L'architecte américain a donc imaginé un système acentrique, composé d'élé-

---

1. Un acre représente quarante ares et demi.

ments ponctuels insérés dans un riche réseau circulatoire. Broad-acre est le modèle d'une portion quelconque d'un tissu uni-forme qui peut s'étendre et recouvrir toute la planète avec plus de continuité que le modèle progressiste. F. L. Wright proposait d'en faire d'abord l'essai dans une région limitée des États-Unis; mais il s'agissait pour lui d'une solution universelle, destinée à une application mondiale.

L'espace de ce modèle naturaliste est complexe; certains de ses caractères l'apparentent au modèle progressiste, d'autres au modèle culturaliste. Il est à la fois ouvert et clos, universel et particulier. C'est un espace moderne qui s'offre généreusement à la liberté de l'homme. Les grands travaux du génie civil (autoroutes, ponts, pistes d'atterrissage) qui en constituent le réseau circulatoire confèrent à Broadacre une dimension cosmique : chacun y est lié à la totalité de l'espace, dont toutes les directions sont également ouvertes à son investigation. Le rapport de Broadacre avec la technique moderne est plus décisif encore que dans le modèle progressiste : ce sont l'automobile, l'avion, le *parkway*, la télé-vision, les techniques les plus avancées de transport et de com-munication qui donnent son sens à ce mode d'établissement dis-persé.

L'espace de Broadacre n'en est pas moins particularisé. La diversité topographique n'y est pas niée : au contraire, la nature doit être soigneusement préservée dans tous ses accidents, et l'architecture cesse chez F. L. Wright d'être un système de formes indépendantes immergées dans un espace abstrait, « mais résulte authentiquement de la topographie... Sous une infinie variété de formes, les édifices expriment la nature et les caractères du sol sur lequel ils (s'élèvent), ils en deviennent une partie intégrante ». L'architecture est *subordonnée à la nature,* à quoi elle doit constituer une sorte d'introduction. En outre, l'intimité, l'organicité[1] et la clôture de l'espace, chers aux urbanistes culturalistes, se retrouvent au niveau des édifices particuliers.

On serait au premier abord tenté de définir le climat de Broadacre par son caractère rural. Mais il faut pousser l'analyse plus loin. On

---

1. « Organique » est pour Wright un mot-clé, celui où s'exprime l'esprit de son architecture. La liberté du plan se confond pour lui avec l'organicité.

conſtate alors que, tout en accordant un rôle majeur au progrès technique [1], le grand architeĉte américain ne prononce jamais les mots de rendement et d'efficacité ; Broadacre devient ainsi, à notre connaissance, *la seule proposition urbaniſtique qui refuse complètement la contrainte* [2]. L'obsession du rendement et de la produĉtivité qui s'imposait dans le modèle progressiſte n'y a pas cours, non plus que les contraintes malthusianiſtes du modèle culturaliſte. Curieusement, ce modèle naturaliſte conſtitue une réponse possible aux vœux formulés par H. Marcuse dans *Éros et civilisation* [3]. En employant la terminologie et l'idéologie de Marcuse on peut dire que les inſtinĉts (sur-réprimés) de plaisir et de vie y ont enfin cours.

Mais on doit aussi observer qu'une forme de contrainte s'y réintroduit insidieusement, ne serait-ce que par la nature même du modèle qui a, en l'occurence, pris la forme rigide d'une *maquette*. Davantage, on se demandera si, au niveau de l'inconscient, une tentative comme celle-là ne satisfait point finalement les tendances de la société à l'autodeſtruĉtion et si, en bonne orthodoxie freudienne, il ne convient pas d'assimiler ici la libération du principe du plaisir avec celle des inſtinĉts de mort.

Comme pour le pré-urbanisme, la classification des propositions de l'urbanisme en trois modèles appelle nuances et réserves. Ainsi, l'urbanisme progressiſte comporte bien des variantes. Le Corbusier en a proposé l'image la plus radicale et la plus élaborée, demeurée identique à travers quarante ans de combat. L. Hilberseimer, très proche de lui au départ, a évolué vers une conception plus « jar-

---

1. L'automobile, par exemple, eſt à Broadacre un inſtrument bien plus indispensable, mais plus rationnel aussi, que dans l'agglomération progressiſte : le réseau routier eſt son lieu naturel, elle n'y pose nul problème d'encombrement ou de garage ; elle y eſt totalement efficace.

2. On peut rapprocher de ces thèses, dans la période du pré-urbanisme, P. Krotopkine : non seulement il ſtigmatisait la répression et la contrainte au profit d'une vie libre et harmonieuse, qui seule permet la pleine réalisation de l'homme, mais il annonçait également Wright par l'importance qu'il accordait au lien naturel avec le sol.

3. Trad. franç., Éd. de Minuit, Paris, 1963.

dinière ». Davantage, Alvar Aalto, qui fut signataire de la Charte d'Athènes et membre influent des C.I.A.M., a toujours pratiqué un urbanisme assez proche de celui de Wright ; s'il préconise un habitat groupé et une certaine dissociation des fonctions, il n'en répudie pas moins tout ordre géométrique abstrait, pour adhérer étroitement à la topographie [1].

Dans la vision culturaliste, il est également clair que les *garden-cities* présentent un certain nombre de points communs avec les modèles progressistes. Ce n'est pas un hasard si, pour un grand nombre de critiques américains, *garden-city* et *ville radieuse* sont assimilées. Ebenezer Howard n'a pas laissé d'accorder une place importante à l'hygiène [2]. Et son schéma de ville, avec ses six boulevards concentriques et ses quartiers bien délimités, évoque la précision des illustrations de Fourier. Cependant, la *garden-city* de Howard appartient bien au modèle culturaliste par la prééminence accordée aux valeurs communautaires et aux relations humaines, et par le malthusiasme urbain qui en résulte.

Il faut, en revanche, se garder d'assimiler au culturalisme les cités-jardins françaises qui ne sont, elles, en dépit de leur dénomination, qu'une sous-catégorie du modèle progressiste. Des exemples anglais, les Français ont essentiellement retenu le rôle qu'ils accordent à la verdure. La cité-jardin, telle que la décrit G. Benoit-Lévy dans son livre *Cités-jardins* [3], apparaît dominée par le principe du rendement et de l'efficacité. On en a banni la promiscuité de la

---

1. Ses réalisations de Finlande sont parmi les plus humaines qu'il ait été donné à l'urbanisme de produire. Elles servent aujourd'hui d'exemple aux architectes qui veulent échapper à l'emprise du modèle progressiste. Cependant, Aalto ne s'est pas attaqué aux problèmes posés par la grande ville. Ses aménagements de Sunila (1936-1939), Säynätsälo, Rovianemi, Otaniemi, concernent de petites communautés industrielles, dont le climat est davantage celui de villages que de cités.

2. Cf. son intervention, mentionnée plus haut, au Congrès de 1910 : « Quelles sont les exigences fondamentales d'un logis ? Ce sont surtout un espace suffisant, la lumière et l'air. Nous avons démontré qu'il est possible, scientifiquement et systématiquement, d'attirer les industries des centres surpeuplés en des lieux précis, disposant, selon le maximum d'efficacité, de l'eau, de la lumière et de la puissance, et où la population peut être logée dans des maisons adaptées, bon marché, entourées de jardins, à proximité du travail et des distractions, de telle sorte que le taux de la mortalité infantile ne s'élève plus qu'à 31,7 pour mille contre 107 pour mille à Londres. »

3. Paris, 1904.

foule, le trottoir, le zinc, le café-concert, au profit d'une rationalisation des fonctions qui se fait sous l'égide paternaliste de l'industrie. On croirait lire avec vingt ans d'avance Le Corbusier lorsque Benoit-Lévy déclare qu' « il faut modifier l'ordre des joies », que « la cité heureuse, la cité du bonheur serait donc celle par où une production rationnelle et prospère se créerait, » que la ville nouvelle « doit être la ville de l'industrie ». En fait, les cités-jardins françaises sont la forme anticipée de ce qu'on a, plus tard, appelé les « grands ensembles ».

On pourra enfin, être tenté de rapprocher du modèle naturaliste, certaines propositions de B. Fuller ou de Henry Ford[1]; celles-ci sont aussi acentriques que Broadacre et mettent le même accent sur le rôle des voies de circulation. Mais elles sont régies par les impératifs de la productivité; elles se caractérisent par une standardisation et une industrialisation intégrales de l'habitat, et le logement, au lieu de se particulariser et de s'enraciner dans le sol comme chez Wright, est conçu par ces deux auteurs comme un pur objet, mobile et transportable.

Au total, et avec les nuances qu'on vient de voir, l'urbanisme emprunte à l'imaginaire une démarche méthodologique semblable à celle du pré-urbanisme. A son tour, il crée des modèles, et l'étude préalable de ceux qui les ont précédés nous a permis d'en mieux éclairer les implications idéologiques.

Ces trois modèles (progressiste, culturaliste, naturaliste) n'ont pas eu les mêmes retentissements dans la pratique. L'étude des réalisations concrètes de l'urbanisme fait apparaître, comme on peut le deviner, la grande supériorité numérique des agglomérations progrossistes. Le modèle naturaliste n'a pu s'exprimer que très partiellement, et surtout aux États-Unis, dans des formes suburbaines. Le modèle culturaliste continue d'inspirer la construction de villes nouvelles en Angleterre; ailleurs, il n'a donné lieu qu'à des expériences limitées (certaines reconstructions et quelques stations touristiques).

Si le modèle progressiste s'est imposé sous les régimes économiques et politiques les plus divers, il a, toutefois, pris des formes

1. Cf. Henry Ford, *My life & Work* et Buckminster Fuller, *Nine Chains to the Moon,* Southern Illinois University Press, 1963.

différentes au gré des particularismes culturels, restés vivaces, selon que la figure du père était assumée par le capitalisme privé, le capitalisme d'État ou l'État producteur, selon aussi les forces d'opposition qu'il rencontrait. Dans la Russie stalinienne comme dans l'Allemagne nazie, l'urbanisme progressiste a été amputé de sa dimension esthétique et coupé de son lien avec l'avant-garde. Celui-ci a au contraire été exalté aux États-Unis, où s'étaient réfugiés la plupart des protagonistes du *Bauhaus* : l'urbanisme progressiste y devenait, comme l'a justement souligné G. C. Argan [1], un moyen de propagande en faveur des idées libérales. En France, le traditionalisme de l'ensemble de la société a conservé à l'urbanisme sa virulence polémique, et a contribué à en fausser souvent le sens.

Ce protéisme ne doit pas induire en erreur : les variations que l'on constate d'un pays à l'autre ne concernent pas la nature même du modèle, elles en représentent des adaptations [2]. C'est le modèle progressiste qui inspire le nouveau développement des *suburbs* et le remodèlement de la plupart des grandes villes à l'intérieur du capitalisme américain : le *La Fayette Park Development* de Philadelphie et le *Lincoln Center* de New York en sont deux illustrations spectaculaires [3]. Le modèle progressiste se retrouve dans les pays en voie de développement : de façon exemplaire, il a

1. Cf. J. C. Argan, *La crisi dei valori,* Quadrum 4, 1957.
2. La conservation de particularismes locaux et nationaux pour les raisons de doctrine que l'on sait, et le maintien d'organes traditionnels, comme le système de larges avenues hérité de l'aménagement monumental du xviiie siècle, ne doivent pas dissimuler le rôle important que jouent, dans la plupart des nouvelles villes industrielles soviétiques, les principes progressistes de l'hygiène (cf. l'importance accordée aux espaces verts et la façon dont ils sont organisés), du classement des fonctions et de la standardisation. Cf. sur tous ces problèmes : Pierre George, *La ville,* chapitre consacré à la ville soviétique, p. 336, « La ville-type », et pages suivantes.
3. Édifié sur l'emplacement d'un ancien quartier de taudis, l'ensemble résidentiel *Lo Fayette* (achevé en 1960) est dû à la collaboration de L. Hilberseimer et de L. Mies Van der Rohe qui a établi les deux prototypes d'immeubles : tours et maisons de deux étages. Le *Lincoln Center* (encore inachevé) comprend deux théâtres, un opéra, une salle de concert, une bibliothèque-musée et une école d'art dramatique. Dès l'achèvement du *Metropolitan Opera House,* le *Lincoln Center* était violemment critiqué. L'objection principale est qu'il sépare trop radicalement, et artificiellement, la vie des spectacles du reste des activités de la ville.

présidé à l'édification de villes-manifestes comme Brasilia [1] ou Chandigarh. C'est un système tronqué et dégénéré [2], issu du même modèle, qui a dirigé et continue d'inspirer la plupart des grands ensembles français, comme le trop fameux Sarcelles. Tel est également le cas de villes nouvelles, nées de l'expansion industrielle, comme Mourenx ou le nouveau Bagnols-sur-Cèze. Tel, enfin, celui des récents projets d'aménagement de la côte languedocienne et d'une partie des mesures prises pour le réaménagement de Paris, dont le centre Maine-Montparnasse est une des premières réalisations.

## III. UNE CRITIQUE AU SECOND DEGRÉ : L'URBANISME MIS EN QUESTION

La réponse aux problèmes urbains posés par la société industrielle ne s'achève ni dans les modèles de l'urbanisme ni dans les réalisations concrètes qu'ils ont inspirées. Ces modèles (nés d'une critique) et ces réalisations ont à leur tour provoqué une nouvelle critique, une critique au second degré. Le mouvement s'est amorcé au cours des années 1910, mais c'est depuis la deuxième guerre mondiale qu'il a connu un véritable essor, lié à l'activité pratique croissante de l'urbanisme [3]. Cette critique, encore théorique, reste diffuse.

1. Brasilia, conçue par L. Costa et O. Niemeyer, offre un exemple pur de la dissociation des fonctions urbaines. Le Centre administratif de la ville constitue le morceau de bravoure où le sentiment poétique de O. Niemeyer s'est librement exprimé (l'usage de formes baroques pour les divers édifices ne doit pas faire méconnaître le règne absolu des principes de l'esthétique progressiste, dans la disposition des volumes et l'organisation de leurs rapports). Les *quadras*, ou unités de quartiers, destinés aux classes laborieuses, sont en revanche rigoureusement comparables à nos ensembles d'habitation.
2. Il est pratiqué par des épigones qui ont perdu l'esprit de l'urbanisme progressiste et n'en conservent même pas toujours la lettre : leur espace est géométrique, mais généralement clos au lieu d'être éclaté. Cf., à une échelle réduite, le plan de la faculté des Sciences de la Halle aux vins, particulièrement représentatif.
3. En fait, la critique au second degré s'est développée parallèlement et proportionnellement à l'importance des réalisations de l'urbanisme. Aussi

Elle s'oriente néanmoins selon deux grandes directions, correspondant à la dichotomie (progressisme-culturalisme) que nous avons mise en évidence dès l'époque du pré-urbanisme.


## A. TECHNOTOPIA


Nous avons vu que les urbanistes progressistes, tout en concevant de façon neuve l'espace global de la ville, n'ont pas su assumer dans leur plénitude les possibilités que la technique leur offrait et ont manqué la révolution technologique qui constituait l'un des fondements de leur théorie. La logique même de l'urbanisme progressiste réclamait donc une critique de ce rapport défectueux. Depuis quelques années, une série de techniciens, architectes et ingénieurs, a tenté de penser de façon radicale la ville du xxe siècle, en fonction *à la fois* des nouvelles *techniques* de constructions, et du *style de vie* ou des besoins propres à l'homme du xxe siècle.

Du point de vue constructif, la recherche porte particulièrement sur des structures physiques complexes (structures suspendues ou triangulées, surfaces gauches autoportantes) et sur les matériaux que leur mise en œuvre implique : réseaux et résilles métalliques, membranes élastiques et plastiques, voiles de béton. A la géométrie élémentaire succède une dynamique plus complexe. Les techniques de conditionnement climatique jouent également un grand rôle dans l'élaboration des nouveaux projets.

Les fonctions nouvelles de la ville sont, conformément à la tradition de l'urbanisme progressiste, définies par une série de besoins chiffrables. L'accent est mis essentiellement sur deux aspects : problèmes posés par l'augmentation de la population du globe et développement d'une série de besoins spécifiques résultant du « progrès technique », c'est-à-dire de l'automation, de la mécanisation du travail et des transports, et des changements de rythme qui en résultent dans l'existence quotidienne.

---

a-t-elle été beaucoup plus précoce aux Etats-Unis et en Angleterre qu'en France.

Cette polarisation technologiste engendre des propositions surprenantes qui, si elles étaient réalisées, marqueraient effectivement une mutation de l'établissement humain. Les *villes verticales* de P. Maymont se dressent dans le ciel, libérant complètement le sol, suspendues à un mât central (où passent toutes les canalisations) par des câbles prétendus[1]. La *ville-pont,* de J. Fitzgibbon, est composée de gigantesques fuseaux haubannés par des câbles à une plateforme médiane, sol artificiel, lieu de la circulation horizontale, où le piéton se reposera des circulations verticales et d'où, alpestrement, il pourra contempler la terre. *L'établissement tridimentionnel* de Y. Friedman[2] se compose d'une ossature uniforme et continue, semblable à une grille tridimentionnelle à multiples étages, reposant à 15 mètres au-dessus du sol sur un système de pilotis (distants de 40 à 60 mètres) : l'ossature indéfiniment prolongeable, au-dessus de n'importe quel type de terrain, y compris des villes déjà existantes, est remplie par des éléments standards modulés, dont l'insertion est mobile et totalement souple. *Marina City*[3], du japonais K. Kikutake, pose au contraire des plates-formes de béton sur la mer, l'habitat étant seul à émerger.

On pourrait continuer longtemps l'énumération de ces cités futuristes, dont il nous suffira de noter quelques caractères communs : toutes proposent de très fortes concentrations humaines, libérant la surface terrestre par l'investissement du sous-sol, de la mer, de l'atmosphère; c'est pourquoi on parle à leur propos *d'urbanisme spatial* ou *tridimentionnel.* Cette « spatialisation » a pour corrélatif une *dénaturalisation* des conditions d'existence, celles-ci se déroulant pour la plus grande partie sur des sols artificiels et en milieu climatisé. On notera enfin, le rôle accordé à l'image visuelle, à l'apparence *plastique* de ces cités.

C'est sous ce dernier aspect que, depuis quelques années, elles se sont introduites, avec un succès croissant, dans la grande presse et la littérature de vulgarisation scientifique. L'exposition « L'archi-

1. La ville verticale de P. Maymont est prévue pour 15 à 20.000 habitants. La solution constructive adoptée est, comme celle de plusieurs autres projets de ce type, inspirée par les recherches qu'a menées Buckminster Fuller au sujet des immeubles d'habitation.

2. Des projets comparables ont été proposés par E. Schultze-Fielitz, O. Hansen, E. Albert.

3. Projet fortement inspiré de la *Ville flottante* de P. Maymont.

tecture visionnaire », organisée en 1960 au Musée d'Art moderne de New York, qui comprenait un certain nombre d'exemples d' « urbanisme visionnaire » fût le signal avant-coureur de l'intérêt que le public allait prendre pour « la ville de l'avenir ». Aujourd'hui, le lecteur non spécialisé en est venu à assimiler complètement le terme d'urbanisme à ces images futuristes, auxquelles leurs auteurs eux-mêmes donnent le nom d' « urbanisme de science-fiction [1] ». En fait, les maquettes et projets publiés dans les journaux satisfont surtout, chez le lecteur, un besoin de rêve, de mystère, parfois de poésie; ils lui offrent un moyen d'évasion hors d'une quotidienneté de l'habiter qui est une permanente frustration. Mieux, ces visions le tranquillisent quant à l'avenir : devant tant de technicité, il se sent soumis, rassuré, justifié dans sa démission face aux soucis civiques, dont on peut penser qu'ils constituent cependant une autre face de l'urbanisme.

Mais quelle est la signification réelle de cet urbanisme, d'autant plus justement rapproché de la science-fiction qu'il n'a — en ce qui concerne ses formes radicales — reçu aucun début d'actualisation [2] ? Dans la mesure où il s'agit de trouver des solutions à des problèmes précis, il constitue incontestablement un terrain de recherches plein d'intérêt et un moyen de lutte contre des habitudes mentales passéistes qui offrent, dans le domaine du bâtiment, une résistance très particulière. Par exemple, l'urbanisme souterrain présente des solutions remarquables pour l'aménagement urbain [3]. Exploité à une échelle réduite par I. M. Pei pour la place Ville-Marie de Montréal, il inspira largement le projet Buchanan pour la circulation londonienne. Il est mis en œuvre de façon encore

---

1. Cf. l'article de E. Schultze-Fielitz *Une théorie pour l'occupation de l'espace*, dont un des paragraphes s'intitule *La cité spatiale, science fiction réalisable de l'urbanisme*. Cet article est paru dans le n° 102 (Juin-Juillet 1962) de *l'Architecture d'aujourd'hui*, consacré aux *Architectures fantastiques* et auquel nous renvoyons le lecteur pour un aperçu rapide et suggestif de la question. Cf. également l'*Avenir des villes*, dans la collection « Construire le monde » dirigée par A. Parinaud, Laffont, Paris, 1964.

2. Le regretté P. Herbé avait cependant demandé à Y. Friedmann d'étudier de façon concrète le recouvrement d'une partie d'un arrondissement parisien par son réseau « spatial ».

3. Les possibilités de l'urbanisme souterrain étaient déjà mises en lumière en 1910, au premier Congrès international d'urbanisme, par le français Eugène Hénard qui proposait des solutions encore valables aujourd'hui.

plus systématique dans le projet de V. Gruen pour Welfare Island, ou dans celui de P. Maymont pour un « Paris sous la Seine » [1].

Mais cette contribution technique ne va pas sans dangers idéologiques : si les urbanistes « visionnaires » ont le mérite d'entretenir un rapport réaliste et concret avec la technologie, leur attitude s'achève le plus souvent en *technolâtrie*. Ils sont ainsi conduits à proposer deux types d'établissement humain qui représentent deux négations de la ville.

Dans un cas, on se trouve devant un lieu *indifférencié* et indéfini, un réceptable quelconque (qu'illustre l'exemple de Y. Friedman). Dans l'autre cas, la précision technique conduit au contraire, par une attitude plus radicale, à substituer aux modèles encore abstraits et un peu flous de l'urbanisme progressiste de véritables prototypes. La ville devient un bel objet technique, *entièrement déterminé et fini*. Elle se transforme même parfois en bel objet esthétique : éventualité séduisante et grandiose dont on peut imaginer qu'elle ouvre à l'art plastique un horizon nouveau et des dimensions prométhéennes. Mais la ville n'en devient pas moins objet, selon un processus qui atteint déjà aujourd'hui certains édifices. Rien n'est à cet égard plus significatif que de voir aux États-Unis des immeubles recevoir des prix de *good design* industriel [2], au même titre qu'un fer à repasser, un rasoir ou une automobile.

Or, traditionnellement, le rapport de l'habitant à l'habitacle (en particulier sa demeure) n'est pas seulement un rapport d'ustensilité. Heidegger nous l'a rappelé, habiter est aussi « le trait fondamental de la condition humaine » [3]. L'habiter, c'est l'occupation par laquelle l'homme accède à l'être, en laissant surgir les choses autour de soi, en s'enracinant.

On peut transposer ces remarques au cas de la ville. Elle aussi est,

---

1. Il ne s'agit pas d'habiter sous terre de façon permanente, mais d'y circuler, d'y installer certaines activités intermittentes et d'y établir parkings ou entrepôts qui occupent à l'air libre des surfaces vitales.
2. Cette expression désigne la qualité esthétique des produits industriels en tant que prototypes standardisables et industrialisables. (Pour les édifices, cf. par exemple le palmarès de l'*Iron and Steel Institute*.) Cette assimilation pure et simple des édifices aux autres objets de la civilisation machiniste remonte à Gropius et Le Corbusier. C'est le sens même de la fameuse formule corbusienne de « la machine à habiter ».
3. M. Heidegger, *Essais et conférences*, Gallimard, Paris, 1958, p. 192.

par essence, le terrain d'une fondation. Dès lors, en devenant objet, instrument ou machine, la ville subit par rapport à sa signification originelle une transformation si radicale qu'il faudrait lui trouver une nouvelle désignation. C'est pourquoi nous avons intitulé cette section *technotopia* et non *technopolis* : le lieu, mais non la ville, de la technique.

## B. ANTHROPOPOLIS :
### POUR UN AMÉNAGEMENT HUMANISTE

L'urbanisme progressiste a suscité une critique radicale qui vise à la fois l'arbitraire de ses principes et son dédain des réalités concrètes, au niveau de l'exécution. Elle veut réintégrer le problème urbain dans son contexte global, en partant des informations données par l'anthropologie descriptive.

Cette critique, que l'on peut qualifier d'humaniste, s'est développée hors du milieu spécialisé des urbanistes et des constructeurs. Elle est l'œuvre d'un ensemble de sociologues, historiens, économistes, juristes, psychologues, appartenant principalement aux pays anglo-saxons.

Son caractère empirique et la variété des angles sous lesquels elle a été entreprise laissent deviner sa complexité. Nous avons cru cependant pouvoir y dégager, parmi d'autres, trois tendances particulièrement significatives, qui correspondent à trois approches méthodologiques.

*I. L'établissement humain comme enracinement spatio-temporel :*
*un urbanisme de la continuité.*

La plus ancienne de ces tendances cherche à définir le contexte concret de l'établissement humain à l'aide du plus grand nombre possible de secteurs de la réalité; ces secteurs sont eux-mêmes envisagés dans leur dimension historique, liés entre eux par une temporalité concrète et créatrice que son rôle apparente à la durée bergsonienne.

Le promoteur de cette démarche fut l'écossais Patrick Geddes [1]. Biologiste de formation, il vint ultérieurement à l'histoire, la sociologie et l'étude des villes. Mais sa pensée devait être marquée par l'idée darwinienne d'évolution et par l'image de l'organisme vivant, dans la double corrélation de ses fonctions entre elles et avec l'ensemble du milieu.

Devant le développement déséquilibré des grandes villes industrielles, devant le caractère utopique et apriorique des propositions réformistes du pré-urbanisme, une dizaine d'années avant que l'urbanisme progressiste ait commencé à concevoir et à réaliser ses cités théoriques pour un homme théorique, Geddes affirme la nécessité absolue de réintégrer l'homme concret et complet dans la démarche de planification urbaine. Par là même sont réintégrés l'espace et le temps concrets. Pour Geddes, un projet de création urbaine (remodèlement de quartiers déjà existants ou création ex nihilo) ne peut échapper à l'abstraction que s'il est précédé d'une vaste *enquête* portant sur *l'ensemble complexe des facteurs* qu'il met en jeu. « C'est le moment où le géographe doit collaborer avec l'hygiéniste et tous les deux avec le sociologue du concret [2]. » Telle est la méthode des *sociological surveys*, qui fait également appel à l'économie, à la démographie et à l'esthétique, en évitant de privilégier aucun secteur du réel. Car, selon Geddes, « les urbanistes sont habitués à penser l'urbanisme en termes de règle et de compas, comme une matière qui doit être élaborée par les seuls ingénieurs et architectes, pour les conseils municipaux. Mais le vrai plan... est la résultante et la fleur de toute la civilisation d'une communauté et d'une époque » [3].

L'*histoire* joue chez Geddes un rôle capital. Son sens aigu du présent a pour corrélatif un sens non moins aigu du passé. Son vitalisme se double d'un évolutionnisme. Si la création d'agglo-

1. Nous sommes contraints d'évoquer ici, beaucoup trop schématiquement, une figure dont l'importance pour l'histoire des idées concernant la ville et pour l'urbanisme a été considérable, et dont le nom est cependant à peine connu en France. Nous nous sommes bornés à indiquer les grandes lignes de la méthode de Geddes, sans pouvoir insister ni sur sa critique de la grande ville industrielle, ni sur certaines des idées constructives qui lui étaient les plus chères.
2. *Cities in Evolution,* Edimbourg, 1915, p. 44.
3. *Loc. cit.,* p. 211.

mérations nouvelles suppose connu chacun des secteurs de la réalité présente, ces secteurs, à leur tour, ne sont intelligibles qu'à la lumière du passé dont ils portent la trace. Sous forme d'histoire des idées, des institutions, des arts, l'intégration du passé au projet urbanistique est donc indispensable. Il ne faut toutefois pas confondre la position de Geddes avec celle des urbanistes culturalistes. Certes, Geddes valorise comme eux le passé, qu'il considère comme un patrimoine, l'assise même où le présent s'alimente et plonge ses racines; mais il n'en reconnaît pas moins l'irréductible originalité de la situation contemporaine, sa spécificité : aujourd'hui est un développement et une transformation du passé, non sa répétition. Bref, au lieu du temps spatialisé et abstrait des culturalistes, nous trouvons ici une temporalité concrète et créatrice.

Par définition, celle-ci échappe à la prévision. Aussi, lorsque le *town-planner* [1] aura réuni toute l'information préalable requise, les caractères de l'agglomération à créer ne s'imposeront pas à lui pour autant. Il ne les découvrira que dans un effort d'*intuition,* de « sympathie active pour la vie essentielle et caractéristique de l'endroit en cause [2] », ce qui équivaut précisément à une saisie de la temporalité concrète. Une telle démarche méthodologique *supprime le recours au modèle.* Il n'y a pas une ville-type de l'avenir mais autant de cités que de cas particuliers.

La pensée de P. Geddes a été élargie et considérablement développée par le plus illustre de ses disciples, Lewis Mumford. Celui-ci est l'exact contemporain des premiers urbanistes progressistes. Il a pu assister à la réalisation intégrale de leur œuvre. Riche d'une information recueillie à travers le monde, et d'une culture d'historien et de sociologue [3], il est un critique impitoyable.

Ainsi L. Mumford a longuement illustré le rôle mutilant et aliénant de ce que nous avons nommé l'urbanisme progressiste.

---

1. Ce mot anglais, dont la langue française n'offre pas d'équivalent, nous servira parfois pour désigner celui qui aménage de nouvelles agglomérations selon des principes différents de ceux de l'urbanisme proprement dit.
2. *Loc. cit.,* chap. 19, intitulé *The Spirit of Cities.*
3. Outre ses occupations de professeur et d'écrivain, L. Mumford est depuis des années le critique d'architecture et d'urbanisme de la revue *The New-Yorker.* Cette activité journalistique a encore favorisé l'étendue et la précision de son information dans le domaine de l'actualité.

Il a mis en évidence les divers aspects qu'y prend la technolâtrie ; citons en particulier : la rupture des continuités culturelles, la dénaturalisation des zones rurales, l'asservissement de l'homme à la machine par l'intermédiaire de plans conçus pour un usage maximum de l'automobile. Sa critique n'est pas inspirée par le passéisme, elle repose sur une solide connaissance de l'économie et de la technologie contemporaines. Il défend le citadin contre la voiture au nom d'une conception de la circulation proche de celle de Wright et inspirée par les derniers progrès du génie civil ; à la rigidité de l'habitat corbusien, il oppose la souplesse, l'altérabilité et la flexibilité des solutions que rendent aujourd'hui possibles les techniques du bâtiment.

Dans sa recherche de formules nouvelles, L. Mumford a constamment fait appel aux leçons de l'histoire. La cité bien circonscrite de l'époque pré-industrielle lui est apparue comme une forme mieux adaptée que la mégalopolis à un harmonieux développement des aptitudes individuelles et collectives. L'effort devrait, selon L. Mumford, porter aujourd'hui sur une sorte d'aménagement, d'adaptation au présent de cette unité de vie sociale qu'était la cité pré-industrielle, et qui, traditionnellement, fut le lieu de la culture. En conséquence, il a préconisé un *polynucléisme* urbain, avec son corrélatif, le *régionalisme*. En affirmant que « le régionalisme appartient à l'avenir [1] », il est allé au-devant d'une tendance de la géographie économique actuelle. De même, l'histoire de l'aménagement des villes médiévales [2] a largement inspiré sa conception d'une *intégration de la nature* dans le milieu urbain. Pour lui, les jardins ne sont pas seulement appelés à jouer par leur étendue, un rôle beaucoup plus grand que dans l'urbanisme culturaliste ; ils remplacent

1. *The Culture of Cities*, p. 306. Sur le mouvement régionaliste comme nécessité pour l'économie moderne, cf. particulièrement la série d'articles publiés dans *le Monde*, par H. Lavenir, sous le titre *De l'Europe des états à l'Europe des régions* (25 août 1964 sq.).
2. Après Geddes, Mumford a contribué à nous donner une nouvelle vision de l'espace urbain du moyen âge. Il a montré que les espaces verts, sous forme de jardins publics et privés, présentaient dans la cité médiévale une extension plus considérable que dans aucun autre type urbain avant les banlieues romantiques. « A l'exception de quelques centres congestionnés, la ville du moyen âge n'était pas simplement dans la campagne, mais de la campagne », *Loc. cit.*, p. 24. Mumford a également réhabilité l'hygiène médiévale en montrant l'activité d'une série d'institutions publiques : bains, hôpitaux, etc.

également le milieu amorphe que constituent les espaces verts dans la ville progressiste; ils sont structurés, liés de façon signifiante et non quelconque aux bâtiments et à l'habitat. Bref, Mumford souhaite une cité à la fois plus urbaine et plus rurale que ne la proposent les modèles progressistes.

Cet aperçu schématique montre l'apport nouveau de tous ces travaux qui situent l'aménagement urbain sous le signe de la *continuité* historique, sociale, psychologique, géographique. C'est tout d'abord la rupture avec une forme de pensée, la méthode apriorique des modèles, dans laquelle la réalité concrète est, selon les tendances, réduite soit à son aspect technologique soit à la tradition culturelle. On ne saurait assez souligner l'importance quasi révolutionnaire d'esprits comme P. Geddes ou L. Mumford, grâce auxquels la complexité des problèmes mis en jeu par la création et le développement des nouvelles agglomérations s'est imposée à la conscience contemporaine. Leur influence a largement contribué, dans les pays anglo-saxons et surtout aux États-Unis, à la constitution d'un immense corpus d'information sociologique relative à la ville : les *urban studies* [1]. En France, ces études sont encore à leurs débuts, sauf dans les secteurs privilégiés de la géographie humaine et de la démographie [2], où les travaux

---

1. Ces « études urbaines » se sont surtout développées en milieu universitaire et para-universitaire, particulièrement depuis les cinq dernières années. Elles ont fait notamment une place considérable aux approches économiques et administratives, ainsi qu'à la sociologie des classes et du travail. Elles ont consacré la distinction entre *physical* et *social planning*. Pour plus d'information, nous renvoyons au n° de février 1963 (tome 6, n° 6) de la revue *The American Behavioral Scientist*, intitulé *Urban Studies*. On y trouvera, entre autres, une liste des principaux centres d'études. Les auteurs de l'article *Centers for Urban Studies : a Review,* en citent 25, parmi lesquels :

— Joint Center For Urban Studies, du M.I.T.
— The Center for Metropolitan Studies, de la Northwestern University de Chicago.
— The Institute of Urban Studies, de l'Université de Pensylvanie.
— Bureau of Urban research, de l'Université de Princeton.
— Institute of Governmental Studies, de l'Université de Californie à Berkeley.

2. Cf. en particulier, parmi les ouvrages relativement récents :
A) EN GÉOGRAPHIE : R. Blanchard, *Une méthode de géographie urbaine,* in *La vie urbaine,* 1922. — M. Sorre, *Les conditions géographiques générales du développement urbain, Bulletin de la Société de géographie de Lille,* 1931. — P. Lavedan, *Géographie des villes,* Gallimard, Paris, 1936. — J. Tricart, *Contribution à l'étude des structures urbaines, Revue de géographie de Lyon,* XXV, Lyon, 1950. —P. George,

français font autorité et provoquaient déjà en son temps l'admiration de Geddes.

Dans la pratique, la méthode des *sociological surveys*, après avoir été utilisée déjà au cours des premières expériences de cités-jardins anglaises, puis par Geddes lui-même dans le cadre de certaines principautés indiennes, commence à s'imposer aux urbanistes de toutes tendances. Elle constitue une sorte d'assurance élémentaire contre les dangers des modèles.

Mais, si le recours à l'ensemble des sciences (de la topologie algébrique à l'analyse sociologique et psychiatrique) tend à devenir la condition préalable de toute proposition d'aménagement, cette somme de renseignements ne suffit pas à fonder une solution : les données de la même enquête pourront inspirer à deux *town-planners* deux projets d'aménagement entièrement différents. On peut alors arguer que, dans la pensée de P. Geddes, une intuition profonde de la situation concrète doit immanquablement conduire à la bonne solution. Telle cité de demain est aujourd'hui totalement imprévisible, qui une fois réalisée nous semblera nécessaire, parce que chaînon d'une évolution créatrice. Mais l'usage de cette intuition si proche de celle définie par Bergson[1] et le recours à une démarche créatrice de ce type ne s'insèrent-il pas dans une idéologie et un système de valeurs préalables ?

---

*La ville, le fait urbain à travers le monde*, P.U.F., Paris, 1952. — M. Sorre, *Les fondements techniques de la géographie humaine*, A. Colin, Paris, 1952. — P. George, *Précis de géographie urbaine*, Paris, 1961. — J. Beaujeu-Garnier et G. Chabot, *Traité de Géographie urbaine*, A. Colin, Paris, 1963.

B) EN DÉMOGRAPHIE : les travaux de P. Chombart de Lauwe et de son équipe.

1. Geddes est le premier auteur qui ait cité Bergson dans un ouvrage consacré aux problèmes urbains. En France, Marcel Poète a eu, à l'égard du temps et de l'histoire, une position voisine : « Le passé est l'école par excellence de l'urbaniste » (*Introduction à l'urbanisme*, Paris, 1929, p. 95); ou encore : la ville « est un être toujours vivant que nous avons à étudier dans son passé, de façon à pouvoir en discerner le degré d'évolution » (*ibid.*, p. 3). Mais le grand historien de Paris n'a exercé aucune influence réelle sur l'urbanisme. Il est demeuré hors de l'actualité pratique. Son article sur *Les idées bergsoniennes et l'urbanisme* (in *Mélanges Paul Negulesco*, 1935) laisse le lecteur sur son attente. De fait, Gaston Bardet est le seul en France qui ait explicitement tenté d'intégrer dans ses travaux l'apport du bergsonisme; il a aussi été quasiment le seul, depuis les années 1930, à prendre position contre les théories réifiantes de Le Corbusier et (conformément aux idées bergsoniennes) à préconiser un contact véritable avec le réel, « un état d'alerte permanent » (*Problèmes d'urba-*

Effectivement, la méthode de l'intuition geddesienne est *solidaire d'une conception du temps* et de l'histoire *comme création permanente et continuité*. Elle constitue par là l'antithèse de la position des urbanistes progressistes, pour qui la modernité met en jeu un processus de rupture et de discontinuité. Davantage, malgré la valeur et l'intérêt qu'ils accordent à l'actualité, P. Geddes et L. Mumford sont essentiellement opposés à l'idéologie des urbanistes progressistes, et proches des urbanistes culturalistes. Comme ceux-ci, en effet, ils mettent au premier rang de leurs objectifs le maintien d'une tradition culturelle (ce n'est pas un hasard si l'un des plus importants ouvrages de L. Mumford s'intitule *The Culture of Cities*). Geddes, comme Mumford, détestent ce qu'ils nomment la mégalopolis, la grande ville moderne où l'on « ne vit que par procuration ». Et lorsque, en 1914, Geddes prophétise justement, mais avec épouvante, les temps de l'urbanification généralisée où, par exemple, « dans une génération, la Riviera sera une ville pratiquement continue, du type le plus monotone, qui s'étendra sur plusieurs centaines de kilomètres [1] », c'est pour préconiser, par réaction, un malthusianisme urbain sur lequel Mumford à son tour reviendra souvent, car dit-il, « le principe de limitation demeure impératif » et les « limitations en gabarit, densité, surface, sont absolument nécessaires pour les rapports sociaux réels [2] ».

Le point de vue de la continuité a introduit une mutation dans la réflexion sur la ville de l'ère industrielle. Il a transformé de façon irréversible la méthode de l'aménagement urbain, mais il reste lié à une idéologie proche du culturalisme — dont il a aménagé les solutions en fonction d'un contact global et plus réaliste avec l'actualité.

---

nisme, Dunod, Paris, 1941) devant les problèmes concrets. Mais les idées de G. Bardet sont demeurées, elles aussi, sans retentissement pratique.
1. *Loc. cit.*, p. 47.
2. *Loc. cit.*, p. 407 et 438. Ce point de vue demeure aujourd'hui l'un des principes de base de l'aménagement urbain en Grande-Bretagne.

2. *Le point de vue de l'hygiène mentale :*
*défense et illustration de l'asphalte.*

Une autre tendance de la critique humaniste étudie l'agglomération urbaine du point de vue de ses retentissements sur le comportement humain. Le concept central est ici celui d'*hygiène mentale*.

On comprendra l'orientation de ce mouvement en se reportant
à certaines recherches de la psychologie sociale, et en particulier
aux travaux sur la psychologie du jeune enfant, publiés au lende-
main de la guerre de 1940. Des auteurs comme J. Bowlby et
Anna Freud montraient que l'hygiène mentale ne coïncide pas
avec l'hygiène physique, dont elle est souvent la condition, alors
que l'inverse est faux ; pour le développement harmonieux de la
personnalité et de la sociabilité, un certain climat affectif est seul
irremplaçable. Paradoxalement, un foyer misérable, désuni, alcoolique ou délinquant peut se révéler un milieu plus favorable pour
l'avenir de l'enfant que le milieu rationnellement élaboré et théoriquement satisfaisant de l'institution spécialisée [1].

De façon analogue, il est apparu que l'intégration du comportement humain en milieu urbain était essentiellement liée à la présence d'un certain *climat existentiel,* dont les urbanistes progressistes n'avaient pas tenu compte; un aménagement hygiénique et un
découpage rationnel de l'espace urbain sont par eux-mêmes inca-
pables d'assurer aux habitants le sentiment de sécurité ou de
liberté, la richesse dans le choix des activités, l'impression de vie
et l'élément de distraction qui sont nécessaires à la santé mentale
et retentissent sur la santé physique.

L'îlot insalubre peut s'avérer plus salubre que le quartier remo-
delé par les urbanistes conformément aux principes de l'hygiène;

---

1. Ces travaux furent entrepris à la suite des évacuations massives d'enfants
anglais hors des villes bombardées pendant la guerre. Il s'avéra que, dans la
grande majorité des cas, les restrictions alimentaires et les conditions de vie
précaires dues aux bombardements avaient, pour les jeunes enfants, moins de
conséquences que la privation du milieu familial ou affectif dans lequel ils
avaient été élevés. Les statistiques concernant les conditions de vie des délinquants, prostituées et inadaptés divers, au cours des premières années de leur
vie, corroborent ces résultats. Cf. J. Bowlby, *Maternal Care & Mental Health,*
O.M.S., série monogr. 2, 1951.

les statistiques psychiatriques et juridiques portant sur le développement des maladies mentales, de l'alcoolisme, de la délinquance, de la criminalité en témoignent abondamment. Un cas révélateur, parmi d'autres, est celui du quartier nord de Boston, aux États-Unis. Ce *North End* était considéré par les autorités municipales et les urbanistes comme un quartier insalubre et un déshonneur pour la ville, à cause de sa très forte densité, de ses rues étroites, de son désordre, (intrication de toutes les fonctions urbaines). Cependant, c'est lui qui offre la plus faible mortalité infantile et l'indice de délinquance le moins élevé de toute la ville. Davantage, il détient le taux minimum des États-Unis en ce qui concerne la délinquance et la tuberculose. De telles constatations (déjà incidemment pressenties au XIXᵉ siècle [1]), ont été le départ d'une critique systématique de l'urbanisme progressiste et de ses réalisations. Cette critique a connu depuis une dizaine d'années un développement considérable aux États-Unis, grâce aux travaux d'un ensemble de sociologues et de psychiatres [2]. En France elle a commencé, sous l'impulsion de R. H. Hazemann, à propos des grands ensembles [3].

1. Cf. par exemple l'article de Kingsbury, publié en 1895, dans le *Journal of Social Sciences* (t. 33/8) sous le titre *The Tendency of Men to live in Cities* ; l'auteur cite le cas d'une veuve nécessiteuse et chargée de famille qu'une dame philanthrope arrache à son taudis citadin. La famille est installée dans une confortable maison à la campagne, où une vie décente lui est assurée. Six mois plus tard, la mère et ses enfants ont disparu. On les retrouve dans leur ancien logement; ils n'ont pas pu supporter la perte du contact quotidien avec la vie de leur quartier.
2. Pour l'approche proprement psychiatrique et psychanalytique, cf. particulièrement le recueil publié sur la direction de Leonard Duhl, *The Urban Condition*, Basic Books, New York, 1963; cf. également R. Dubos, *Mirage of Health*, Harpers, New York; J. May, *The Ecology of Mental Disease*, M. D. Publications, New York, 1958. D'un point de vue moins spécialisé et plus sociologique, cf. le recueil, *The Exploding Metropolis*, Doubleday, New York, 1958; *Death and Life of Great American Cities* de J. Jacobs, Random House, New York, 1961; les ouvrages de H. J. Gans dont *The Urban Villagers*, Glencoe F.N.E. Press, New York, 1963; les travaux de D. Crane, M. Fried, O. Lewis, H. D. Mac Kay, G. B. Nesbitt, G. B. Taylor, H. S. Perloff, etc.
3. Parmi les articles de R. Hazemann, cf. *La liberté concrète, condition de la santé physique et mentale (quelques notions de psychologie de l'habitation, de l'urbanisme et de l'aménagement du territoire)* in *Revue d'hygiène et de médecine sociale*, 1ᵉʳ Janvier 1959; *Aspects psychologiques de l'hygiène de l'habitation*, in *Cycle d'études européen sur les aspects sociaux de l'habitat*, Sèvres, octobre 1957; *Les implications psychologiques de l'habitation populaire*, in *Semaine des hôpitaux*, nᵒ 18, 1959; *Responsa-*

L'analyse a ainsi montré que l'application des principes d'urbanisme des C.I.A.M. pouvait avoir des résultats très différents selon les populations en cause; l'urbanisme progressiste s'avérait notamment inviable dans le cas d'habitants à fortes attaches communautaires [1]. La conception de l'espace propre à l'urbanisme progressiste et les concepts-clé qui en dérivent (standardisation, *zoning*, multiplication des espaces verts, suppression de la rue) ont fait aussi l'objet d'une analyse approfondie du point de vue de leurs répercussions sur le comportement humain.

L'indifférenciation et l'homogénéité assurées par la standardisation et le *zoning* sont apparues comme des facteurs de monotonie, d'ennui, et par là même de dédifférenciation psychique ou d'asthénie. A leur encontre, on a dégagé le principe d'*hétérogénéité* (architecturale, fonctionnelle et démographique) du milieu urbain [2]. Aux espaces vides et aux espaces verts, qui sont des espaces morts et souvent mortels [3], on a opposé des espaces qui fonctionnent et que nous nommerions volontiers *espaces « actifs »*. Le vide gratuit est source d'angoisse et la verdure demande à être mise en forme et localisée en des points « stratégiques [4] ».

---

bilités en matière de santé, in *Présences* n° 66, 1er tr. 1959. A l'exception de ces articles et de quelques autres, la critique la plus aiguë de l'urbanisme progressiste et des grands ensembles français a été faite par Christiane Rochefort dans son roman *Les petits enfants du siècle*, B. Grasset, Paris 1961.

1. Outre le cas des populations immigrées issues de communautés à forte structuration sociale, c'est le cas des minorités ethniques ou économiques amenées par solidarité à se structurer puissamment. Cf. H. Gans, *The Human Implications of Current Redevelopment and Relocation Planning*, in *Journal of Amer. Institute of Town Planners* 25, 1959; R. Hoggart, *The Uses of Literacy : Changing Patterns in English Mass Culture*, New York, Oxford University Press, 1957; J. M. Mosly, *Family and Neighbourhood*, New York University Press, 1956.

2. Le zoning strictement appliqué aboutit à la mort partielle des quartiers, dont l'occupation n'a lieu qu'à heures fixes. C'est pourquoi un auteur comme J. Jacobs a pu insister sur la nécessité de conférer à un quartier une pluralité de vocations, comprenant celle de l'habitat et assurant une animation à la fois diurne et nocturne.

3. Cf. J. Jacobs, *loc. cit.* L'étude des statistiques montre l'usage des parcs que font les bandes d'enfants délinquants et le danger que représentent des espaces verts trop grands et déserts. J. Jacobs fait une série de suggestions concernant à la fois leur localisation (comme ponts entre deux quartiers animés par exemple) et leur qualification fonctionnelle (nécessité d'y aménager des installations sportives et des éléments d'attrait particulier).

4. L. Duhl, *The Human Measure*, essai paru dans *Cities and Space, the Future Use of Urban Land*, The Johns Hopkins Press, Baltimore, 1963, p. 145.

Au principe de dédensification démographique, on a opposé celui de *côtoiement* des personnes : « Aussi complexe et avancé que soit notre monde, la relation de proximité continue à jouer un rôle important dans le développement des valeurs, des carrières et des modes de comportement [1]. » Enfin, l'espace éclaté, qui abolit la *rue* [2] s'est révélé source de dissociation et de désintégration mentale; à une forte structuration de la ville correspond une forte structuration psychique des habitants.

Chez une série de psychiatres comme L. Duhl, de sociologues comme D. Riesman, de polémistes comme J. Jacobs, cette critique des règles de l'urbanisme progressiste est complétée par une critique de la méthode et du processus de contrainte qu'implique cet urbanisme. Tous soulignent le caractère traumatisant et amoindrissant d'une planification qui met l'habitant devant le fait accompli [3] et conduit à le traiter en véritable objet. *Faire participer les intéressés* au modèlement de leur ville leur semble une des tâches les plus urgentes de l'urbanisme. « Notre société a subi des changements profonds qui situent l'individu à une distance toujours plus grande des décisions qui l'affectent et le laissent dans une situation de relative impuissance, sujet par conséquent à une grande inertie. Il faut trouver des moyens qui permettent à tous de participer plus pleinement à des décisions qui les concernent aussi vitalement [4]. »

Le point de vue de l'hygiène mentale s'est développé à l'occasion de certains problèmes sociaux particulièrement aigus aujourd'hui : la délinquance juvénile, la recrudescence des maladies mentales chez les adultes, l'emploi des loisirs, l'évolution de la cellule

---

1. *Ibidem.*
2. Dans une langue où le mot trottoir n'a pas la même résonance que dans la nôtre, Jane Jacobs a fait une véritable « apologie du trottoir » qui lui semble le lieu par excellence où l'on éprouve un sentiment de sécurité propre aux villes; le trottoir fait également, selon cet auteur, l'objet d'une sorte de police spontanée et tacite de la part des habitants (passants ou boutiquiers).
3. Cf. Duhl (particulièrement *Urbanization in Human Needs*, publié en 1963 par *The American Journal of Mental Health*) et J. Jacobs. Avant eux déjà, Patrick Geddes avait souligné la nécessité pour les habitants de s'intéresser activement au modèlement de leur cité. Il nommait *civics* cette forme de participation.
4. In *The Changing Face of Mental Health*, p. 47, publié in *The Urban Condition* cité plus haut.

familiale. L. Duhl note avec acuité : « L'architecture et l'urbanisme *(city planning)* sont un élément de la solution du problème de l'alcoolisme[1]. »

Après les travaux que nous venons d'évoquer, il est désormais impossible d'ignorer le rôle de certaines constellations urbaines dans le modèlement et la formation mentale des groupes et des individus. Selon les systèmes de formes adoptés, le milieu construit peut agir sur le psychisme humain avec une puissance d'agression ou, au contraire, d'intégration qu'on n'a pas assez mesurées. Grâce à des livres de grande diffusion comme *The Death and Life of Great American Cities* de Jane Jacobs, le point de vue de l'hygiène mentale a eu un retentissement pratique aux États-Unis, où il inspire actuellement le remodèlement de plusieurs centres de grandes villes. En outre, l'association de la population aux processus de planification a déjà fait l'objet de tentatives intéressantes, comme celle du *Regional Plan Association* de New York[2]. En

1. P. 105 in *Elimination of Poverty*, publié dans *The social Welfare Forum*, 1961.

2. En 1963, un organisme, le *Regional Plan Association* de New York a appelé tous les citoyens de l'agglomération à participer directement au plan de développement de la région. La télévision a été largement utilisée. Nous citons ci-dessous quelques extraits d'une brochure qui donnait aux intéressés une information préalable et leur expliquait comment donner leur avis. Titre : *Goals for the Region Project* (Objectifs du Plan régional).
« En 1985, il y aura dans la région métropolitaine de New York... 6 millions d'habitants supplémentaires. *Où vivront-ils ?* — 2 millions d'emplois supplémentaires. *Où seront-ils localisés ?* — Les réponses données à ces questions retentiront sur le mode de vie des 16 millions de personnes qui vivent actuellement dans la région métropolitaine. — Vous pouvez contribuer aux décisions. — La *Regional Plan Association*, organisme civil aujourd'hui âgé de 33 ans, a consacré cinq ans et un million de dollars pour chercher à déterminer l'avenir le plus probable, dans la prochaine génération, de la région métropolitaine qui entoure le port de New York et qui relève de trois États différents, en admettant que les tendances et la politique actuelles ne changent pas.
Mais le point aujourd'hui en cause est le suivant : — *Si les habitants de la Région ne sont pas satisfaits de la situation actuelle, ils peuvent la transformer.* — *S'ils en sont satisfaits, ils peuvent l'améliorer.* — Pour cela, il est nécessaire que la *Regional Plan Association* soit informée des préférences et aspirations des citoyens de la région de New York.
*Modalités de cette information :* Des groupes de cinq à quinze personnes se réuniront hebdomadairement pendant cinq semaines. Chaque réunion durera deux heures et se composera de la façon suivante :
De 8 h à 9 h : audition du programme spécial de télévision ; de 9 h à 10 h 15 : discussion des problèmes soulevés au cours de ce programme par la *Regional*

France, le point de vue de l'hygiène mentale s'est surtout manifesté dans des articles qui alertaient l'opinion à la suite de la construction d'ensembles comme Sarcelles. Mais il n'a pas encore donné lieu à des recherches systématiques ou des applications pratiques ; dans le concret son influence se manifeste seulement dans quelques réalisations isolées et d'échelle réduite, comme celles d'Émile Aillaud [1].

En dépit de ses apports précieux, on constate que cette tendance aboutit souvent, par défiance des solutions progressistes, à une apologie inconditionnée de l'asphalte et de la grande ville métropolitaine. Souligner le rôle social de la rue a pu conduire à préférer pour les jeux des enfants les trottoirs aux jardins publics ; craindre l'intimité entre voisins, qui règne dans les *suburbs,* a pu faire méconnaître le caractère angoissant de l'anonymat dans les grandes villes. En fin de compte, certains auteurs comme J. Jacobs en arrivent à opposer aux « cités-jardins » et aux « villes radieuses », l'image idéale d'une sorte de casbah modernisée et multipliée par autant de quartiers qu'il serait nécessaire.

Cet exemple extrême illustre la tendance *nostalgique* d'une critique qui, le plus souvent, cherche à retrouver et à rétablir certaines formes (mentales ou architecturales) propres à la grande ville de l'ère *industrielle,* cette fois, tout en leur attribuant ces mêmes qualités qui, pour les urbanistes culturalistes, étaient propres aux sociétés pré-industrielles. Au reste, l'hygiène mentale ne peut à elle seule constituer un objectif essentiel ou un fondement pour l'aménagement urbain. On peut même dire que la vie et l'histoire sont faits de traumatismes et de *stresses* surmontés et dépassés : le niveau de créativité se mesure à la puissance d'affronter des situations nouvelles [2]. Le point de vue de l'hygiène mentale apporte

---

*Plan Association ;* de 10 h 15 à 10 h 30 : remplissage de questionnaires relatifs à la discussion. Avant les séances, chaque participant aura lu un rapport schématique illustré de cartes, statistiques et photographies, et apportant l'information nécessaire pour la discussion des problèmes en cause. »

1. Dans ses réalisations des Courtillières à Pantin, ou de Forbach, E. Aillaud n'a cependant pas purement et simplement adopté le point de vue strict de l'hygiène mentale, comme on peut le voir à l'atmosphère quelque peu kafkaïenne de ces cités ; il a joué le rôle de l'urbaniste artiste et a fait de ses ensembles l'expression de son tempérament.

2. Cf. à cet égard, les célèbres analyses de K. Goldstein dans *The Organism,*

en tout cas une contribution capitale au niveau de la méthode : il révèle une dimension du réel, une donnée supplémentaire à intégrer, sous forme de normes et de seuils, dans la planification des villes.

## 3. *Pour une analyse structurelle de la perception urbaine.*

Le point de vue de l'hygiène mentale est lié à une psychologie du comportement; on considère le retentissement de la morphologie urbaine sur le comportement humain, mettant par exemple en évidence un lien de cause à effet entre des espaces libres (verts ou non) amorphes et la délinquance des populations d'enfants qu'ils reçoivent. Mais la critique peut abandonner cette extériorité, se placer dans la perspective de la conscience, étudier comment la ville, en tant qu'entité matérielle, est perçue par les consciences qui l'habitent. Cette approche méthodologique se situe en quelque sorte à l'opposé de la construction du modèle. La proposition d'aménagement faite *a priori,* objectivée, traitée comme une chose (modèle), est ici remplacée par une proposition *a posteriori* et qui découle de la connaissance du point de vue de l'habitant : le projet cesse d'être *objet* dans la mesure où, par la médiation de la psychologie expérimentale et du questionnaire, l'habitant devient, devant le planificateur, une manière d'*interlocuteur.*

Cette approche a été jusqu'ici essentiellement développée aux États-Unis[1]. Limitée à la perception visuelle (dans la mesure où celle-ci peut-être isolée du contexte culturel), elle en est encore au stade de l'élaboration; elle a cependant déjà fait l'objet d'applica-

---

American Book Company, 1939, montrant la signification positive de l'angoisse (p. 306 sq.). Une partie des concepts goldsteiniens (réaction catastrophique, comportement réduit, etc.) pourraient être utilisés avec le plus grand profit par les *town-planners,* ainsi que ses analyses du normal et du pathologique. Cf. également sur ce dernier point la thèse de G. Canguilhem : *Essai sur quelques problèmes concernant le normal et le pathologique,* Clermont-Ferrand, 1943.

1. Cf. les travaux de G. Kepecs : *The Language of Vision,* Theobald, Chicago, 1961 et *Notes on Expression and Communication in the Cityscape* in *The future Metropolis,* New York, G. Braziller, 1961. Et surtout ceux de Kevin Lynch : *Patterns of the Metropolis,* ibid.; *The Image of the City,* M.I.T. Press, 1960; et *Site Planning,* M.I.T. Press, 1963. Cf. aussi H. Blumenfeld, *A Theory of City Form,* in *Society of Architectural Historians Journal,* juillet 1943.

tions pratiques, notamment dans certains secteurs du projet de remodèlement de Boston, sous la direction de K. Lynch.

Les recherches concernant la *perception de la ville* ont eu pour premier résultat de mettre en évidence sa *spécificité*. Une ville n'est pas perçue par ceux qui l'habitent à la manière d'un tableau; sa perception est, pour eux, organisée de façon radicalement autre, en fonction des séries de liens existentiels, pratiques et affectifs qui les attachent à elle. (Dans tel grand ensemble, je suis aveugle à la géométrie plus ou moins subtile qui a inspiré la maquette; ma perception est structurée par la nécessité d'y retrouver ma maison, les meilleurs accès d'un point à un autre, tel élément distrayant.)

Cette analyse fait apparaître, comme jamais, l'erreur des urbanistes progressistes lorsqu'ils composent leurs projets à la manière de tableaux ou d'œuvres d'art. Les urbanistes culturalistes avaient pressenti cette méconnaissance; mais ils demeuraient encore à l'intérieur d'une esthétique. La conscience d'une irréductible différence de nature entre perception esthétique et perception de la ville devrait être une des clés de l'aménagement urbain à venir.

Une phénoménologie comparative de la perception de l'*espace urbain* et de la perception de l'*espace esthétique* nous apparaît, pour notre part, une entreprise souhaitable, et qui serait riche d'enseignements. Ne peut-on pas considérer l'espace esthétique comme un moyen de catharsis et de défoulement, assumable par l'homme seulement dans la mesure où il demeure symbolique ? Tel est le cas de l'espace éclaté de Picasso, ou davantage encore de l'espace de Wols, qui a subi une désintégration plus complète. Source de délectation dans les peintures de Picasso ou de Braque, l'espace cubiste devient au contraire source d'angoisse dans les ensembles urbains qui n'en proposent cependant qu'une ébauche. Et quelle serait l'intensité du malaise, si l'on créait, un jour, une cité wolsienne ?

A la spécificité de la perception « urbaine » sont liées une série de notions complémentaires. C'est tout d'abord, comme son corollaire normatif, le concept de *lisibilité*. L'organisation d'une agglomération est satisfaisante lorsqu'elle est facilement lisible; ce que ne sont précisément pas les Ensembles progressistes, difficiles à structurer (malgré leur apparente simplicité), en grande partie du fait de la gratuité de leur implantation.

Comment cette lisibilité s'organise-t-elle ? L'expérience prouve qu'il ne faut pas penser en termes d'éléments, mais de formes et de fond. Et le rôle de forme, loin d'être joué par des objets plastiques, l'est par des temps forts (opposés à des temps de repos) : points de repères, limites, chemins, nœuds de directions. Une ville doit donc être structurée sur fond neutre, par le dynamisme d'un certain nombre de figures signifiantes qui diffèrent selon la topographie, la population, sa composition, ses intérêts. La richesse de l'image sera fonction de la richesse et de la variété des signifiants qui la composent.

On voit que cette méthode n'est pas exclusive des deux approches décrites plus haut : au contraire, les données de celles-ci sont indispensables pour que se manifeste son apport propre, qui est de *poser le problème de la morphologie urbaine en termes de significations*. L'horizon du rendement, la nostalgie du passé, l'hégémonie de l'esthétisme ont fait étrangement méconnaître le fait que le milieu construit où se meut l'individu humain a pour qualité spécifique d'être signifiant. Or, quels que soient les objectifs des constructeurs de la cité, qu'ils soient dominés par une idéologie progressiste ou culturaliste, il faut encore que les intentions apparaissent, soient déchiffrables pour les habitants. Aucune pratique des arts plastiques, aucune connaissance de la géométrie, ne peut conduire la conception d'un projet lisible ; seule le peut l'expérience de la ville.

Les travaux de K. Lynch se limitent volontairement aux significations les plus immédiates, les plus élémentaires. Mais il nous semble que ce champ devrait, dans l'avenir, être élargi, de façon à intégrer des systèmes de significations plus médiatisés et plus complexes.

## CONCLUSION

Quelle signification donner à la crise de l'urbanisme ? Pourquoi l'aménagement urbain soulève-t-il aujourd'hui tant de doutes et de difficultés ? A notre question initiale, nous pouvons maintenant apporter des éléments de réponse.

1. Un contresens a été commis et continue de l'être sur la nature et la véritable dimension de l'urbanisme. Malgré les prétentions des théoriciens, l'aménagement des villes n'est pas l'objet d'une science rigoureuse. Bien plus : l'idée même d'un urbanisme scientifique est un des mythes de la société industrielle.

A la racine de toute proposition d'aménagement, derrière les rationalisations ou le savoir qui prétendent la fonder en vérité, se cachent des tendances et des systèmes de valeurs. Ces motivations directrices sont apparues dès le début de l'ère industrielle ; et elles se rattachent en fait à la problématique générale de la société machiniste. On peut schématiquement les ramener à ces quelques systèmes antagoniques, que nous avons nommés : progressisme, culturalisme, naturalisme. Foi dans le progrès et la toute puissance des techniques ; aversion pour la société mécanisée et nostalgie des anciennes communautés culturelles ; aversion pour un monde « dénaturalisé » et nostalgie d'une relation formatrice avec la nature : tels furent les fondements effectifs — parfois inconscients — du pré-urbanisme et de l'urbanisme.

2. Au début de l'ère industrielle également, ces motivations se sont objectivées dans des modèles ou types idéaux d'agglomération urbaine.

Cette objectivation s'explique pour une part par une situation intellectuelle nouvelle. La ville, fait culturel mais à demi naturalisé par l'habitude, était pour la première fois l'objet d'une critique radicale. Une telle mise en question ne pouvait manquer d'aboutir à une interrogation sur les fondements. A la présence de la cité se substituait alors son idée. Et, après avoir qualifié de désordre l'ordre urbain existant, on s'efforçait de lui opposer des ordres idéaux, des modèles, qui sont, en fait, les projections rationalisées d'imaginaires collectifs et individuels.

Par leur caractère à la fois rationnel et utopique, ces modèles se sont révélés des instruments d'action puissants : ils ont exercé une influence corrosive sur les structures urbaines établies, ils ont contribué à définir et mettre en place certaines normes urbaines de base, particulièrement dans le domaine de l'hygiène.

Seulement, construit dans l'imaginaire, le modèle ouvre forcément sur l'arbitraire. Arbitraire qui amuse, au niveau de la description, chez les pré-urbanistes, mais qui tourne au scandale au niveau de la réalisation, chez les urbanistes. Les phalanges de Fourier font sourire, mais lorsque Le Corbusier propose de remplacer Saint-Dié, détruite, par huit unités d'habitation et un centre civique, les habitants se sentent directement menacés par l'absurde. De même Brasilia, édifiée selon les règles les plus strictes de l'urbanisme progressiste, est le grandiose manifeste d'une certaine avant-garde, mais en aucune façon la réponse à des problèmes sociaux et économiques précis. L'arbitraire de ce type de méthodes et de solutions sera pleinement perçu devant le spectacle — combien banal — de l'architecte urbaniste jouant à déplacer sur ses maquettes, au gré de son humeur ou de sa fantaisie, les petits cubes qui figurent des demeures, des lieux de réunion, les éléments d'une ville.

3. Il est donc logique qu'une critique au second degré ait contesté un urbanisme dominé par l'imaginaire, et qu'elle ait cherché dans la réalité le fondement de l'aménagement urbain, remplaçant le modèle par la quantité d'information. Selon cette critique, tout projet d'aménagement doit être subordonné à une enquête préalable — définie d'ailleurs de deux façons suivant la dimension du temps qu'elle privilégie. Si, dans l'esprit progressiste, l'on donne la priorité au futur, on intégrera à l'enquête les techniques prévisionnelles : prévisions démographique et économique apparaîtront alors comme le fondement de toute planification urbaine. Si l'on suit la tradition culturaliste, c'est le passé qui unifiera une information anthropologique culminant dans une phénoménologie de la conscience percevante.

La mise en œuvre de ces techniques d'information permettrait d'élaborer des plans d'aménagement qui au lieu de répondre aux fonctions élémentaires d'un homme théorique, intégreraient dans leur richesse et leur diversité les besoins des hommes réels, situés *hic et nunc*. Il s'agit bien là d'un véritable renversement méthodologique.

Mais cet aménagement fondé sur l'information n'a pu encore se généraliser En pratique, il se heurte à la fois à des habitudes mentales et à l'urgence de l'action. De fait, la plupart des réalisations urbanistiques actuelles ressortissent à ce que les neuropsychologues nommeraient un « comportement réduit [1] » : la nécessité de parer dans l'immédiat à l'afflux démographique et au drame des non-logés empêche une planification globale et soigneusement concertée. On va au plus pressé, selon des schèmes préétablis. En France, l'urgence est la seule justification de Sarcelles.

Il y a plus. Imaginons un instant l'urbaniste délivré des contraintes de temps et doté de techniques d'enquête beaucoup plus fines que celles dont il dispose actuellement. Demandons lui alors de construire une ville de cent mille habitants. L'ensemble des renseignements obtenus ne sera à son tour utilisable qu'à l'intérieur d'une option préalable qu'aucun quantité d'information ne peut fonder : ville ou non-ville, ville asphalte ou ville verte, ville casbah ou ville éclatée, ces options de base ne relèvent finalement que d'une décision humaine. En matière d'aménagement urbain, la science du réel n'est qu'un garde-fou de l'imaginaire; elle ne constitue pas un fondement qui permette d'éliminer l'arbitraire.

C'est pourquoi à défaut de modèle, une idéologie se réintroduit jusque chez les critiques de l'urbanisme : idéologie progressiste chez les adeptes des techniques prévisionnelles, culturaliste chez des anthropologues comme L. Mumford, naturaliste chez certains sociologues américains comme D. Riesman.

C'est ce qu'illustrent les quelques projets ou réalisations inspirés par la méthode critique. La « nouvelle ville » anglaise de Stevenage et le projet français de Toulouse-Le Mirail sont l'un et l'autre explicitement fondés sur des études démographiques, économiques et écologiques : la première doit être rattachée au culturalisme, tandis que le deuxième appartient au progressisme.

1. Cf. K. Goldstein, *loc. cit.*

4. Un faux problème de fondement est donc au cœur de la crise de l'urbanisme. Les systèmes de valeurs sur lesquels l'urbanisme repose en dernier ressort ont été masqués par l'illusion naïve et persistante d'une assise scientifique.

Les conséquences de cette illusion apparaîtront à la lumière d'une comparaison avec l'objet industrialisé. Il semble qu'une connaissance exhaustive du contexte (services exigés et gestes impliqués, du côté de l'utilisateur; conditions de fabrication, du côté du producteur) doive permettre de déterminer la forme optima d'un fer à repasser, d'un téléphone ou d'un fauteuil : telle fut effectivement l'assise de la théorie fonctionnaliste lancée par les architectes rationalistes et l'école du *Bauhaus*. Pour eux, chaque objet était réductible à une bonne forme absolue, qui coincidait avec un prototype industrialisable. Mais la précarité de ce platonisme [1] apparaît aujourd'hui avec la crise de l'objet de série et de l'*industrial design*. Les créateurs de l'*industrial design* s'étaient en effet laissés obnubiler par la fonction d'usage des objets, par leur « ustensilité », en négligeant leur valeur sémiologique. Ils avaient visé exclusivement la réalisation universelle du bien-être et méconnu le statut réel de l'objet socialisé, qui est à la fois utilisable pratiquement et porteur de significations. Or, le sens n'émerge pas naturellement de la bonne forme industrialisée; au contraire, celle-ci veut ignorer l'épaisseur de sens de l'objet. C'est pourquoi (surtout dans les milieux socialement favorisés et parmi les consciences « saturées » de bien-être) on assiste aujourd'hui à une crise du fonctionnalisme. C'est pour pallier sa carence sémantique que le jeu et la dérision commencent à s'introduire dans certains secteurs de la production industrielle.

1. Exprimé de façon particulièrement éclairante par Henry Van de Velde, qui fut le précurseur de Gropius au *Deutsches Werkbund* et l'un des créateurs de l'*industrial design* : « La forme pure se range d'emblée dans la catégorie des formes éternelles. Le besoin qui a provoqué sa naissance peut être nouveau, particulier à notre époque, mais si elle est le résultat précis et spontané d'une stricte conception rationnelle de l'objet, de l'adaptation la plus logique à ce qu'il doit être pour répondre à l'usage le plus pratique que l'on attend de lui, il s'en suivra que cette forme annexe d'emblée les traits les plus frappants de la grande famille qui se perpétue depuis l'aurore de l'humanité jusqu'à nos jours, celle des formes pures et radicales. Le temps ne compte pour rien. » (*Le style moderne, contribution de la France*, Librairie des Arts décoratifs, Paris 1925.)

Ces remarques sont transposables au plan de la ville. Elle aussi a subi, à travers le modèle, le traumatisme de la bonne forme. Et c'était là, certes, le moyen de satisfaire rationnellement les grandes fonctions urbaines de base : celles qui font défaut aux non-logés, aux affamés de bien-être pour qui, temporairement, Sarcelles représente le salut. Mais, au-delà de ce fonctionnalisme, au-delà du logement, il reste l'habiter. La ville n'est pas seulement un objet ou un instrument, le moyen d'accomplir certaines fonctions vitales; elle est également un cadre de relations inter-conscientielles, le lieu d'une activité qui consomme des systèmes de signes autrement complexes que ceux évoqués plus haut.

5. L'urbanisme a méconnu cette réalité, méconnaissant par là même la nature de la ville. L'apport essentiel de la critique de l'urbanisme aura précisément été de faire apparaître les significations multiples de l'établissement urbain. On peut néanmoins estimer qu'elle n'a pas encore su les *relier* assez explicitement en un *système sémiologique global*, à la fois ouvert et unifiant.

L'idée d'un tel système n'est pas neuve. Victor Hugo déjà, dans un célèbre chapitre de *Notre-Dame de Paris* [1], n'avait pas hésité à comparer l'architecture à une écriture et les villes à des livres.

La métaphore hugolienne est cohérente. En la développant à la lueur des recherches contemporaines [2], on s'aperçoit qu'elle éclaire les faits passés et présents. Chaque ville ancienne, avec sa physionomie et ses formes propres, peut être comparée à un livre avec son écriture particulière, son langage « fermé » [3], bref : son style. Et l'écriture, dans chaque cas, renvoie nécessairement à une langue, à ses structures : système plus général, apanage commun des particuliers, des clercs, des architectes ou des rois qui, par leurs paroles, ont fait évoluer cette langue dans le temps.

L'ancien mode d'aménagement des villes est devenu une langue

---

1. *Ceci tuera cela*, ajouté dans l'édition de 1832.
2. Cf. pour tout ce qui suit A. J. Greimas, *Cours de sémantique*, fascicules ronéotypés, École Normale Supérieure de Saint-Cloud, 1964; R. Jakobson, *Essais de linguistique générale*, Ed. de Minuit, Paris 1963; A. Martinet, *Éléments de linguistique générale*, A. Colin, Paris 1960; ainsi que l'ensemble des articles de R. Barthes et en particulier *Éléments de sémiologie*, in *Communications*, n° 4, Ed. du Seuil, 1964.
3. Cf. R. Barthes, *Le degré zéro de l'écriture*, Ed. du Seuil, Paris, 1953.

morte. Une série d'événements sociaux — transformation des techniques de production, croissance démographique, évolution des transports, développement des loisirs, entre autres — ont fait perdre leur sens aux anciennes structures de proximité, de différence, de rues, de jardins. Celles-ci ne se réfèrent plus qu'à un système archéologique. Dans le contexte actuel, elles n'ont plus de signification.

Mais, à cette langue morte conservée par la tradition, les urbanistes ont-ils substitué une langue vivante ? Les nouvelles structures urbaines sont, en fait, la création de ces micro-groupes de décision qui caractérisent la société de directivité. Qui élabore aujourd'hui les villes nouvelles et les ensembles d'habitation ? Des organismes de financement (étatiques, semi-étatiques, ou privés), dirigés par des techniciens de la construction, ingénieurs et architectes. Ensemble, arbitrairement, ils créent leur langage propre, leur « logotechnique ».

Les groupes de décision étant étroitement spécialisés, leur langage a un contenu, un champ de signification restreint. Au niveau de l'expression — des signifiants —, il se caractérise par sa pauvreté lexicographique (unités interchangeables devant assumer diverses significations) et sa syntaxe rudimentaire, qui procède par juxtaposition de substantifs, sans disposer d'éléments de liaison; par exemple, l'espace vert lui-même est substantisé, alors qu'il devrait avoir une fonction de coordination.

Dans ces conditions, il n'est pas surprenant que les messages transmis par la logotechnique soient si minces. Que signifient les barres[1] à bureaux qui, tel le complexe Maine-Montparnasse, envahissent le centre de nos grandes villes, en *barrent* l'horizon et en disloquent la trame ? Rien autre que la puissance de la directivité. Et de même, la monotonie de Poissy exprime essentiellement l'idéologie simpliste d'un groupe de polytechniciens. Dans certains cas, la collusion de l'économie et de l'esthétique peut, étant donnés les deux extrêmes sémantiques (infrastructure et superstructure)

1. Il y aurait une étude sémantique à faire de la différence apparente entre les grandes constructions américaines et les grandes constructions françaises. Les premières prennent rarement la forme de barres mais plutôt celle de tours. Peut-être cette verticalité exprime-t-elle l'individualisme et tout un romantisme de l'aventure capitaliste aux Etats-Unis.

impliqués, aboutir à un message totalement incompréhensible — et, de fait, incohérent.

Dans tous les cas, le micro-langage de l'urbanisme est impératif et contraignant. Non seulement l'habitant n'a pas participé à son élaboration : telle est, dans notre société, la situation des usagers devant la plupart des systèmes sémiologiques constitués. Mais, davantage, il est privé de la liberté de réponse. L'urbaniste monologue ou harangue; l'habitant est forcé d'écouter, sans toujours comprendre. Bref, il est frustré de toute l'activité dialectique que devrait lui offrir l'établissement urbain.

6. On estimera, à juste titre, révolue l'époque où l'aménagement urbain était un langage auquel l'habitant pouvait participer par la parole. Ce temps idéal fut théoriquement, et pendant quelques décades, celui de la *polis* grecque, de la démocratie [1]. Aujourd'hui, la complexité des rouages économiques, technologiques et administratifs exige que le citoyen délègue ses pouvoirs à un corps de spécialistes — à l'urbaniste pour ce qui est de l'aménagement urbain. En confrontant le temps de la parole avec celui de la logotechnique, on est renvoyé à la liaison essentielle de la ville et de la politique : en opposant la démocratie à la directivité on constate, une fois de plus, que la première n'est actuellement qu'un mot [2].

Mais la disparition de la parole n'implique pas de soi la disparition de la langue même. Et il faut déplorer que la logotechnique de l'urbanisme ne soit, jusqu'à présent, qu'un fragment et un simulacre de langage, un code pratique de spécialistes, généralement dépourvu de références à l'ensemble des autres systèmes sémiologiques qui constituent l'univers social.

Les urbanistes n'ont pas actuellement à leur disposition ce système cohérent de significations qui, seul, leur permettrait de justifier effectivement leurs créations en montrant leur appartenance à un langage et plus généralement à la structure globale d'une société.

---

1. F. Châtelet, *La naissance de l'histoire*, Ed. de Minuit, Paris 1962.
2. P. Lavedan résume lapidairement la situation : « Le courant de dirigisme est tel que la géographie urbaine deviendra bientôt un chapitre de l'Administration. » *La géographie des villes*, Paris, 1959. Cf. également R. A. Dahl, *Who governs ? Democracy and Power in an American City*, New Haven Press, 1961 ; et, d'un point de vue plus général et théorique F. Châtelet : *De la politique populaire à la politique de pure pratique*, in *Arguments*, n° 27-28, 1962.

Il est vrai que l'existence même d'un langage urbanistique cohérent est rendue aujourd'hui problématique par la mutation inachevée de certains systèmes référentiels, tels les secteurs du travail et des loisirs. Nous rejoignons ici par d'autres voies l'intuition d'Engels condamnant comme illusoires les modèles du préurbanisme, et ne voyant dans la crise de la ville qu'un aspect particulier de la crise globale de la société capitaliste. Mais il ne nous apparaît pas nécessaire de suivre Engels jusque dans ses conclusions. Dans la société de directivité, la question particulière de l'aménagement urbain nous semble, au contraire de ce que pensait Engels pour son époque, devoir figurer parmi les problèmes fondamentaux : loin de devoir être différée, elle peut, par son évolution, exercer une action transformatrice et créatrice sur l'ensemble des autres structures sociales.

L'analyse qui précède peut conduire à quelques conclusions pratiques.

L'urbaniste doit cesser de concevoir l'agglomération urbaine exclusivement en termes de modèles et de fonctionnalisme. Il faut cesser de répéter des formules figées qui transforment le discours en objet, pour définir des systèmes de rapports, créer des structures souples, une présyntaxe ouverte à des significations non encore constituées.

Il importe dès à présent d'amorcer l'élaboration de ce langage urbanistique qui fait aujourd'hui défaut. Entreprise dans laquelle le recours à l'analyse structurale permettra de faire apparaître les trames communes des différents systèmes sémiologiques liés à l'agglomération urbaine. A partir de là, l'économiste, l'ingénieur et surtout le plasticien cesseront de jouer le rôle démiurgique qui leur appartient à l'heure actuelle. Le langage urbanistique perdra sa spécificité pour conquérir un plan supérieur de généralité; indirectement, par sa référence à l'ensemble des autres systèmes signifiants, il mettra à contribution et impliquera l'ensemble de la collectivité.

Quant à l'habitant, sa première tâche est la lucidité. Il ne doit ni se laisser leurrer par les prétentions scientifiques de l'urbanisme actuel, ni aliéner ses libertés dans les réalisations de celui-ci. Il doit se garder autant de l'illusion progressiste que de la nostalgie culturaliste.

7. Personne aujourd'hui ne sait quelle sera la ville de demain. Peut-être perdra-t-elle une partie de la richesse sémantique qui fut sienne dans le passé. Peut-être son rôle créateur et formateur sera-t-il assumé par d'autres systèmes de communication (télévision ou radio, par exemple). Peut-être allons-nous assister à la prolifération sur toute la planète d'agglomérats urbains, indéfiniment extensibles, qui feront perdre toute signification au concept de ville.

Admettons cependant que subsiste une réalité comparable à ce que nous appelons aujourd'hui une ville; c'est seulement au plan de l'usage que sera possible le rapprochement. Le fait que le nouveau langage — vocabulaire et syntaxe — aura dû être construit consciemment et délibérément, retentira sur sa signification : il risque d'abolir l'illusion traditionnelle qui nous fait apparaître les structures urbaines comme une donnée de la nature. Et savoir l'artificialité du système obligera l'habitant à entretenir avec lui un rapport au second degré [1]. Même si la ville de l'avenir fonctionne parfaitement, même si elle est adaptée aux nouvelles conditions de vie comme les villes médiévales l'étaient aux exigences de leur époque, elle ne conservera sa valeur sémiologique qu'avec la connivence de ses habitants, leur jeu ou leur ruse.

Le fonctionnalisme même, pourrait à partir de là, devenir une dérision suprême, une source d'enchantement pour la conscience ludique — à moins que construire, non plus dans les deux dimensions du tableau mais en béton, plastique ou métal, des cités-piège et des villes-mirage, ne soit l'ultime destin du surréalisme.

Mais nous n'en sommes pas là et chaque jour nous entraîne plus avant dans la mythologie de l'urbanisme. C'est pour faciliter les prises de conscience nécessaires que l'on a choisi et réuni dans les pages qui suivent une série de textes particulièrement significatifs. Ils s'échelonnent du début du XIXe siècle jusqu'à 1964. Présentés sans souci d'exhaustivité, dans une simple volonté de démonstration, et selon un découpage qui sacrifie délibérément l'ordre chronologique à la continuité idéologique, ils suivent et illustrent les thèmes développés au cours de cette introduction. Penseurs, politiques et philosophes y sont représentés à l'égal des techniciens.

1. C'est autour de ce rapport qu'est axée l'esthétique contemporaine. On se référera ici aussi bien à l'exemple de l'écriture qu'à celui de la peinture (cf. en particulier l'œuvre picturale de J. Dubuffet).

Nous avons fait une assez large part aux descriptions de la cité idéale chez les penseurs du XIX$^e$ siècle, non seulement pour leur pittoresque mais parce que, mal connues, elles éclairent singulièrement certaines des propositions qui paraissent aujourd'hui les plus neuves. Pour le XX$^e$ siècle, nous avons réservé à une série d'essais critiques anglo-saxons, inédits en français, une place dont l'importance est, à nos yeux, justifiée par les perspectives qu'ils ouvrent sur l'avenir.

L'Anthologie suit l'ordre et les divisions de l'Introduction. Une brève notice historique présente chaque auteur.

Les titres et sous-titres ont été introduits par nous : ils sont destinés à fournir des repères et à souligner des thèmes. Chaque fois que nous avons eu l'occasion de garder un titre ou un sous-titre original, nous l'avons indiqué en note.

La liste des ouvrages auxquels sont empruntés les textes choisis figure à la fin des extraits, avec référence aux pages citées dans l'ordre où nous les reproduisons. Lorsque les extraits sont empruntés à plusieurs ouvrages, un chiffre entre crochets, à la fin de chaque citation, renvoie à cette liste.

Les coupures, quelle que soit leur importance, sont signalées par le sigle*.

ANTHOLOGIE

# I

# LE PRÉ-URBANISME PROGRESSISTE

# Robert Owen

## 1771-1858

*Avant de devenir l'une des figures marquantes du premier socialisme
européen, Robert Owen avait vécu personnellement les problèmes de la
société industrielle naissante. Dès l'âge de dix ans, il travaillait dans
une fabrique de coton. A dix-neuf ans, il dirigeait une filature de Manchester et avait contribué au perfectionnement des techniques de tissage.*

*En 1798, un riche mariage lui permettait de devenir co-propriétaire de
la fabrique de New Lanark. Celle-ci allait être pour lui un terrain d'expérimentation, l'occasion de mettre en pratique les réformes sociales dont sa
connaissance directe de la misère du prolétariat industriel lui avait inspiré
l'idée. Son effort porta essentiellement sur la réduction des heures de travail
(journée de dix heures[1]), l'amélioration de l'habitat (cité modèle, dans
la verdure) et la mise en place d'une scolarité obligatoire, aux méthodes
modernes[2]. On doit à Owen les premières écoles maternelles d'Angleterre.
Il était convaincu de l'absolue malléabilité de l'individu humain et sa théorie
de l'éducation est la pierre angulaire de tout son système : l'éducation est
nécessaire à l'homme qui veut dominer la machine et exploiter les possibilités
de la révolution industrielle[3] ; en même temps, elle contribue à l'amélioration
du rendement individuel[4].*

---

1. Appliquée par Owen avant l'existence de la législation du travail. « On
se moqua de cette invention comme d'une utopie communiste », écrit Marx
dans *Le capital*.
2. Cf. Marx, *Le capital*, éd. Pléiade, T. 1, p. 937. Owen a jeté les bases de
« l'éducation de l'avenir * la seule et unique méthode pour produire des
*hommes complets* ».
3. Très conscient du rôle aliénant de la machine, Owen est cependant un
progressiste militant. Dans son *Mémoire aux Souverains alliés... dans l'intérêt
des classes ouvrières...* il attire significativement l'attention sur « les effets extraordinaires qui résultent de l'introduction de moteurs perfectionnés, par le
progrès des sciences, dans les manufactures de l'Europe et de l'Amérique ;
introduction qui a déjà matériellement influé sur la valeur du travail manuel,
sur la santé, sur la situation et le bonheur des classes ouvrières » (p. 1).
4. « L'enfant peut être aussi, par les mêmes moyens, élevé, placé, employé *
et aidé par des pouvoirs mécaniques, chimiques ou dûs aux découvertes des

*New Lanark fut rapidement un lieu de pèlerinage pour les réformateurs sociaux de Grande-Bretagne. Quant à Owen, cette expérience lui permit de donner un nouveau développement à ses théories, exposées en une série d'ouvrages qui furent, pour la plupart, rapidement traduits en français :*

— A New View of Society, or Essays on the Principle of the Formation of the Human Character (1813);
— Report to the County of Lanark (1816);
— The Book of the New Moral World (1836).

*Il y décrit son modèle de l'établissement idéal, hygiénique, ordonné et formateur : petites communautés semi-rurales de 500 à 3.000 individus, fédérées entre elles.*

*Pour Owen, ce modèle ne devait pas rester théorique. Pour le réaliser, en 1825, il acheta 30.000 acres de terre dans l'état d'Indiana (U.S.A.) et fonda la colonie* New Harmony. *Trois ans plus tard, il avait perdu les quatre cinquièmes de sa fortune et devait rentrer en Europe.*

*Sa critique du libéralisme économique et ses propositions de réforme le placent à l'origine du trade-unionisme et de la théorie du socialisme étatique. Les idées sont si éparses dans les textes que nous avons dû, par exception, mettre bout à bout des citations d'ouvrages divers.*

## HOMME NOUVEAU, HABITAT NOUVEAU

L'homme est une organisation composée de diverses facultés corporelles et intellectuelles, éprouvant des besoins ou penchants physiques et moraux, des sensations, des sentiments et convictions. Dans la société actuelle, il n'y a aucun accord entre ces différents penchants; il se trouve poussé à agir par des sensations ou des sentiments qui sont souvent en opposition avec son intelligence. •

Lorsque son caractère sera formé de manière à en faire un être rationnel, entouré de circonstances conformes aux lois naturelles, tous ces besoins et sentiments se trouveront en état d'harmonie. •

Ces faits et lois de la nature, lorsqu'ils seront pleinement compris et généralement adoptés dans la pratique, deviendront le moyen de former un nouveau caractère pour l'espèce humaine. • Les hommes • deviendront rationnels. [1]

---

sciences *. Dans ces circonstances *, chaque enfant né dans la classe laborieuse sera un grain important pour la société » (*idem.*, p. 8).

*Une ère nouvelle*

Le moment est arrivé où un changement doit être produit : une nouvelle ère doit commencer. L'esprit humain qui, jusqu'ici, a été enveloppé des ténèbres de la plus grossière ignorance • doit enfin être éclairé. • Le temps est arrivé où toutes les nations du monde, où les hommes de toutes les couleurs et de tous les climats, doivent être conduits à ce genre de connaissance. • Il n'y aura qu'un langage et qu'une nation. •

Les grandes inventions modernes, les améliorations progressives et le progrès continu des sciences et des arts techniques et mécaniques (qui, sous le régime de l'individualisme, ont augmenté la misère et l'immoralité des producteurs industriels), sont destinés, après avoir causé des souffrances, à détruire la pauvreté, l'immoralité et la misère. Les machines et les sciences sont appelés à faire tous les ouvrages pénibles et malsains. •

*Un établissement modèle...*

Pour réaliser les principes qui forment la science sociale, il serait à désirer que le gouvernement établît plusieurs noyaux ou associations-modèles, contenant 500 à 2.000 habitants dans des bâtiments convenables pour produire et conserver une variété de produits, et élever et donner aux enfants une éducation conforme. • [2] Chacune de ces petites cités nouvelles serait un modèle dans la façon dont elle se soutiendrait, se gouvernerait elle-même, élèverait et occuperait tous ses membres. • [3]

*... sur plan carré*

J'ai dessiné un plan sur lequel on distingue un ensemble de carrés formés par des bâtiments. Chaque carré peut recevoir 1.200 personnes et il est entouré de 1.000 à 1.500 acres de terrain.

A l'intérieur des carrés se trouvent les édifices publics qui le divisent en parallélogrammes.

L'édifice central contient une cuisine publique, des réfectoires et tout ce qui peut contribuer à une alimentation économique et agréable.

*Édifices publics au centre*

A droite de ce bâtiment central, une construction dont le rez-de-chaussée sera occupé par le jardin d'enfants, l'étage par une salle de conférences et une pièce destinée au culte.

A gauche, on trouve un édifice comportant, au rez-de-chaussée, une école pour les enfants plus âgés et une salle de comité; au premier étage, une bibliothèque et une salle de réunion pour les adultes.

L'espace libre à l'intérieur des carrés est destiné à l'exercice et aux loisirs, il est planté d'arbres.

*Compartimentage de l'habitat*

Trois côtés des carrés sont constitués par des maisons d'habitation, principalement destinées aux personnes mariées. Chaque maison comporte quatre pièces dont chacune sera assez grande pour recevoir un homme, sa femme et deux enfants.

Le quatrième côté sera occupé par des dortoirs qui recevront tous les enfants qui viendront en excédent des deux admis par famille, ainsi, le cas échéant, que les enfants âgés de plus de trois ans.

Au centre de ce quatrième côté se trouvent les appartements des surveillants de dortoirs. A l'une des extrémités est située l'infirmerie et à l'autre une sorte d'hostellerie pour les étrangers. •

Au centre des deux premiers côtés sont les appartements des surintendants, ministres du culte, maitres d'école, médecin, tandis qu'au centre du troisième, on a localisé des entrepôts. •

*Espaces verts isolant l'industrie*

A l'extérieur, derrière les maisons, tout autour des carrés, on trouve des jardins, entourés par des routes.

Immédiatement derrière les jardins, se situent d'un côté les bâtiments consacrés aux activités mécaniques et industrielles. L'abattoir, les étables, etc..., seront également séparés de l'établissement collectif par des plantations.

De l'autre côté se trouvent des locaux destinés au lavage et à la blanchisserie. A une distance encore plus grande des carrés, on trouve des installations fermières, entièrement équipées pour la production du malt, de la bière, de la farine, etc.

*L'élevage humain*

Pour transformer radicalement la condition et le comportement des défavorisés, il faut les retirer du milieu dont ils subissent actuellement la néfaste influence, les placer dans des conditions conformes à la constitution naturelle de l'homme • et qui ne peuvent manquer d'améliorer leur sort, ce qui sied à l'intérêt de toutes les classes. •

Les enfants au-dessus de trois ans iront à l'école, mangeront au réfectoire et dormiront dans les dortoirs; avant de quitter l'école, ils auront reçu tout ce qui leur sera nécessaire comme savoir.

Les grands enfants seront habitués à aider au jardinage et au travail industriel pendant une partie de la journée, proportionnellement à leurs forces; tous les hommes seront employés dans l'agriculture et dans l'industrie ou tout autre secteur utile à la communauté. •

### Prospection des terrains

Il faut faire une enquête à travers l'ensemble du pays et repérer les lieux les plus propices à l'installation de ces établissements — agricoles et industriels à la fois.

Tous les terrains du royaume susceptibles d'être acquis à cette fin devront être estimés à leur juste prix et achetés par la nation. •

Quand ces dispositions auront été adoptées et menées à bien • des conséquences admirables s'ensuivront. La valeur réelle de la terre et du travail s'élèvera tandis que baissera la valeur de leurs produits. •

### Rendement de ce plan

Ce plan permettra de supprimer, dans une génération, les subventions faites aux miséreux, en détruisant radicalement le paupérisme ou toute dégradation de cette sorte.

Il offrira les moyens d'augmenter graduellement la population des districts non peuplés de l'Europe et des États-Unis, partout où cette augmentation sera jugée nécessaire; il permettra à une population beaucoup plus importante de subsister dans le bien-être, en un point donné; • bref, il sera le moyen d'augmenter de plus de dix fois la force et la puissance politique du pays où il sera adopté. [4]

[1] *The Book of the New Moral World,* Londres, 1836, abrégé et traduit par T. W. Thornton : *Le livre du nouveau monde moral contenant le système social rationnel,* Paris, 1846. (Pages 23-24, 30.)

[2] *An Adress Delivered to the Inhabitants of New Lanark*, 1816; traduction par le comte de Laborde : *Institution pour améliorer le caractère moral du peuple*, Paris, 1819. (Pages 8-9.)

[3] *Courte exposition d'un système social rationnel*, libelle adressé en français à Thiers, Paris, 1848. (Page 2.)

[4] *Rapport au comité de l'association pour le soulagement des classes défavorisées employées dans l'industrie*, 1817, in *A Supplementary Appendix to the First Volume of the Life of Robert Owen, Containing a Series of Reports, Adresses, Memorials* (1803-1820), Londres, 1858. (Pages 57-64; notre traduction.)

# Charles Fourier

## 1772-1837

« Je ne crois pas qu'aucun homme en ce siècle ait eu une plus grande
puissance d'imagination que ce commis de magasin », disait Charles
Gide de Fourier. C'est à ce don que nous devons le modèle le plus détaillé
du pré-urbanisme progressiste : la phalange.

Cette agglomération idéale n'est d'ailleurs qu'une pièce — la plus
célèbre — d'un système complet dont elle est indissociable. La construction
globale de Fourier a pour origine une impitoyable critique de la société
contemporaine [1] et de son économie. Cette sombre vision est corrigée par une
conception optimiste de l'histoire, qui, après avoir traversé ces phases
successives : sauvagerie, barbarie, patriarcat et civilisation, finira par
réaliser, à travers le garantisme, le sociantisme et en dernier lieu l'harmonisme [2], le grand principe naturel de l' « Harmonie Universelle ». La
« civilisation », qui règne au moment où Fourier écrit, n'est « qu'un fléau
passager », « une maladie d'enfance comme la dentition ». Mais elle ne
pourra être dépassée que par une restructuration radicale de la société,
qui pour développer la production, s'affranchir du paupérisme et réaliser
l'homme total [3], devra mettre en pratique l'association et la coopération.

On peut écarter Fourier du pré-urbanisme progressiste, en invoquant
l'hédonisme qui règne dans les phalanges, la dialectique des tempéraments
qui préside à leur composition, leur négation de la famille [4]. Mais d'autres

1. Engels écrivait dans l'*Anti-Dühring* : « Il dévoile sans pitié la misère matérielle et morale du monde bourgeois. »
2. Le *patriarcat* est caractérisé par la culture et l'élevage. La *barbarie* voit
le clan ou la tribu remplacés par la nation. Villes et empires se forment, tandis
que l'industrie se développe. La *civilisation* est caractérisée par un développement
sans précédent de l'industrie. Le *garantisme* est caractérisé par un ensemble
d'institutions (banques, comptoirs communaux, asiles ruraux, phalanstères et
cités ouvrières) qui instaurent la solidarité entre les membres de la société.
Le *sociantisme* ou *association simple* ou encore *sérisophie*, et l'*harmonisme* ou *association composée* généralisent toujours davantage le principe d'association.
3. Dont l'image n'a sans doute pas été sans exercer un attrait sur Marx.
4. C'est là l'essentielle différence entre la Cité radieuse de Le Corbusier et
le Phalanstère de Fourier.

*caractères nous semblent plus significatifs : la coupure absolue que représente l'agglomération phalangiste par rapport à celles du passé, la façon dont y est intégrée la campagne, surtout la rationalisation et le classement systématique des lieux et des activités.*

*La classification est d'ailleurs chez Fourier une véritable manie. Elle se traduit en une terminologie spécifique qui rend fastidieuse la lecture de ses principaux ouvrages :*

— Théorie des quatre mouvements *(1808)*.
— Traité de l'association domestique *(1822), le plus important.*
— Le Nouveau Monde industriel et sociétaire *(1829)*.
— La fausse industrie morcelée *(1835-1836)*.


# LE PHALANSTÈRE


Les civilisés, regardant comme superflu ce qui touche au plaisir de la vue, rivalisent d'émulation pour enlaidir leurs résidences nommées villes et villages. • Recherchons comment les arts pourraient, par la voie d'embellissement et de salubrité, conduire par degrés à l'Association[1]. •

L'Association naîtrait de l'état des choses, dans une ville construite sous le régime de garantie[2] sensitive sur la beauté et la salubrité. •

Il est pour les édifices des méthodes adaptées à chaque période sociale : je n'en citerai que trois.

En quatrième période, la distribution barbare, mode confus. Intérieur de Paris, Rouen, etc.; rues étroites, maisons amoncelées

1. L'*Association,* qui fait coïncider l'intérêt général avec l'intérêt particulier, se réalise par *l'attraction* dans les sociétés *harmoniques ;* elle s'oppose au *morcellement* des sociétés inférieures (patriarcat, barbarie, civilisation) où règne la *contrainte.*

2. Ce terme est lié à l'anthropologie fouriériste. La période garantiste satisfait les douze droits de l'homme et les douze *garanties* à leur donner concernant le développement des douze passions qui forment les caractères *radicaux* de l'homme : cinq passions sensitives; quatre passions affectives : amitié, ambition, amour, familisme; trois passions distributives : papillonne (besoin de variété), cabaliste (besoin d'intrigue), composite (besoin d'enthousiasme); plus une treizième passion, « foyère » : c'est l'*unitéisme.*

sans courants d'air ni jours suffisants, disparate générale sans aucun ordre.

En cinquième période, la distribution civilisée, mode simpliste • ne régularisant que l'extérieur où il ménage certains alignements et embellissements d'ensemble : telles sont diverses places et rues des villes comme Pétersbourg, Londres, Paris qui ont des quartiers neufs. •

En sixième période, la distribution *garantiste,* mode composé, astreignant l'*intérieur* comme l'*extérieur* des édifices à un plan général de salubrité et d'embellissement, à des garanties de structure. • C'est une chance de perfectionnement social dont on aura peine à croire les conséquences et l'étendue. •

Un architecte qui aurait su spéculer sur le mode composé, aurait pu • devenir le sauveur du monde social. • Il fallait bien que la nature assignât aux arts quelqu'intervention dans l'affaire de l'Harmonie : elle a dû choisir • l'architecture .•

*Plan d'une ville de sixième période*[1]

On doit tracer trois enceintes :
— la première contenant la cité ou ville centrale,
— la deuxième contenant les faubourgs et grandes fabriques,
— la troisième contenant les avenues et la banlieue.

Chacune des trois enceintes adopte des dimensions différentes pour les constructions, dont aucune ne peut être faite sans l'approbation d'un comité d'Ediles, surveillant l'observance des statuts de garantisme dont suit l'exposé.

Les trois enceintes sont séparées par des palissades, gazons et plantations qui ne doivent pas masquer la vue.

Toute maison de la cité doit avoir dans sa dépendance, en cours et jardins, au moins autant de terrain vacant qu'elle en occupe en surface de bâtiments.

*L'espace libre*

L'espace vacant sera double dans la deuxième enceinte ou local des *faubourgs,* et triple dans la troisième enceinte nommée *banlieue.*

Toutes les maisons doivent être isolées et former façade régulière

1. Ce titre est de Fourier.

sur tous les côtés, avec ornements gradués selon les trois enceintes, et sans admission de murs mitoyens nus.

Le moindre espace d'isolement entre deux édifices doit être au moins de 6 toises : 3 pour chaque, ou davantage; mais jamais moins de 3, et 3 jusqu'au point de séparation et bas mur mitoyen de clôture. •

L'espace d'isolement ne sera calculé qu'en plan horizontal, même dans les lieux où la pente serait très rapide.

L'espace d'isolement doit être au moins égal à la demi-hauteur de la façade [1] devant laquelle il est placé, soit sur les côtés, soit sur les derrières de la maison. Ainsi, une maison dont les flancs auront 10 toises d'élévation jusqu'à la corniche, devra avoir, en vide latéral au-devant de ce flanc un terrain vacant de 5 toises, non compris celui du voisin qui peut être de même étendue. Si deux maisons voisines ont, l'une 10 de haut et l'autre 8 toises, il y aura entre elles 4 et 5, total 9 toises d'isolement et terrain vacant, partagé par un soubassement à grille ou palissade.

Pour éviter les tricheries sur la hauteur réelle, comme les mansardes et étages masqués, on comptera pour hauteur réelle du mur, tout ce qui excédera l'angle du 12º de cercle (angle de 30º) à partir de l'assise (supposée) de la charpente.

Les couverts devront former pavillon, à moins de frontons ornés sur les côtés. Ils seront garnis partout de rigoles conduisant l'eau jusqu'au bas des murs au-dessous des trottoirs.

Sur la rue, les bâtiments, jusqu'à l'assise de charpente ne pourront excéder en hauteur la largeur de la rue : si elle n'a que 9 toises de large, on ne pourra pas élever une façade à la hauteur de 10 toises, la réserve 45º pour le point de vue étant nécessaire en façade. (Si l'angle du rayon visuel était plus obtus, il en serait comme des palais de Gênes ou du portail Saint-Gervais; pour les examiner il faudrait faire apporter un canapé et s'y coucher à la renverse.)

L'isolement sur les côtés sera au moins égal au 8e de la largeur

1. Fourier avait coutume de se promener dans Paris muni d'une canne métrique à l'aide de laquelle il mesurait continuellement les façades des maisons. Il connaissait les dimensions de tous les principaux monuments et places d'Europe.

de la façade sur rue, • précaution nécessaire pour empêcher les amas de population sur un seul point. •

Les rues devront faire face ou à des points de vue champêtres ou à des monuments d'architecture publique ou privée : le monotone échiquier en sera banni. Quelques-unes seront cintrées (serpentées) pour éviter l'uniformité. Les places devront occuper au moins 1/8e de la surface. Moitié des rues devront être plantées d'arbres variés.

Le minimum des rues est de 9 toises; pour ménager les trottoirs, on peut si elles ne sont que traverses à piétons, les réduire à 3 toises mais conserver toujours les 6 autres toises, en clos gazonné, ou planté et palissadé. •

Je ne m'engagerai pas plus avant dans ce détail, sur lequel il y aurait encore plusieurs pages à donner pour décrire l'ensemble d'une ville garantiste. Mais nous n'avons ici qu'un résultat à envisager, c'est la propriété inhérente à une pareille ville, de provoquer l'association dans toutes les classes, ouvrière ou bourgeoise, et même riche.

*Habitat collectif*

Remarquons d'abord qu'on ne pourrait guère construire de petites maisons, elles seraient trop coûteuses par les isolements obligés. Les riches, seuls, pourraient se donner cet agrément; mais l'homme qui spécule sur des loyers serait obligé de construire des maisons très grandes, et pourtant très commodes et salubres, à cause de la double distance exigée en cours fermée.

Dans ces sortes d'édifices, on serait entraîné sans le vouloir, à toutes les mesures d'économie collective d'où naîtrait bientôt l'association partielle; par exemple, si l'édifice réunit 100 ménages [1], on n'y fera pas 20 pompes qu'exigeraient 20 maisons logeant chacune 5 ménages. Ce sera déjà une économie des 19/20e, ou des 9/10e, en supposant la pompe et ses auges de plus forte dimension.

Autant la police de propreté est difficile dans des maisons res-

---

1. « Les associations de ménage ou * les cités ouvrières appartiennent à la 6e période *, elles sont en dehors du cadre de la civilisation * et si on les généralisait, elles mèneraient promptement à cette 6e période. » Introduction des éditeurs à l'opuscule de Fourier, *Modifications à introduire dans l'architecture des villes,* Paris, 1849.

serrées et obstruées, comme celles de nos capitales, autant elle est facile dans un édifice où les espaces vacants maintiennent les courants d'air.

On éviterait donc ici, par le fait, les vices d'insalubrité, avantage de haute importance.

La distribution indiquée ne provoquera les inventions sociétaires que par concurrence entre les grands édifices dont elle se composera. S'ils n'étaient qu'en nombre de 4 ou 5 maisons à 100 ménages, comme on peut les trouver dans Paris ou Londres, ces réunions éloignées les unes des autres n'auraient aucune émulation économique.

Mais si ladite ville contient 100 vastes maisons, toutes vicinales et distribuées de manière à se prêter aux économies domestiques, elle verra bien vite ses habitants s'exercer sur cette industrie, qui commencera nécessairement sur l'objet important pour le peuple, sur la préparation et fourniture des aliments. On verra 2 ou 3 des 100 ménages s'établir traiteurs; on en verra d'autres spéculer, en d'autres branches, sur les fournitures de la maison.

Ainsi s'organisera la division du travail qui, une fois introduite dans la cité ou enceinte centrale, se répandra bien vite dans les deux enceintes de faubourg et banlieue, où l'obligation de double et triple espace en terrain vacant nécessitera d'autant mieux les grandes réunions. •

### Une ville modèle

Ces vastes édifices à l'avantage d'être bien aérés par l'isolement garni de plantations • satisfairaient (les cinq sens). •

Supposons que Louis XIV, au lieu de bâtir le triste Versailles, eût construit à Poissy une ville d'architecture composée, • chacun aurait volé l'imitation. • Aucun propriétaire de ville ne voudrait consentir aujourd'hui à remplacer ses murs par des grilles ou palissades, • il y gagnerait pourtant cent fois plus qu'il n'y perdrait, car il jouirait de la vue de cent jardins. Il en est de même pour toutes les autres dispositions; • mais pour en juger, il eut fallu une ville d'essai. •

Le fondateur d'une (telle) ville • aurait eu le double honneur de frapper de ridicule toutes les autres capitales • et de métamorphoser subitement le monde social. •

Le vice qui • a détourné de cette conception c'est l'esprit de
PROPRIÉTÉ SIMPLE qui domine en civilisation. Il n'y règne aucun
principe sur la PROPRIÉTÉ COMPOSÉE ou assujettissement des pos-
sessions individuelles aux besoins de la masse.

### La commune-type ou phalange

L'édifice qu'habite une Phalange n'a aucune ressemblance avec
nos constructions, tant de ville que de campagne, et pour fonder
une grande Harmonie à 1.600 personnes, on ne pourrait faire usage
d'aucun de nos bâtiments, pas même d'un grand palais comme
Versailles ni d'un grand monastère comme l'Escurial. •

Les logements, plantations et étables d'une telle société •
doivent différer prodigieusement de nos villages ou bourgs affec-
tés à des familles qui n'ont aucune relation sociétaire et qui opèrent
contradictoirement : au lieu de ce chaos de maisonnettes qui
rivalisent de saleté et de difformité dans nos bourgades, une
Phalange se construit un édifice régulier. •

### Un prototype expérimenta

Le Phalanstère ou édifice de la Phalange d'essai devra être construit en matériaux de peu de valeur : bois, briques, etc. parce qu'il
serait, je le répète, impossible dans cette première épreuve de déterminer exactement les dimensions convenables, soit à chaque
Séristère ou local de relations publiques affecté aux séries[2], soit à
chaque atelier, chaque magasin, chaque étable, etc.

Soit pour exemple, un poulailler ou colombier; avant de le
construire, on aura calculé et prévu avec soin combien une Phalange de tel degré doit élever de poules et pigeons; en combien
d'espèces et variétés elle doit classer les sortes pour coïncider avec
les Attractions des divers groupes qui soignent les animaux, et
favoriser les rivalités de Série.

1. « Pour Fourier, l'élément de la société est la commune. L'état de la
commune dans un pays donné fait connaître la nature de la société à laquelle
ce pays appartient. Ainsi pour faire passer la France de l'état « civilisé » à
l'état « sociétaire », il faudrait changer en communes sociétaires — ou « phalanstères » — les 40 mille communes civilisées existantes. » *(Ibid.)*
2. « Les différents groupes enrôlés au service d'une industrie quelconque
forment un régiment de volontaires, appelé *Série*. La série de groupes est le
grand levier de l'organisation sociétaire, la clé de voûte de toutes les solutions
harmoniques. » *(Ibid.)*

Mais comme la première Phalange ne peut avoir aucune notion pratique, elle commettra nécessairement beaucoup d'erreurs sur les quantités, dimensions et compartiments : avant d'arriver à des données exactes, il faut tâtonner. •

La première phalange sera une ébauche, une esquisse faite pour le compte du globe, qui en remboursera 12 fois le capital. Elle sera, en quelque façon, une boussole pour les Phalanges qu'on fondera partout dès l'année suivante. •

*Dissociation des fonctions*

Le centre du Palais ou Phalanstère doit être affecté aux fonctions paisibles, aux salles de repas, de bourse, de conseil, de bibliothèque, d'étude, etc. Dans ce centre, sont placés le temple, la tour d'ordre, le télégraphe, les pigeons de correspondance, le carillon de céré- monies, l'observatoire, la cour d'hiver garnie de plantes résineuses et située en arrière de la cour de parade.

L'une des ailes doit réunir tous les ateliers bruyants comme charpente, forge, travail au marteau; elle doit contenir aussi tous les rassemblements industriels d'enfants, qui sont communément très bruyants. • On évitera, par cette réunion, un fâcheux incon- vénient de nos villes civilisées, où l'on voit, à chaque rue, quelque ouvrier au marteau, quelque marchand de fer ou apprenti de clarinette, briser le tympan de cinquante familles du voisinage.

L'autre aile doit contenir le caravansérail, avec ses salles de bain et de relations des étrangers, afin qu'elles n'encombrent pas le centre du palais et ne gênent pas les relations domestiques de la Phalange. Cette précaution d'isoler les étrangers et concentrer leurs réunions dans l'une des ailes sera très importante dans la Phalange d'essai, où les curieux afflueront par milliers, et donne- ront à eux seuls un bénéfice que je ne puis estimer au-dessous de 20 millions. •

*Fonctions communes*

Le Phalanstère doit contenir, outre les appartements individuels, beaucoup de salles de relations publiques : on les nommera *Séris- tères* ou lieux de réunion et développement des Séries.

Ces salles ne ressemblent en rien à nos salles publiques, où les relations s'opèrent sans graduations. Une Série n'admet point cette confusion. Elle a toujours ses 3, 4 ou 5 divisions, qui occupent vicinalement 3 localités, ou 4 ou 5 ; ce qui exige des distributions analogues aux fonctions des officiers et des sociétaires. Aussi chaque Séristère est-il, pour l'ordinaire, composé de 3 salles principales : une pour les groupes de centre, 2 pour les ailes de la série.

En outre, les 3 salles de Séristère doivent avoir des cabinets adhérents pour les groupes et comités de Série; par exemple dans le Séristère de banquet ou salle à manger, il faut d'abord 6 salles fort inégales :

1 d'aile asc. pour la 1re classe, environ ......... 150
2 de centre pour la 2e classe ................. 400
3 d'aile des. pour la 3e...................... 900

Ces 6 salles très inégales devront avoir à proximité divers cabinets pour les divers groupes qui voudront s'isoler de la table de genre. Il arrive chaque jour que certaines réunions veulent manger séparément, elles doivent trouver des salles à portée du Séristère où l'on sert le buffet principal qui alimente les tables d'un même genre. •

Des étables, greniers et magasins doivent être placés, s'il se peut vis-à-vis l'édifice. L'intervalle situé entre le Palais et les étables servira de cour d'honneur ou place de manœuvre qui doit être vaste. Pour donner sur ces dimensions un plan approximatif, j'estime que le front du Phalanstère peut être fixé à 600 toises de Paris, dont 300 pour le centre et la cour de parade, et 150 pour chacune des deux ailes et des côtés joignant le centre. •

*Jardins du Palais*

Derrière le centre du Palais, les fronts latéraux des deux ailes devront se prolonger pour ménager et enclore une grande cour d'hiver, formant jardin et promenade emplantée de végétaux résineux et verts en toute saison. Cette promenade ne peut être placée qu'en cour fermée, et ne doit pas découvrir la campagne. (La Phalange n'a pas besoin de promenades d'été, on verra au chapitre 9 que tout le canton est promenade.)

Pour ne pas donner au Palais un front trop étendu, des développements et prolongements qui ralentiraient les relations, il conviendra (dans une grande Phalange de degré 7 ou X) de redoubler les corps de bâtiments en ailes et centre, et laisser dans l'intervalle des corps parallèles contigus un espace vacant de 15 à 20 toises au moins, qui formera des cours allongées et traversées par des corridors sur colonnes à niveau du 1<sup>er</sup> étage, avec vitrage fermé, et chauffé selon l'usage de l'Harmonie. •

*Circulations climatisées*

Les rues galeries sont une méthode de communication interne qui suffirait seule à faire dédaigner les palais et les belles villes de civilisation. Quiconque aura vu les rues galeries d'une Phalange, envisagera le plus beau palais civilisé comme un lieu d'exil, un manoir d'idiots qui, en 3.000 ans d'études sur l'architecture, n'ont pas encore appris à se loger sainement et commodément. •

Notre maladresse en ce genre est à tel point, que les Rois mêmes, loin d'avoir des communications en galerie fermée, n'ont souvent pas un porche pour monter à l'abri de la pluie. • On ne connaît, en civilisation, ni les rues galeries, ni les rues souterraines, ni la vingtième partie des agréments matériels dont jouit en Harmonie le plus pauvre des hommes. •

Un Harmonien des plus misérables, un homme qui n'a ni sou ni maille, monte en voiture dans un porche bien chauffé et fermé; il communique du palais aux étables par des souterrains parés et sablés; il va de son logement aux salles publiques et aux ateliers, par des rues galeries qui sont chauffées en hiver et ventilées en été. On peut, en Harmonie, parcourir en janvier les ateliers, étables, magasins, salles de bal, de « banquet », d'assemblée, etc. sans savoir s'il pleut ou vente, s'il fait chaud ou froid. •

*La rue-galerie*

La rue-galerie ou *Péristyle continu* est placée au 1<sup>er</sup> étage. Elle ne peut pas s'adapter au rez-de-chaussée, qu'il faut percer en divers points par des arcades à voitures. •

Les rues-galeries d'une Phalange ne prennent pas jour des deux côtés; elles sont adhérentes à chacun des corps de logis; tous ces corps sont à double file de chambres, dont une file prend jour sur la campagne, et une autre sur la rue-galerie. Celle-ci doit donc avoir toute la hauteur des trois étages qui, d'un côté, prennent jour sur elle.

Les portes d'entrée de tous les appartements des 1er, 2e, 3e étages, sont sur la rue-galerie, avec des escaliers placés d'espace en espace, pour monter aux 2e et 3e étages.

*Théorie de l'Unité universelle* ou *Traité de l'Association domestique agricole*[1], Paris, 1822, cité d'après *L'Harmonie universelle et le Phalanstère, exposés par Fourier, recueil méthodique de morceaux choisis de l'auteur,* Librairie phalanstérienne, Paris, 1849. (Tome I, pages 176-184, 255-259, 261-263.)

1. Le premier titre est celui qui figure dans les œuvres complètes (1841-45), tandis que le second est celui sous lequel cet ouvrage a été publié dans sa première édition.

# Victor Considérant

## 1808-1893

*Polytechnicien, ingénieur de l'armée, il quitta ces fonctions en 1831 pour se consacrer aux idées de Fourier et à leur diffusion. A la mort de Fourier, il devint le chef du mouvement phalanstérien et directeur de son organe, La Phalange.*

*Dans ses nombreux ouvrages :*
— *La destinée sociale, 1834-1838,*
— *Manifeste de l'École sociétaire, 1841,*
— *Exposition du Système phalanstérien de Fourier, 1845,*
— *Principe du Socialisme, 1847,*

*les théories de Fourier sont exposées sous une forme plus claire et plus synthétique que dans les livres du fondateur lui-même.*

*Cela est particulièrement vrai pour ce qui concerne l'organisation de l'établissement humain auquel Considérant consacra la* Description du Phalanstère, *1840. Considérant devait tenter lui-même des expériences phalanstériennes, qui toutes furent vouées à l'échec. La plus célèbre fut la colonie de la Réunion, qu'il fonda près de Dallas, lors de son exil aux États-Unis, après sa participation à la tentative insurrectionnelle de 1849.*

## DU CHAOS À L'ORDRE

### I. AUJOURD'HUI

L'ARCHITECTURE écrit l'histoire.

Voulez-vous connaître et apprécier la civilisation dans laquelle nous vivons ? Montez sur le clocher du village ou sur les hautes Tours de Notre-Dame.

*Chaos architeƈtural*

D'abord, c'eƈt un speƈtacle de désordre qui va frapper vos yeux : .

Ce sont des murs qui se dépassent, s'entrechoquent, se mêlent, se heurtent sous mille formes bizarres; des toitures de toutes inclinaisons qui se surhaussent et s'attaquent; des pignons nus, froids, enfumés, percés de quelques rares ouvertures grillées; des clôtures qui s'enchevêtrent; des conƈtruƈtions de tout âge et de toute façon, qui se masquent et se privent les unes les autres d'air, de vue et de lumière. C'eƈt un combat désordonné, une effroyable mêlée architeƈturale.

Les grandes villes, et Paris surtout, sont de triƈtes speƈtacles à voir ainsi, pour quiconque a l'idée de l'ordre et de l'harmonie, pour quiconque pense à l'anarchie sociale que traduit en relief, avec une hideuse fidélité cet amas informe, ce fouillis de maisons recouvertes de combles, armés de leurs garnitures métalliques, de leurs girouettes rouillées, de leurs innombrables cheminées, qui dessinent encore mieux l'incohérence sociale, le Morcellement d'où ce chaos architeƈtural eƈt sorti. •

Voyez comme l'homme eƈt logé dans la capitale du monde civilisé!

*Surpopulation*

Il y a dans ce Paris un million d'hommes, de femmes, et de malheureux enfants, entassés dans un cercle étroit où les maisons se heurtent et se pressent, exhaussant et superposant leurs six étages écrasés; puis, six cent mille de ces habitants vivent sans air ni lumière, sur des cours sombres, profondes, visqueuses, dans des caves humides, dans des greniers ouverts à la pluie, aux vents, aux rats, aux inseƈtes. • Et depuis le bas jusques en haut, de la cave aux plombs, tout eƈt délabrement, méphitisme, immondicité, et misère. •

*« L'homme n'eƈt pas logé »*

Dans nos villes, des masures délabrées, noires, hideuses, méphitiques• se traînent autour des monuments que la Civilisation a semés çà et là, comme on voit, dans un jardin mal tenu des limaçons à la bave impure ramper sur la tige d'un lilas en fleur. —

L'accouplement du luxe et de la misère : c'est le complément du tableau.

La Civilisation a de rares palais, et des myriades de taudis, comme elle a des haillons pour les masses, et des habits d'or et de soie pour ses favoris peu nombreux. A côté de la livrée brodée d'un agioteur, elle étale la bure de ses prolétaires et les plaies de ses pauvres. Si elle élève et entretient à grands frais un somptueux opéra où de ravissantes harmonies caressent les oreilles de ses oisifs, elle fait entendre, au milieu des rues et des places publiques, les chants de misère de ses aveugles, les lamentables complaintes de ses mendiants. Puis, ici et là, elle ne sait créer qu'égoïsme et immoralité, car la misère et l'opulence ont toutes deux leur immoralité et leur égoïsme.

Oh, non, non! dans nos villages, dans nos villes, dans nos grandes capitales, l'homme n'est pas logé : — car j'appelle l'homme aussi bien le chiffonier qui butine la nuit, sa lanterne à la main, et cherche sa vie dans le tas d'ordures qu'il remue avec un crochet : aussi bien lui et ses nombreux frères en misère que les hommes de la bourse et des châteaux. — Et j'appelle logement de l'homme une habitation saine, commode, propre, élégante et en tous points confortable.•

## II. DEMAIN : LE PHALANSTÈRE

Les relations sociétaires imposent donc à l'architecture des conditions tout autres que celles de la vie civilisée. Ce n'est plus à bâtir le taudis du prolétaire, la maison du bourgeois, l'hôtel de l'agioteur ou du marquis. C'est le Palais où l'HOMME doit loger. Il faut le construire avec art, ensemble et prévoyance; il faut qu'il renferme des appartements somptueux et des chambres modestes, pour que chacun puisse s'y caser suivant ses goûts et sa fortune; — puis il y faut distribuer des ateliers pour tous les travaux, des salles pour toutes les fonctions d'industries ou de plaisir.

Et d'abord jetons un coup d'œil à vol d'oiseau sur l'ensemble des dispositions architecturales résultant des grandes conditions du programme sociétaire; nous voici planant sur une campagne phalanstérienne; regardons :

### L'ordre

Ah! Ce n'est plus la confusion de toutes choses; l'odieux pêle-mêle de la ville et de la bourgade civilisée; l'incohérent agglomérat de tous les éléments de la vie civile, de la vie agricole, de la vie industrielle; la juxtaposition monstrueuse et désordonnée des habitacles de l'homme et des animaux, des fabriques, des écuries, des étables; la promiscuité des choses, des gens, des bêtes et des constructions de toutes espèces. • Le Verbe de la Création a retenti sur le Chaos; et l'Ordre s'est fait.

Les éléments confondus dans le Chaos se sont séparés et rassemblés par genres et par espèces au commandement de la Parole. Avec la Séparation, la Distinction de l'Ordre, ont surgi la vie, l'économie et la beauté, toutes les harmonies de la vie, toutes ses magnificences.

### L'unité d'habitation

Contemplons le panorama qui se développe sous nos yeux. Un splendide palais s'élève du sein des jardins, des parterres et des pelouses ombragées, comme une île marmorienne baignant dans un océan de verdure. C'est le séjour royal d'une population régénérée.

Devant le Palais s'étend un vaste carrousel. C'est la cour d'honneur, le champ de rassemblement des légions industrielles, le point de départ et d'arrivée des cohortes actives, la place des parades, des grandes hymnes collectives, des revues et des manœuvres.

La route magistrale qui sillonne au loin la campagne de ses quadruples rangées d'arbres somptueux, bordée de massifs d'arbustes et de fleurs, arrive, en longeant les deux ailes avancées du Phalanstère, sur la cour d'honneur, qu'elle sépare des bâtiments industriels et des constructions rurales, développées du côté des grandes cultures.

D'un côté, le Palais de la population; au centre le chef-lieu du mouvement, la grande place des manœuvres; de l'autre côté, la ville industrielle, les abris des récoltes, les toits protecteurs des machines et des animaux, qui secondent l'homme dans la conquête de la terre.

*La ville industrielle*

Au premier rang de la ville industrielle, une ligne de fabriques, de grands ateliers, de magasins, de greniers de réserve, dresse ses murs en face du Phalanstère. Les moteurs et les grandes machines y déploient leurs forces, broient, assouplissent ou transforment les matières premières sous leurs organes métalliques, et exécutent pour le compte de la Phalange mille opérations merveilleuses. C'est l'arsenal des créations actives et vivantes de l'intelligence humaine, l'arche où sont rassemblées les *espèces* industrielles ajoutées par la puissance créatrice de l'homme aux espèces végétales et aux espèces animales, ces machines de l'invention du premier Créateur. Là tous les éléments domptés, tous les fluides gouvernés, toutes les forces mystérieuses asservies, toutes les puissances de la nature vaincues, tous les dieux de l'Ancien Olympe soumis à la volonté du Dieu de la terre, obéissent à sa voix, serviteurs dociles, et proclament son règne.

*L'établissement agricole*

La ligne des grandes constructions industrielles s'ouvre au centre, pour dégager la vue et laisse, du Phalanstère, les regards plonger dans l'établissement agricole, et s'échapper par dessus ses toits abaissés, aux verdoyantes perspectives de la campagne et des horizons lointains. Au milieu du large éventail qu'ouvre aux regards cette trouée monumentale, l'œil s'arrête d'abord sur une immense basse-cour, charmant assemblage de pièces d'eau, de ruisseaux courant sur le gravier, de treillis courant sur les gazons de pavillons coquets, de parcs ombragés, de volières à vastes compartiments groupées sur la tour élancée du colombier, qui s'élève comme un fastueux obélisque au point de centre des constructions agricoles. Les toits rustiques de la laiterie, de la glacière, de la fromagerie, se dégagent à droite et à gauche des massifs épars dont les touffes les protègent. Tout autour l'œil aperçoit les parcs aux charrues, aux herses luisantes, les hangars aux chariots vernissés, les remises des équipages champêtres, aux couleurs variées et contrastées des séries et des groupes [1] : le regard découvre toute cette artillerie de l'agriculture, plus brillante que les arsenaux

1. Cf. supra, in Fourier.

montrés avec tant d'orgueil par les fonderies militaires de l'Angleterre et de la France.

Les parcs, les hangars, les remises, les ateliers de ferronnerie et de charronage, les cours de service sont, à leur tour, encadrés dans les étables et les écuries royales où logent, par escadrons, classés et divisés d'après leurs espèces, leurs titres de valeurs et de sang, les races chevalines et bovines qu'entretient la Phalange. L'air et l'eau, savamment ménagés et conduits à l'intérieur et à l'extérieur circulent dans ces masses de constructions, coupées d'arbres, de communications combinées et de cours de service. La lumière les baigne et les pénètre, et avec l'eau, l'air, la lumière et les soins orgueilleux et jaloux des légions ardentes à qui l'entretien en est dévolu, la propreté, la salubrité, la vie dans tout son épanouissement et son luxe. Autour des constructions rurales, et s'engageant dans la campagne, comme des forts avancés, les bergeries et les parcs aux meules de graminées et de fourrages.

Voilà l'ensemble! •

Étudions de plus près maintenant des dispositions générales du Palais d'habitation, du Phalanstère proprement dit.•

### Caractères de l'habitation

La forme générale de mon dessin [1] est celle qui dérive du plan de Fourier. Elle remplit parfaitement toutes les convenances sociétaires, tous les avantages de commodité, salubrité et sûreté. Il est inutile de dire que cette forme n'a rien d'absolu. Les configurations du terrain et mille exigences diverses la développent et la modifient. Les façades, le style et les détails offrent, dans chaque Phalanstère, des variétés infinies. •

Nous avons devant nous, en regardant le Phalanstère, le corps central, au milieu duquel s'élève la Tour d'ordre; les deux ailes qui, tombant perpendiculairement sur le centre, forment la grande cour d'honneur, où s'exécutent les parades et manœuvres industrielles. Puis les deux ailerons revenant en bords de fer-à-cheval, dessinent la grande route qui borde la cour d'honneur et s'étend, le long du front de bandière du Phalanstère, entre cet édifice et les bâtiments industriels et ruraux postés en avant.

---

1. Considérant a tracé une perspective du phalanstère.

Les corps du bâtiment sont redoublés : le Phalanstère se replie sur lui-même, pour éviter une trop grande étendue de front, un éloignement trop considérable des ailes et du centre, pour favoriser, enfin, l'activité des relations en les concentrant.

*Classement des fonctions*

Les ateliers bruyants, les écoles criardes sont rejetées dans une cour d'extrémité, au bout d'un des ailerons ; le bruit s'absorbe dans cette cour de tapage. L'on évite ainsi ces insupportables fracas de toute nature répandus au hasard dans tous les quartiers des villes civilisées, où l'enclume du forgeron, le marteau du ferblantier, le flageolet, la clarinette, le cor de chasse conspirent contre les oreilles publiques avec les grincements du violon, le tintamarre des voitures, et tous ces charivaris discordants, cassants, déchirants ou assourdissants qui font, de presque tous les appartements des grandes villes, de véritables enfers, enfin et par-dessus tout avec le féroce, l'inévitable, l'indomptable piano !

À l'aileron de l'autre extrémité, se trouve le caravansérail ou hôtellerie affectée aux étrangers. Cette disposition a pour but d'éviter les encombrements dans le centre d'activité.

Les grandes salles de relations générales pour la Régence, la Bourse, les réceptions, les banquets, les bals, les concerts, etc. sont situés au centre du Palais, aux environs de la Tour d'Ordre. Les ateliers, les appartements de dimensions et de prix variés, se répartissent dans tout le développement des bâtiments. — Les ateliers se trouvent en général au rez-de-chaussée, comme il convient évidemment. Plusieurs pourtant, comme ceux de couture, de broderies et autres de genre délicats, peuvent monter au premier étage.

Il est sensible que le centre du Palais en sera la partie la plus somptueuse : aussi les appartements chers, très richement ornés et princièrement établis, bordent-ils le grand jardin d'hiver, fermé, derrière la Tour d'Ordre, par les replis carrés du corps redoublant. Les appartements plus modestes s'échelonnent dans les ailes et les ailerons.

*Contre la ségrégation*

Toutefois, l'Harmonie, sans viser à une égalité contraire à tout ordre naturel et social, opère toujours la fusion des classes et le mélange des inégalités. Pour cela faire, on réserve, dans cette disposition générale, un *engrenage* qui empêche et prévient jusqu'au moindre germe de déconsidération d'un quartier : on introduit dans le centre et aux alentours, des logements de prix modique, on en reporte de plus chers sur les extrémités. — D'ailleurs, les variétés de goût, d'humeurs et de caractères dispersent encore les différentes classes de fortune dans tous les corps de bâtiment du Phalanstère, et l'on n'y voit pas un faubourg Saint-Marceau à côté d'un faubourg Saint-Germain.

### *Espaces verts intérieurs*

Les grands espaces laissés entre les bâtiments forment des cours plantées, rafraîchies par des bassins et affectées à différents services. Elles sont ornées de plates-bandes et de parterres intérieurs. Les statues y foisonnent et s'y détachent en blanc de marbre sur des massifs de verdure.

Dans le grand carré central s'étale le jardin d'hiver, planté d'arbres verts et résineux, afin qu'en toute saison on s'y puisse récréer les yeux. Tout alentour circulent un ou deux étages de serres précieuses, dont on peut combiner l'arrangement avec celui des grandes galeries et des salles de bains. — C'est le jardin le plus riche, le plus luxueux de tous les jardins de la Phalange; il forme une promenade élégante, abritée et chaude, où les vieillards et les convalescents se plaisent à respirer l'air et le soleil. •

### *La rue-galerie*

Toutes les pièces de la construction harmonienne, appartements et ateliers, et tous les corps de bâtiments sont reliés entre eux par une RUE-GALERIE qui les embrasse, circule autour de l'édifice et l'enveloppe tout entier. Cette *circum-galerie* est double : au rez-de-chaussée, elle est formée par des arcades qui s'étendent parallèlement au bâtiment comme au Palais-Royal; sur ces arcades, au-dessus du plafond de la galerie inférieure, s'élève celle du premier étage. Cette dernière monte jusqu'au sommet de l'édifice et prend jour par de hautes et longues fenêtres, auquel cas les appartements des étages supérieurs s'ouvrent sur elles; ou bien elle s'arrête et forme terrasse pour l'étage supérieur.

Inutile de dire que ces galeries sont vitrées, ventilées et rafraîchies en été, chauffées en hiver, toujours abondamment pourvues d'air et agréablement tempérées.

La rue-galerie est certainement l'un des organes les plus caractéristiques de l'architecture sociétaire. La rue-galerie d'un Phalanstère de haute Harmonie est au moins aussi large et aussi somptueuse que la galerie du Louvre. Elle sert pour les grands repas et les réunions extraordinaires. Parées de fleurs comme les plus belles serres, décorées des plus riches produits des arts et de l'industrie, les galeries et les salons des Phalanstères ouvrent aux artistes d'Harmonie d'admirables expositions permanentes. Il est probable que, souvent, elles seront construites entièrement en verre.

Il faut se figurer cette élégante galerie courant tout autour des corps de bâtiments, des jardins intérieurs, et des cours du Phalanstère; tantôt en dehors, tantôt en dedans du palais, tantôt s'élargissant pour former une large rotonde, un atrium inondé de jour; projetant au travers des cours, ses couloirs sur colonnes ou de légers ponts suspendus, pour réunir deux faces parallèles de l'édifice; s'embranchant enfin, aux grands escaliers blancs et s'ouvrant partout des communications larges et somptueuses.

Cette galerie• qui relie toutes les parties du tout; qui établit les rapports du centre aux extrémités, c'est le canal par où circule la vie dans le grand corps phalanstérien, c'est l'artère magistrale qui, du cœur, porte le sang dans toutes les veines; c'est, en même temps, le symbole et l'expression architecturale du haut ralliement social et de l'harmonie passionnelle de la Phalange, dans cette grande construction unitaire dont chaque pièce a un sens spécial, dont chaque détail exprime une pensée particulière, répond à une convenance et se coordonne à l'ensemble; — et dont l'ensemble reproduit, complète, visible et corporisée, la loi suprême de l'Association, la pensée intégrale d'harmonie.

Quand on aurait habité un Phalanstère, où une population de 2.000 personnes peut se livrer à toutes ses relations civiles ou industrielles, aller à ses fonctions, voir son monde, circuler des ateliers aux appartements, des appartements aux salles de bal et de spectacle, vaquer à ses affaires et à ses plaisirs, à l'abri de toute intempérie, de toute injure de l'air, de toute variation atmosphérique; quand on aurait vécu deux jours dans ce milieu royal, qui pourrait supporter les villes et les villages civilisés, avec leurs boues, leurs immondices ?• Quelle économie de dépenses, d'ennuis, et d'incommodités, de rhumes, de maladies de toute espèce, obtenus par une seule disposition d'architecture sociétaire!•

*La tour*

Au point central du Palais se dresse et domine la Tour d'Ordre. C'est là que sont réunis l'observatoire, le carillon, le télégraphe, l'horloge, les pigeons de correspondance, la vigie de nuit; c'est là que flotte au vent le drapeau de la Phalange. — La Tour d'Ordre est le centre de direction et de mouvement des opérations industrielles du canton; elle commande les manœuvres avec ses pavillons, ses signaux, ses lunettes et ses porte-voix, comme un général d'armée placé sur un haut mamelon.

Le temple et le théâtre s'élèvent à droite et à gauche du Palais, dans les deux rentrants formés par la saillie des ailerons, entre le corps du Phalanstère et les jardins dont les terrasses l'enveloppent, et du sein desquels il émerge.•

*Collectivisation du quotidien*

On s'abonne avec la Phalange pour le logement comme pour la nourriture, soit que l'on prenne un appartement garni, soit que l'on se mette dans ses meubles. Plus de ces embarras, de ces nombreux ennuis de ménage, attachés à l'insipide système domestique de la famille! On peut, à la rigueur, n'avoir en propriété que ses habits et ses chaussures, et se fournir de linge et de tout le reste, par abonnement.•

Le Séristère[1] des cuisines, muni de ses grands fours, de ses ustensiles, de ses mécaniques abrégeant l'ouvrage, de ses fontaines à ramifications hydrophores, pavoisé de batteries étincelantes, se développe à la fois sur des cours intérieurs de service, et du côté de la campagne. Ses magasins d'arrivage, de dépôt et de conserve, et les salles de l'office, sont à proximité.

Les tables et les buffets, chargés dans ces salles basses, pris et élevés, aux heures des repas, par des machines, sont apportés tout servis dans les salles de banquet, qui règnent à l'étage supérieur et dont les planchers sont pourvus d'un équipage de trappes, desti-

1. Cf. supra, in Fourier.

nées à donner aux grandes opérations du service unitaire la rapidité prestigieuse des changements à vue d'un opéra féérique. — Ces mécanismes ingénieux, que la civilisation emploie çà et là pour faire quelques jouissances à ses oisifs, l'Harmonie trouve son économie à les prodiguer pour faire des jouissances sans nombre à tout son peuple.

*Chauffage*

La chaleur perdue du Séristère des cuisines, est employée à chauffer les serres, les bains, etc. Quelques calorifères suffisent ensuite pour distribuer la chaleur dans toutes les parties de l'édifice, galeries, ateliers, salles et appartements. Cette chaleur unitairement ménagée est conduite dans ces différentes pièces par un système de tuyaux de communication, armés de robinets au moyen desquels on varie et gradue à volonté la température, en tous lieux, du Palais sociétaire. Un système de tuyaux intérieurs et concentriques à ceux des calorifères, porte en même temps de l'eau chaude dans les Séristères où elle est nécessaire et dans tous les appartements. Il existe un service analogue pour la distribution de l'eau froide. On conçoit facilement combien ces dispositions d'ensemble sont favorables à la propreté générale, combien elles font circuler de confort et contribuent à dépouiller le service domestique de ce qu'il a de sale, de répugnant, de hideux souvent, dans les doux ménages de la Civilisation morale et perfectibilisée.

*Distribution de l'eau*

La même pensée unitaire préside au dispositif de tous les services. Ainsi, c'est par un mode analogue que des bassins supérieurs, placés dans les combles, recevront les eaux du ciel ou alimentés par des corps de pompes, fournissent des ramifications de boyaux divergents d'où l'eau, projetée avec la force de compression due à sa hauteur, entretient pendant les chaleurs de l'été, dans les atriums, les salles, et les grands escaliers, des fontaines jaillissantes, des cascatelles aux bassins blancs et de hardis jets d'eau dans les jardins et les cours. Les boyaux mobiles sont employés au service journalier de l'arrosage des abords du Phalanstère; ils servent aussi à laver les toitures, les façades, et surtout, à ôter toute chance à l'incendie.•

*Éclairage*

L'éclairage général, intérieur et extérieur, est aussi réglé dans la Phalange, sur la même idée unitaire. Personne n'ignore que la plupart des grandes cités et des établissements publics sont éclairés par ce procédé. — Les réfracteurs lenticulaires et les réflecteurs paraboliques seront d'un heureux emploi dans cet aménagement unitaire de la lumière, qui multipliera sa puissance en combinant convenablement les ressources de la catoptrique et de la dioptrique.

### III. CONCLUSIONS ÉCONOMIQUES ET PHILOSOPHIQUES

C'est donc délire et folie que de se proposer la solution de ce problème : *trouver les solutions architecturales les plus convenables aux besoins de la vie individuelle et sociale, et constituer, d'après les exigences de ces conditions, le type de l'habitation d'une population de 1.800 personnes, — population qui correspond à l'unité d'exploitation du sol, et qui constitue la Commune rurale, c'est-à-dire l'alvéole élémentaire de la grande ruche sociale.*

*Le modèle-paquebot*

Quoi donc! C'est folie et délire, cela! Et vous dites : cela est inouï, extravagant, *irréalisable* • alors que vous avez sous les yeux, et à vous les crever encore! des constructions logeant *dix-huit cents hommes,* et non pas fondées en terre ferme, sur roc, mais bien mobiles, mais filant sur l'océan dix nœuds à l'heure et transportant leurs habitants de Toulon au Cap, du Cap à Calcutta, de Calcutta au Brésil et au Canada! des constructions de mille huit cents habitants qui narguent les vents des grandes mers et les ouragans des tropiques, de braves et dignes vaisseaux de ligne, ma foi,• hauts de mâture et carrés de voilure! •

Était-il donc plus facile de loger mille huit cents hommes au milieu de l'océan, à 600 lieues de toute côte, de construire des *forteresses flottantes,* que de loger dans une construction unitaire, dix huit cents bons paysans en pleine Champagne ou bien en terre de Beauce ?•

*Le vrai problème*

L'Académie s'ingénie chaque ·année à trouver des sujets de concours pour les élèves de l'école d'architecture, et elle n'a pas eu l'idée de proposer celui-là! C'est pourtant une conception plus féconde, une idée plus haute de mille coudées que toutes les idées architecturales qui aient été exécutées ou seulement émises jusqu'ici.

C'était là, d'ailleurs, la tâche sociale réservée à l'Art dans la carrière du progrès social. — Qu'un architecte, en effet, laissant le quart de rond, la cimaise et les ordres, se fut proposé de résoudre le problème architectural ainsi posé :

*Étant donné l'homme, avec ses besoins, ses goûts, et ses penchants natifs, déterminer les conditions du système de construction le mieux approprié à sa nature :*

Cet architecte se trouvait, dès le premier pas, face à face avec l'option suivante :

A. *Ou une maison isolée pour chaque famille ;*

B. *Ou un édifice unitaire pour la réunion de familles composant la commune.*

L'économie, l'aisance, la facilité des relations et des services, les agréments de toute nature, toutes les convenances matérielles, sociales et artistiques militaient pour le second système.

Dès lors, optant pour l'architectonique sociétaire, l'artiste était sur la voie du calcul des Destinées; il découvrait de proche en proche, en cherchant les bases de son projet, toutes les conditions de la vie sociétaire, qui ne sont autre chose que les déductions naturelles et pratiques des besoins, des goûts et des penchants natifs de l'homme. Et c'est ainsi qu'en spéculant sur l'architectonique la mieux adaptée à la nature humaine, on eût nécessairement rencontré la forme sociale la mieux adaptée à cette même nature.

Toutes ces questions se tiennent. On ne peut résoudre les unes sans déterminer en même temps la solution des autres.•

Demandez-vous s'il serait plus économique et plus sage, pour loger une population qui devra s'élever à dix huit cents ou deux mille personnes, de construire un grand édifice unitaire, ou de bâtir trois cents cinquante à quatre cents petites maisons isolées et civilisées, trois cent cinquante masures morales et philosophiques ?•

Ajoutez encore les murs de clôture exigés, dans le régime morcelé, pour enfermer les maisons, les jardins et les cours; pensez• que vous épargnez quatre cents cuisines, quatre cents salles à manger, quatre cents greniers, quatre cents caves, quatre cents étables, quatre cents granges.• Réduction analogue sur une foule de pièces et d'ateliers épars aujourd'hui dans la bourgade. — Indépendamment de l'économie de place et de construction, ajoutez celle de deux ou trois milliers de portes, de fenêtres, de baies, avec leurs chassis, leurs boiseries et leurs ferrements; pensez à l'entretien ruineux que chacune de ces maisons nécessite par année, au peu de durée de ces constructions étriquées, aux ignobles remaniements qu'on leur fait subir incessamment. Multipliez la dépense de chaque maison par leur nombre, et vous serez à même de prononcer!•

*Description du Phalanstère et considérations sociales sur l'architectonique,* Librairie sociétaire, Paris; 2ᵉ édition, 1848. (Pages 39-40, 47-48, 56-68, 80, 83-84, 88-89.)

# Etienne Cabet
## 1788-1856

*Cabet, dont Marx fait l'inventeur du « communisme utopique »,
développa la vision d'un socialisme étatique dans le* Voyage en Icarie
*(1840) dont il affirmait, l'année de sa mort, que « c'est en réalité une
description de l'organisation sociale et politique de la communauté ; c'est
un traité scientifique et philosophique*[1] *».*

*Le* Voyage *décrit longuement la capitale, Icara, et l'aménagement des
autres villes. L. Mumford a pu y voir justement une projection de l'œuvre
administrative et centralisatrice de Napoléon, et une idéalisation de
Paris. Cependant, Icara symbolise bien davantage les idées progressistes
de l'époque. Elle est au premier chef une conséquence de la révolution industrielle*[2] *dont découlent les principes de rationalisation, d'hygiène, de classement ; et elle doit être rapprochée des modèles d'Owen*[3] *(dont Cabet
avait d'ailleurs subi l'influence en Angleterre), de Fourier, de Considérant. Comme chez ces auteurs, l'idée d'efficacité et de rendement joue un
rôle important, et plus qu'un césarisme inconscient, c'est elle qui justifie
la sévérité des systèmes de contrainte et de répression proposés par Cabet.*

*Celui-ci passa les dernières années de sa vie aux États-Unis où il tenta
de réaliser, avec des émigrés européens, des communautés communistes
construites sur le modèle de son Icarie.*

---

1. *Une Colonie icarienne aux États-Unis,* Paris, 1856.
2. « Oui, la machine porte dans son ventre mille petites révolutions et la
grande révolution sociale et politique. » *Voyage en Icarie,* 2ᵉ édition, p. 469.
3. Par le rôle accordé à l'éducation et par la critique du travail industriel.

# L'ICARIE

## I. DESCRIPTION D'ICARA, CAPITALE D'ICARIE

*Régularité et géométrisme*

— Voyez![1], la ville presque circulaire, est partagée en deux parties à peu près égales par le *Taïr* (ou le *Majestueux*) dont le cours a été redressé et enfermé entre deux murs en ligne presque droite, et dont le lit a été creusé pour recevoir les vaisseaux arrivant par la mer.

Voilà le port, et les bassins, les magasins qui forment presque une ville entière!

Vous voyez qu'au milieu de la ville, la rivière se divise en deux bras, qui s'éloignent, se rapprochent et se réunissent à nouveau dans la direction primitive, de manière à former une île circulaire assez vaste.

Cette île est une place, la place centrale, plantée d'arbres, au milieu de laquelle s'élève un palais enfermant un vaste et superbe jardin élevé en terrasse, du centre duquel s'élance une immense colonne surmontée d'une statue colossale qui domine tous les édifices. De chaque côté de la rivière, vous apercevez un large quai bordé de monuments publics.

Autour de cette place centrale et loin d'elle, vous pouvez remarquer deux cercles d'autres places, l'un de vingt et l'autre de quarante, presque également éloignées les unes des autres et dispersées dans toute la ville.

Voyez les rues toutes droites et larges! En voilà cinquante grandes qui traversent la ville parallèlement à la rivière, et cinquante qui la traversent perpendiculairement. Les autres sont plus ou

---

1. Le récit qui constitue le *Voyage* rapporte de nombreux dialogues, dont celui-ci est un exemple : l'auteur supposé, Lord William Carisdall parle à la première personne. Ailleurs, il cite les lettres qu'il écrit d'Icarie : c'est à l'une d'elles que sont empruntés, plus loin, les passages concernant la « ville-modèle ».

moins longues. Celles que vous voyez pointées en noir, et qui joignent ensemble les places, sont *plantées d'arbres* comme les boulevards de Paris. Les dix grandes rouges sont des *rues de fer ;* toutes les jaunes sont des *rues à ornières* artificielles et les bleues sont des *rues à canaux* [1].

— Et qu'est-ce, lui demandai-je, que toutes ces larges et longues bandes roses que j'aperçois partout entre les maisons de deux rues ?

— Ce sont les *jardins* qui se trouvent sur le derrière de ces maisons. Je vous les montrerai tout à l'heure.

*Des quartiers...*

Mais, voyez d'abord ces masses distinguées par de légères teintes de toutes les couleurs qui comprennent toute la ville. Il y en a soixante; ce sont soixante *quartiers* (ou *communes*), tous à peu près égaux, et représentant chacun l'étendue et la population d'une ville communale ordinaire.

*bien différenciés...*

Chaque quartier porte le nom d'une des soixante principales villes du monde ancien et moderne, et présente dans ses monuments et ses maisons l'architecture d'une des principales soixante nations. Vous trouverez donc les quartiers de Pékin, Jérusalem, et Constantinople comme ceux de Rome, Paris et Londres; en sorte qu'Icara est réellement l'abrégé de l'univers terrestre.

*... et classés*

Voyons le *plan* d'un de ces *quartiers !* Tout ce qui est peint est édifice public. Voici l'école, l'hospice, le temple! Les rouges sont de grands ateliers, les jaunes sont de grands magasins, les bleus sont les lieux d'assemblées, les violets sont les monuments.

Remarquez que tous ces édifices publics sont tellement distribués qu'il y en a dans toutes les rues, et que toutes les rues comprennent le même nombre de maisons avec des édifices plus ou moins nombreux et plus ou moins vastes.

Voici maintenant le *plan d'une rue.* Voyez! Seize maisons de chaque côté, avec un édifice public au milieu et deux autres aux

1. Pour l'explication de ces termes, voir p. 124-125.

deux extrémités. Les seize maisons sont extérieurement pareilles ou combinées pour former un seul bâtiment, mais aucune rue ne ressemble complètement aux autres. •

Quant au Peuple, c'est dans ses *assemblées* qu'il exerce tous ses droits •, ses élections, ses délibérations. • Et pour lui faciliter l'exercice de ces droits, le territoire est divisé en 100 petites *Provinces,* subdivisées en 1.000 *Communes* à peu près égales en étendue et en population. •

*Politique et progressisme*

Pour que chaque discussion soit complètement approfondie, la Représentation populaire et chaque assemblée communale, c'est-à-dire le Peuple entier, est divisé en 15 comités principaux, de *constitution,* d'*éducation,* d'*agriculture,* d'*industrie,* de *nourriture,* de *vêtement,* de *logement,* de *statistique,* etc. Chaque grand Comité comprend donc la 15ᵉ partie de la masse des citoyens ; et toute l'intelligence d'un Peuple d'hommes bien élevés et bien instruits est continuellement en action pour découvrir et appliquer toutes les améliorations et tous les perfectionnements.

Notre organisation, politique est donc une RÉPUBLIQUE démocratique et même une DÉMOCRATIE presque pure.

## II. MÉTHODE DU MODÈLE

*L'idée de modèle*

Tous les citoyens devant être logés de même et le mieux possible sous la Communauté, la Représentation populaire décida qu'une magnifique récompense, avec un *buste* dans toutes les maisons de la République, serait décernée au nom du Peuple, à celui qui présenterait le *plan d'une MAISON modèle* le plus parfait sous tous les rapports.

Et, quand tous les plans eurent été jugés dans un *concours* public, la représentation populaire adopta le plan couronné, et ordonna que désormais toutes les maisons de la Communauté seraient construites sur ce plan.

Et chacun comprit qu'il en résultait cet inappréciable avantage que, toutes les portes, les fenêtres, etc., étant absolument les mêmes, on allait avoir la possibilité de préparer, en masses énormes, toutes les pièces constitutives d'une maison, d'une ferme, d'un village et d'une ville. •

On obtint même les plans-modèles d'une *ferme,* des divers *ateliers,* des *hôpitaux,* des *écoles,* etc.

On fit de même pour l'*ameublement* et pour chaque *espèce* de *meubles.*

Toutes les Villes communales devant être semblables sous la Communauté, une immense récompense et une *statue* dans toutes les Communautés furent offertes à celui qui présenterait le plan d'une *Ville-modèle* le plus parfait.

De même pour les *Villes-provinciales,* pour la *Capitale* et pour tous les *monuments.* •

## A. La ville modèle[1]

*Hygiène physique*

Je ne te parlerai pas des précautions prises pour la *salubrité,* pour la libre circulation de l'*air,* pour la conservation de sa pureté et même pour sa purification. Dans l'intérieur de la ville, point de cimetières, point de manufactures insalubres, point d'hôpitaux : tous ces établissements sont aux extrémités, dans des places aérées, près d'une eau courante ou dans la campagne.

Jamais je ne pourrai t'indiquer toutes les précautions prises pour la *propreté* des rues. Que les trottoirs soient balayés et lavés tous les matins, et toujours parfaitement propres, c'est tout simple : mais les rues sont tellement pavées ou construites que les eaux n'y séjournent jamais, trouvant à chaque pas des ouvertures pour s'échapper dans des *canaux souterrains.*

Non seulement la *boue,* ramassée et balayée à l'aide d'instruments ingénieux et commodes, disparaît entraînée dans les mêmes canaux par les eaux des fontaines, mais tous les moyens que tu pourrais concevoir sont employés pour qu'il se forme le moins de boue et de *poussière* que cela est possible.

---

1. Ce sous-titre est de Cabet lui-même.

*Circulation*

Vois d'abord la construction des rues! Chacune a huit *ornières* en fer ou en pierre pour quatre voitures de front, dont deux peuvent aller dans un sens et deux dans un autre. Les roues ne quittent jamais ces ornières, et les chevaux ne quittent jamais le trottoir intermédiaire. Les quatre trottoirs sont pavés en pierres ou cailloux, et toutes les autres bandes de la rue sont pavées en briques. Les roues ne font ni boue ni poussière, les chevaux n'en font presque point, les machines n'en font pas du tout sur les rues-chemins-de-fer.

Remarque en outre que tous les grands ateliers et les grands magasins sont placés sur le bord des rues-canaux et des rues-chemins de fer; que les *chariots,* d'ailleurs toujours peu chargés, ne passent que sur ces rues; que les rues à ornières ne reçoivent que des omnibus, et que même la moitié des rues de la ville ne reçoivent ni omnibus ni chariots, mais seulement de petites voitures traînées par de gros chiens, pour les distributions journalières dans les familles.

Ensuite, jamais aucune ordure n'est jetée des maisons ou des ateliers dans les rues; jamais on n'y transporte ni paille, ni foin, ni fumier, toutes les écuries et leurs magasins étant aux extrémités; tous les chariots et voitures ferment si hermétiquement que rien de ce qu'ils contiennent ne peut s'en échapper, et tous les déchargements s'opèrent avec des machines telles que rien ne salit le trottoir et la rue.

Des *fontaines* dans chaque rue fournissent l'eau nécessaire pour nettoyer, pour abattre la poussière et pour rafraîchir l'air.

Tout est donc disposé, comme tu vois, pour que les rues soient naturellement propres, peu fatiguées [1] et faciles à nettoyer.

La loi (tu vas peut-être commencer par rire, mais tu finiras par admirer), la loi a décidé que le piéton serait en *sûreté*. •

*Climatisation*

Les piétons sont protégés même contre les intempéries de l'air; car toutes les rues sont garnies de *trottoirs,* et tous ces trottoirs sont couverts avec des *vitres,* pour garantir de la pluie sans

1. Sic.

priver de la lumière, et avec des toiles mobiles pour garantir de la chaleur. •

On a poussé même la précaution jusqu'à construire, de distance en distance, de chaque côté de la rue, des *reposoirs* couverts, sous lesquels s'arrêtent les omnibus, pour qu'on puisse y monter ou en descendre sans craindre la pluie ni la boue. •

### Hygiène morale

Tu ne verrais ici ni *cabarets* ni guinguettes, ni *cafés*, ni estaminets, ni bourse, ni maisons de jeux ou de loteries, ni réceptacles pour de honteux ou coupables plaisirs, ni casernes et corps de garde, ni gendarmes et mouchards, comme point de filles publiques, ni de filous, point d'ivrognes ni de mendiants; mais en place tu découvrirais partout des INDISPENSABLES, aussi élégants que propres et commodes, les uns pour les femmes, les autres pour les hommes, où la pudeur peut entrer un moment, sans rien craindre ni pour elle-même ni pour la décence publique.

Tes regards ne seraient jamais offensés de tous ces *crayonnages,* de tous ces dessins, de toutes ces écritures qui salissent les murs de nos villes, en même temps qu'ils font baisser les yeux; car les enfants sont habitués à ne jamais rien gâter ou salir, comme à rougir de tout ce qui peut être indécent ou malhonnête.

### Standardisation de l'affichage

Tu n'aurais pas même l'agrément ou l'ennui de voir tant d'*enseignes* et d'écriteaux au-dessus des portes des maisons, ni tant d'avis et d'*affiches* de commerce, qui presque toujours enlaidissent les bâtiments; mais tu verrais de belles *inscriptions* sur les monuments, les ateliers et les magasins publics, comme tu verrais tous les avis utiles, magnifiquement imprimés sur des papiers de diverses couleurs, et disposés par des afficheurs de la République, dans des encadrements destinés à cet usage, de manière que ces affiches elles-mêmes concourrent à l'embellissement général.

### Suppression du petit commerce

Tu ne verrais pas non plus ces riches et jolies *boutiques* de toute espèce qu'on voit à Paris et à Londres dans toutes les maisons des rues commerçantes. Mais que sont les plus belles de ces boutiques, les plus riches de ces magasins, et de ces bazars, les plus vastes des marchés ou des foires, comparés avec les *ateliers,* les boutiques, les ateliers et les *magasins* d'Icara! Figure-toi que tous les ateliers et les magasins d'orfèvrerie ou de bijouterie, par exemple, de Paris ou de Londres, sont réunis en un seul ou deux ateliers et en un seul ou deux magasins; figure-toi qu'il en est de même pour toutes les branches d'industrie et de commerce; et dis-moi si les magasins de bijouterie, d'horlogerie, de fleurs, de plumage, d'étoffes, de modes, d'instruments, de fruits, etc., etc., ne doivent pas éclipser toutes les boutiques du monde; dis-moi si tu n'aurais pas autant, et peut-être plus de plaisir à les visiter qu'à parcourir nos musées et nos monuments des beaux-arts! Hé bien, tels sont les ateliers et les magasins d'Icara! •

## B. Le logement modèle

— Sachant qu'Icar avait fait arrêter le *plan-modèle* d'une maison après avoir consulté le *comité* de logement et le Peuple entier, après avoir fait examiner les maisons de tous les pays, je m'attendais à voir une maison parfaite sous tous les rapports, surtout sous celui de la commodité et de la propreté; et cependant mon attente fut encore surpassée. •

*Maison individuelle*

Chaque maison a quatre étages, non compris le rez-de-chaussée; trois ou quatre ou cinq fenêtres de largeur.

Sous les rez-de-chaussée sont les caves, caveaux, bûchers et charbonniers dont la base est à cinq ou six pieds plus bas que le trottoir et la voûte à trois ou quatre pieds plus haut. • Le bois, le charbon et tout le reste sont transportés par des machines, depuis la voiture dans ces pièces souterraines, sans même toucher • le trottoir. •

Ensuite • tous ces objets sont montés, dans des paniers ou des vases, jusque dans la cuisine et les étages supérieurs, au moyen d'ouvertures dans la voûte et de petites machines. •

Au rez-de-chaussée • une salle à manger, une cuisine et toutes ses dépendances, • un cabinet pour les bains avec une petite pharmacie; un petit atelier pour les hommes, et un autre pour les femmes; une petite cour pour la volaille, un cabinet pour les outils de jardinage, et le jardin par derrière. •

Le premier étage renferme un grand salon.

Les autres pièces sont des chambres à coucher. •

Toutes les fenêtres s'ouvrent en dedans et sont garnies de balcons. •

*Toit-terrasse*

— Quelle belle vue! m'écriai-je en arrivant sur une *terrasse,* bordée d'une balustrade et couverte de fleurs, qui couronne la maison et forme encore un délicieux jardin d'une autre espèce, d'où la vue a quelque chose de magnifique.

— Dans les belles soirées d'été, dit la maîtresse, presque toutes les familles se réunissent sur leurs terrasses pour y prendre le frais en y chantant, en y faisant de la musique et en y soupant. •

Une autre petite terrasse garnie de fleurs sur la galerie qui couvre le trottoir, et des fleurs sur presque tous les balcons, augmentent encore l'agrément de l'habitation et parfument l'air environnant. •

*Équipement hygiénique*

Il n'y a pas de précaution qu'on n'ait prise pour la propreté. Les parties inférieures, qui sont les plus exposées à être salies sont garnies d'une *faïence* vernissée ou d'une *peinture* qui n'admet pas la malpropreté et qui se lave facilement. Des EAUX potables et non potables, amenées de hauts réservoirs et élevées jusque sur la terrasse supérieure, sont distribuées par des tuyaux et des robinets dans tous les étages et même dans presque tous les appartements, ou sont lancées avec force par des *machines à laver,* tandis que toutes les *eaux sales* et tous les immondices sont entraînés sans séjourner nulle part et sans répandre aucune mauvaise odeur, dans de larges tuyaux souterrains qui descendent sous les rues. Les lieux qui sont naturellement les plus dégoûtants sont ceux où l'art a fait le plus d'efforts pour en éloigner toute espèce de désagrément; et l'une des plus jolies statues décernées par la République est celle qu'on aperçoit, dans toutes les maisons, au-dessus de la porte d'un petit cabinet charmant, pour éterniser le nom d'une femme inventeur d'un procédé pour chasser les odeurs fétides.

Il n'est pas jusqu'à la *boue* que les pieds peuvent apporter du dehors qui ne soit l'objet d'une attention particulière. Indépendamment de ce que les trottoirs sont extrêmement propres, une infinité de petits soins empêchent qu'un pied malpropre ne vienne souiller les appartements et même le seuil, de la porte et d'escalier, tandis que l'éducation impose aux enfants, comme un de leurs premiers devoirs, l'habitude de la propreté en tout. •

Voici une maison d'Icarie! Et toutes les maisons des villes sont absolument les mêmes à l'intérieur, toutes habitées, chacune, par une seule *famille*.

Les maisons sont de trois grandeurs, de trois, ou quatre, ou cinq fenêtres de front, pour des familles au-dessous de douze personnes, de vingt-cinq ou de quarante. Quand la famille est plus nombreuse (ce qui arrive fréquemment), elle occupe deux maisons contiguës, communiquant alors par une porte intérieure : et comme toutes les maisons sont pareilles, la famille voisine cède ordinairement volontiers sa maison pour en occuper une autre, ou bien le magistrat l'y contraint en cas de refus, à moins que la famille nombreuse ne puisse trouver deux autres maisons contiguës qui soient vacantes.

## C. L'ameublement modèle

Dans ce cas, les meubles étant absolument les mêmes comme les maisons, chaque famille n'emporte que quelques effets personnels, et quitte sa maison toute meublée pour en prendre une autre qui se trouve également meublée. •

*Rangement*

Tous ces appartements sont garnis de *placards,* d'armoires, de buffets, de rayons, etc., et tous les murs sont disposés de manière que ces meubles sont immobiles, incrustés, appuyés ou appliqués et ne consistent que dans des rayons intérieurs ou des tiroirs avec des portes en devant et quelquefois des tablettes au-dessus, ce qui procure une énorme économie de travail et de matériaux. •

Nous savions que chacun des meubles de chambre, de lit, de table, etc., qui se trouvent dans une maison avait été admis par une loi, fabriqué et fourni par un ordre du gouvernement, et que chaque famille avait une espèce d'*atlas* ou grand portefeuille contenant la liste ou l'inventaire de ce *mobilier légal,* avec des gravures et des planches décrivant la forme et la nature de chaque objet.

Nous demandâmes à voir ce livre curieux, et nous le parcourûmes avec autant de plaisir que d'intérêt. Chacun de ces meubles, nous dit la maîtresse, a été choisi entre des milliers de même espèce, et adopté dans un concours et sur un *plan-modèle :* on a préféré le plus parfait, sous tous les rapports de la commodité, de la simplicité, de l'économie de temps et de matières, enfin d'élégance et d'agrément : aussi voyez! •

Et cette *uniformité* n'est pas fatigante, ajoutai-je.

D'abord, elle est un bien sans prix, dit la dame, une nécessité même, et la base de toutes nos institutions; en second lieu, elle est combinée avec une *variété* infinie dans chaque partie. Ainsi, regardez : dans cette maison comme dans toutes les autres, vous ne voyez pas deux chambres, deux portes, deux cheminées, deux papiers, deux tapis qui se ressemblent; et nos législateurs ont su concilier tous les agréments de la *variété* avec tous les avantages de l'uniformité.


*Voyage et aventures de Lord William Carisdall en Icarie, traduits de l'anglais de Francis Adams* (E. Cabet) *par Th. Dufruit,* éditions H. Souverain, Paris, 1840. Les pages indiquées sont celles de la deuxième édition, de 1842. (Pages 20-22, 365-366, 41-43, 44-46, 63-69, 71.)

# Pierre-Joseph Proudhon
## 1809-1863

*Du Principe de l'Art et de sa destination sociale a été interrompu par la mort de Proudhon. Rédigé dans la hâte, à l'aide de matériaux disparates, par un autodidacte qui avouait : « c'est au-dessus de mes forces, mais la chose est lancée et je ne puis m'en dédire [1] », ce livre consacre ses chapitres les plus intéressants à Courbet et au problème du réalisme.*

*On y trouve un chapitre sur les Monuments et embellissements modernes de Paris, qui n'est pas exempt des contradictions et des thèmes « petit-bourgeois » caractéristiques de Proudhon, mais qui repose sur trois idées de l'urbanisme progressiste : nécessité d'une lutte contre le passéisme pour promouvoir une forme globale d'existence moderne ; nécessité d'une rationalisation du milieu de comportement ; rôle de l'industrie dans la nouvelle cité [2].*

## MONUMENTS DE PARIS

*Dangers de la ville-musée*

Il est de la dignité d'un peuple civilisé d'avoir des musées d'antiques. Cela importe à l'histoire, au sentiment de notre progrès, à l'intelligence de l'art à ses diverses époques, et conséquemment à la nôtre, au sentiment de solidarité avec nos aïeux.

---

1. Correspondance, T. XIII, p. 132.
2. « L'ingénieur admire dans une machine, la solidité, l'économie de ressorts ; en un mot l'idée : quelques moulures ajoutées aux pièces, quelques frais d'élégance, d'embellissement... ne signifient rien pour lui. La justesse de la formule, son application exacte et heureuse, voilà son idéal. Allez aux

J'approuve, en conséquence, les restaurations de cathédrales, de palais, quand les frais n'en sont pas trop élevés; les acquisitions de statues. Mettez ces objets dans vos musées, salles, cours et jardins; ne les mettez pas sur vos places publiques, où les monuments nationaux ont seuls droit de figurer.

Que fait l'obélisque de Louqsor sur la place de la Concorde ? Il fallait le mettre au centre de la cour du Louvre. •

Or, voyez le singulier peuple que nous sommes! Nous avons été chercher à grands frais, avec la permission du pacha d'Égypte, Arabe ou Turc d'origine, qui se moque des antiquités, un des obélisques du temple de Louqsor; nous l'avons dressé au milieu de la place de la Concorde, où il fait une aussi étrange figure que ferait un prie-Dieu dans la salle de la Bourse; et nous avons eu grand soin de mettre sur le piédestal de ce singulier monument, d'un côté une inscription qui indique l'année, le règne sous lequel fut amené l'obélisque; de l'autre, la figure des machines qui servirent à son érection : en sorte que nous avons l'air de l'avoir transporté à Paris uniquement pour nous donner le plaisir de voir comment un ingénieur, sorti de notre École polytechnique, parviendrait à le dresser! Certes, je ne mets pas la civilisation française au-dessous de celle des Égyptiens de Sésostris; mais j'ai peine à me figurer qu'ils eussent été capables d'une pareille ânerie... Quoi! sur cette place révolutionnaire, qui a changé déjà deux ou trois fois de nom, où tant de grandes scènes se sont passées, nous n'avons su élever que deux fontaines mythologiques, assez jolies du reste, et un obélisque égyptien!...

Nos arts sont du bric-à-brac. Nous faisons d'une église un panthéon aux grands hommes; nous inscrivons sur le frontispice de cette église une dédicace usurpatoire, menteuse; car l'église de Soufflot a été dédiée à sainte Geneviève; c'est la deuxième cathédrale de Paris. Par contre, nous refaisons du temple de la Gloire, parallélogramme imité des Grecs, une prétendue église (la Madeleine), sans cloches, sans chapelles, sans horloge, sans forme chrétienne. L'ensemble de nos monuments dénote un peuple

expositions de l'industrie, devenues si brillantes qu'elles éclipsent les expositions de la peinture et de la statuaire : qu'est-ce qui fait l'idéal de ces industriels, de ces manufacturiers, de ces métallurgistes... : qualité supérieure du *produit,* réduction au minimum des *frais* de production » (p. 181).

dont la conscience est vide et la nationalité morte. Nous n'avons rien dans la conscience, ni foi, ni loi, ni moralité, ni philosophie, ni sens économique, mais faste, arbitraire pur, contre-sens, déguisement, mensonge et volupté. •

*Pour une ville fonctionnelle*

Ce qu'il y a de mieux dans les embellissements de Paris, ce sont, avec les halles centrales, dont je parlerai tout à l'heure, les *squares,* d'importation anglaise, et les bancs sur les boulevards, dont nous n'avons pas non plus l'initiative. En 1858, il n'y en avait point à Paris ; à la même époque, je les ai trouvés à Bruxelles partout. •

Si la valeur décorative d'un monument est de révéler par l'extérieur sa destination, les deux chefs-d'œuvre architectoniques de Paris sont, sans contredit, la prison Mazas et les halles centrales. •

Les halles centrales ont causé grand scandale dans la gent académique, élèves et maîtres. Là, en effet, pas de colonnes, pas de pilastres, pas de corniches, pas d'attiques ; ni chapiteaux, ni modillons, ni cartouches, ni statues, ni bas-reliefs ; de la pierre dans les fondations, du fer depuis le sol jusqu'à la couverture, une toiture de verre et de zinc : rien de tout cela n'a été prévu par l'Institut et l'École. Aussi les halles sont-elles un monument de la barbarie ; un vol fait aux artistes pour lesquels les travaux de la ville et de l'État sont une propriété ; un détournement de commande au profit des modestes dessinateurs, modeleurs et fondeurs de l'usine de Mazières.

Mais le public s'est rangé du côté des industriels contre les artistes, et il a eu raison. L'idéal d'un marché, où s'entassent des matières promptement putrescibles, serait qu'il fut à ciel ouvert ; l'inclémence de notre climat ne le permettant pas, le mieux serait que la couverture fut en quelque sorte suspendue par une attache en haut, comme une lampe au plafond ; le point d'appui manquant encore de ce côté, les colonnes destinées à soutenir le toit doivent tenir aussi peu de place que possible ; beaucoup d'air, beaucoup d'eau, tel était le programme utilitaire, sanitaire. L'ingénieur des halles centrales l'a compris : rien de trop dans son monument ; il n'a cherché que le simple, et il a trouvé le grandiose. Que les académiciens préfèrent un entassement de pierres, plus ou moins symétrique, sans air, sans lumière, avec le typhus en permanence, comme dans l'espèce de bastille ou de prison qui subsiste encore en face de l'église Saint-Eustache, ou les autres marchés de Paris clôturés de murs : le public sait maintenant ce que peut et doit être un monument d'utilité publique, et il ne sera pas dupe des charlatans de la forme et de l'idéal, sans conscience et sans idée.

Le but de l'art est de nous apprendre à mêler l'agréable à l'utile dans toutes les choses de notre existence; d'augmenter ainsi pour nous la commodité des objets, et par là d'ajouter à notre propre dignité.

*De l'habitat individuel*

La première chose qui nous importe de soigner est l'*habitation*. La grande affaire est que le peuple soit bien logé : chose d'autant plus convenable qu'il est souverain et roi.

Or, la demeure du citoyen, de l'homme moyen, n'a pas encore été trouvée. Nous n'avons pas le *minimum* de logement, non plus que le *minimum* de salaire. Les artistes demandent des travaux, c'est-à-dire des palais, des églises, des musées, des théâtres, des *monuments* ; leur art n'a pas abouti à nous loger; au contraire, le luxe des bâtiments auquel ils nous poussent est devenu un auxiliaire de misère. •

Je laisse de côté la question du bon marché, sans lequel la vie n'est qu'une servitude. — Si la république n'est pas le droit, me disait un honnête homme, je me moque de la république. — Je dis de l'art et des villes : si l'art et l'édilité ne savent pas nous loger à bon marché, je me moque de l'architecture et de l'édilité. Or, nous sommes bien loin de là.

En vain nous engouffrons dans ces maisons monstres un mobilier plus ou moins somptueux et artistique : buffets, bahuts et tables sculptés, tableaux, statuettes, pianos, etc. La belle compensation! c'est la fiction que nous prenons pour la réalité.

Je donnerais le musée du Louvre, les Tuileries, Notre-Dame, — et la Colonne par-dessus le marché, — pour être logé chez moi, dans une petite maison faite à ma guise, que j'occuperais seul, au centre d'un petit enclos d'un dixième d'hectare, où j'aurais de l'eau, de l'ombre, de la pelouse et du silence. Si je m'avisais de placer là-dedans une statue, ce ne serait ni un Jupiter ni un Apollon : je n'ai que faire de ces messieurs; ni des vues de Londres, de

134

Rome, de Constantinople ou de Venise : Dieu me préserve d'y demeurer! J'y mettrais ce qui me manque : la montagne, le vignoble, la prairie, des chèvres, des vaches, des moutons, des moissonneurs, des bergerots.

Comment ne voyons-nous pas que ce débordement d'œuvres d'art, de monuments des arts, n'a d'autre but, par une affreuse ironie, que de nous entretenir dans notre indigence ? Si notre éducation était faite, si nous exercions nos droits, si nous vivions de la vie libre, est-ce que nous aurions besoin d'écoles d'art et de prix de Rome ? Est-ce que ce nouveau Paris ne nous ferait pas horreur ? Nous nous serrons le ventre, et, faute de consommations plus réelles, nous nous repaissons de spectacles!

Une agglomération de mille petits propriétaires, logés chez eux, exploitant, cultivant, faisant valoir chacun leur patrimoine, leur industrie et leurs capitaux, s'administrant et se jugeant eux-mêmes, ce chef-d'œuvre politique, dont tous les autres ne sont que des accessoires, voilà ce que nous n'avons jamais su réaliser.

Artistes, professeurs et prêtres, académiciens et philosophes, tous font également mal leur devoir; ils se sont faits instruments de misère et de dépression.

*Du principe de l'art et de sa destination sociale* par P. J. Proudhon, Garnier frères, Paris, 1865. (Pages 338, 345, 348-350, 352-353.)

# Benjamin Ward Richardson

## 1828-1896

*Médecin anglais, auteur d'une série de travaux scientifiques remarquables par leur diversité et leur originalité, il fit des recherches sur la coagulation sanguine* (The Cause of Coagulation of the Blood, *1858*), *la phtisiologie* (On the Hygienic of Pulmonary Comsumption, *1856*), *l'anesthésiologie* (On a Local Anesthesia by Ether Spray) — *domaine dans lequel il inventa même des appareils de réanimation. Ses travaux sur la toxicologie sont parmi les premiers à avoir mis en évidence les effets nocifs de l'alcool et du tabac. Il publia également un ouvrage sur les* Maladies de la vie moderne *(1875). Enfin il s'intéressa particulièrement à l'épidémiologie et à l'hygiène.*

*On lui doit la création du* Journal of Public Health and Sanitary Review *(1855-1859) et de la* Social Science Review *(1862). Son utopie,* Hygeia *(1876), inspirée dans sa forme par l'*Utopia *de Th. More, fut initialement une communication au congrès de 1875 de la* Social Science Association *dont il présidait la section Santé : il avait primitivement préparé un rapport sur les statistiques de mortalité mais, au dernier moment, préféra un exposé plus aimable des moyens qu'il préconisait pour lutter contre le déplorable état sanitaire des grandes villes.*

Hygeia *connut immédiatement une diffusion mondiale. Après cet ouvrage, Richardson publia encore, en particulier :*

— The Future of Sanitary Science *(1877)*
— The Health of Nations *(1887)*.

# HYGEIA

La population de la cité peut être évaluée à 100.000 personnes vivant dans 20.000 maisons, construites sur 4.000 acres de terrain, à raison d'une moyenne de 25 personnes par acre. Ceci peut sembler une vaste population par rapport à l'espace occupé mais, étant donné que l'effet de la densité sur la vitalité ne se manifeste de façon déterminante que lorsque celle-ci atteint un degré extrême, comme à Liverpool et Glasgow, on peut avancer ces chiffres.

### Hygiène et gabarits

L'hygiène de la population est garantie contre les dangers de cette forte densité grâce au type de maison choisi qui permet d'assurer une distribution homogène de la population. Les maisons élevées qui assombrissent les rues et impliquent l'entrée unique pour plusieurs logements ne sont nulle part autorisées. Dans les quartiers d'affaires, qui exigent des centres commerciaux ou des boutiques, les édifices ont quatre étages et, dans certaines rues des quartiers ouest où les maisons sont séparées, on trouve également des édifices de trois à quatre étages; mais, d'une façon générale, il apparait néfaste de dépasser cette hauteur; les étages seront limités à quinze pièces; aucun bâtiment ne devra dépasser 60 pieds. •

### Communications et espaces verts

La surface de notre cité permet l'établissement de deux vastes rues principales ou boulevards qui vont d'Est en Ouest et constituent les principales voies de communication. Sous chacune d'elles se trouve une voie ferrée destinée à tout le trafic lourd. Les rues Nord-Sud qui coupent les principales voies de circulation à angle droit et les rues secondaires qui leur sont parallèles sont toutes fort larges et, du fait de la faible hauteur des maisons, elles sont parfaitement ventilées et bien ensoleillées pendant la journée. Elles sont plantées d'arbres des deux côtés. Tous les espaces intermédiaires entre les façades arrière des maisons sont des jardins. Les églises, hôpitaux, théâtres, banques, salles de conférences et autres édifices publics, de même que certains édifices privés comme les entrepôts et les étables, sont indépendants, formant des morceaux de rues et occupant la position de plusieurs maisons. Ils sont entourés d'un espace jardinier et contribuent non seulement à la beauté de la cité, mais à sa salubrité.

*La maison-type*

Les immeubles sont bâtis dans une brique qui présente les avantages sanitaires suivants : elle est vernissée et totalement imperméable à l'eau, de telle sorte que, pendant les saisons humides, les murs ne sont pas saturés par des tonnes d'eau, comme c'est le cas de tellement de nos résidences actuelles. Les briques sont perforées transversalement et, à l'extrémité de chacune, il y a une ouverture de coin dans laquelle on n'insère aucun mortier et par quoi toutes les ouvertures communiquent entre elles. Grâce à ce dispositif en nids d'abeilles, les murs renferment en permanence une masse d'air introduite par les ouvertures latérales du mur extérieur. • Les briques qui forment les murs intérieurs de la maison sont vernissées de couleurs différentes au choix des propriétaires; elles sont si élégamment assemblées que toute ornementation supplémentaire est inutile. •

*Le toit-terrasse*

Les changements les plus radicaux introduits dans les maisons de notre cité concernent les cheminées, les toits, les cuisines et leurs dépendances. • Les cheminées • sont toutes reliées à des puits centraux, dans lesquels la fumée est conduite; après avoir traversé un fourneau à gaz destiné à détruire le carbone libre, elle est décolorée et rejetée à l'air libre. Ainsi la ville est débarrassée des cheminées et des méfaits intolérables de la fumée. Les toits des maisons présentent une faible pente, mais ils ne sont pas plats. Ils sont recouverts soit d'asphalte (dont l'expérience — hors de notre cité imaginaire — a démontré la durée et les facilités de réparations), soit de tuiles plates. Ces toits, entourés de balustrades en fer peintes avec goût, constituent d'excellents terrains de plein air pour chaque maison. Dans certains cas, on y cultive des fleurs.

*La cuisine-laboratoire*

La maîtresse de maison ne doit pas être choquée lorsqu'elle apprend que les cuisines de notre cité moderne et toutes leurs dépendances sont installées dire<ctement sous ces toits-jardins ; elles se trouvent en fait à l'étage supérieur de la maison et non à l'inférieur. A tous les points de vue, sanitaire et économique, cette disposition est parfaitement adaptée. La cuisine est éclairée à la perfection, de telle sorte que toute saleté est immédiatement détectée. Les odeurs de nourriture ne se répandent jamais à travers les autres pièces de la maison. • L'eau chaude de la chaudière de la cuisine est aisément distribuée dans les pièces des niveaux inférieurs, de sorte que eaux chaude et froide peuvent être, à n'importe quel moment, obtenues dans toute pièce ou chambre à coucher pour le lavage ou le nettoyage •. L'arrière-cuisine qui est à côté de la cuisine est dotée d'une lessiveuse et de tout l'équipement nécessaire au travail de blanchissage ; lorsque celui-ci est fait à la maison, l'espace en plein air sur le toit constitue un merveilleux terrain de séchage.

Dans le mur de l'arrière-cuisine, on trouve l'orifice supérieur du vide-ordures. Ce conduit ouvert à l'air au niveau du toit, aboutit à la cave de la maison. A chaque étage il est percé d'une porte coulissante. Le conduit pour le charbon part de l'arrière-cuisine et se trouve ventilé également à partir du toit.

Sur le palier du deuxième étage • se trouve une salle de bains alimentée en eau chaude et froide par la cuisine. Le sol de la cuisine et de tous les étages supérieurs est légèrement surélevé en son centre ; il est recouvert d'un carrelage gris, poli ; le sol de la salle de bains est identique. Dans les pièces d'habitation dont les planchers sont en bois, une plinthe de chêne véritable monte à cinq centimètres tout autour de chaque pièce. Sur ce sol, aucun tapis n'est jamais étendu. Il est gardé brillant et propre grâce à l'utilisation des traditionnelles cire d'abeille et térébenthine ; grâce à quoi, l'air est purifié et ozonisé.

*La fonction-sommeil*

Considérant qu'un tiers de la vie d'un homme se passe ou devrait se passer à dormir, les chambres à coucher font l'objet d'un soin tout particulier, de façon qu'elles soient parfaitement éclairées, spacieuses et ventilées. Douze cents pieds cubiques d'espace sont prévus pour chaque dormeur et des espaces consacrés au sommeil sont bannis tous les articles non indispensables relatifs au mobilier ou au vêtement. •

*Le zoning*

Dans des zones spéciales de la ville, se trouvent des blocs conçus, pour l'essentiel, de même façon que les maisons d'habitation. Chacun peut disposer d'une pièce moyennant le paiement d'une somme hebdomadaire modique. Là, il peut travailler autant d'heures qu'il le désire, mais il n'a pas le droit de transformer cette pièce en lieu d'habitation. Chaque bloc est placé sous la responsabilité d'un surintendant et soumis au contrôle des autorités sanitaires. Ainsi, la famille est isolée du travail, et le travailleur assuré des avantages dont disposent aujourd'hui l'homme de loi, le marchand, le banquier : ou, pour rendre la comparaison plus correcte, il dispose du même avantage que l'homme ou la femme qui travaille à l'usine et rentre à la maison pour manger et dormir.

*Blanchisseries*

Actuellement, dans toutes les villes du royaume de Grande-Bretagne, le blanchissage est dangereux à l'extrême. Car, le particulier en bonne santé n'a aucun moyen de savoir si son linge et celui de ses enfants n'ont pas été mélangés• à ceux provenant du lit ou du corps d'individus souffrant de maladies contagieuses.• Dans notre communauté-modèle, ce danger est entièrement évité par l'établissement de blanchisseries publiques sous direction municipale. Personne n'est obligé d'envoyer son linge à la buanderie municipale; mais, s'il ne le fait pas, il est obligé de laver son linge chez lui.

*Hôpitaux*

En nous promenant parmi les rues principales de la ville, nous rencontrons, en vingt endroits équidistants, un édifice séparé, entouré de son propre terrain : c'est l'hôpital-modèle. Pour faire de ces institutions les meilleures de leur catégorie, aucune dépense n'est épargnée. Plusieurs éléments contribuent à leur succès. Elles sont petites et facilement déplaçables. La vieille idée de l'hôpital —

entrepôt à collectionner les maladies en grand et dont la valeur se mesure au nombre de lits — est ici abandonnée. Abandonnée aussi, l'ancienne habitude de construire un hôpital pour des siècles, à la manière d'un château normand.

*Culture du corps*

Notre cité-modèle est bien entendu abondamment pourvue en bains, piscines, bains turcs, terrains d'exercices, gymnases, bibliothèques, écoles primaires, écoles d'art, salles de conférences et endroits consacrés à l'amusement instructif. Dans toutes les écoles primaires, l'exercice physique constitue une partie du programme.

*Hygeia, a City of Health*, Macmillan, 1876, Londres. (Pages 18-23, 30, 32, 39; notre traduction.)

# Jean-Baptiste Godin
## 1819-1888

*Il fut l'inventeur des appareils de chauffage en fonte auxquels il a laissé son nom. Imbu des idées fouriéristes, il écrivit de nombreux ouvrages visant à l'amélioration de la condition du prolétariat industriel :*
— Solutions sociales, *1870.*
— Les Socialistes et les droits du travail, *1874.*
— La Politique du travail et la politique des privilèges, *1875.*
— Mutualité nationale contre la misère, *1883.*
*Sur le plan pratique, il fonda, d'après le modèle du phalanstère fouriériste, le Familistère de Guise (Nord) qui fonctionne encore aujourd'hui.*

## LE FAMILISTÈRE DE GUISE

*Avantages du familistère*

Au Familistère, mille cinq cents personnes peuvent se voir, se visiter, vaquer à leurs occupations domestiques, se réunir dans les lieux publics, et faire leurs approvisionnements, sous galeries couvertes, sans s'occuper du temps qu'il fait, et sans avoir jamais plus de six cents mètres à parcourir.

Avec les habitations du village, l'habitant doit faire souvent plusieurs kilomètres pour aller aux mêmes occupations, sans que rien le garantisse des intempéries, et son temps se perd ainsi dans une activité presque généralement infructueuse. Le palais Social, au contraire, appelle ses habitants à la vie utile, parce que leur activité est directement productive.

Cette facilité de relations contribue à faire du palais Social l'habitation la plus propre à élever le niveau moral et intellectuel des populations, parce que l'enfance trouve l'école à proximité de sa demeure, et parce que les commodités de la vie au palais, enlevant à l'ouvrier le surcroît de peines que le ménage isolé comporte, lui laissent plus de loisirs pour s'initier aux faits du progrès et à ceux de la vie sociale, par la lecture des journaux et des livres qu'une bibliothèque, facile à organiser, rend accessibles à la population entière.

Il faut, au palais Social, enlever à l'ouvrier les motifs d'éloignement de sa demeure : il faut que son logement soit un lieu de tranquillité, d'attrait et de repos ; il faut que ce logement soit l'appartement habitable, débarrassé de toutes les choses encombrantes et gênantes : le lessivage et le lavage du linge sont donc à transporter dans un établissement spécial, où chacun trouve les baquets et les appareils propres à cette opération.

Dans le palais social, la lumière doit pénétrer partout avec abondance : pas de cabinets noirs, pas d'endroits obscurs ; la clarté et l'espace sont les premières conditions de la propreté et de l'hygiène. Aussi, tout est largement éclairé au Familistère, comme tout est largement pourvu d'air et d'eau.

L'espace consacré aux communs, la grandeur des cours, les jardins et les promenades qui entourent ce palais, tout concourt à donner libre-accès partout à l'air et à la lumière.•

Dans les choses qui sont d'un usage commun, il faut bien éviter surtout de faire que l'espace manque à la liberté des mouvements de chacun ; la tendance à la parcimonie, sous ce rapport, sera une chose contre laquelle il faudra lutter, dès l'origine des constructions sociales.

### L'élevage humain

L'éducation et l'instruction sont divisées, au Familistère, en sept classes : chacune ayant son personnel dirigeant et enseignant, ses locaux et son matériel propres. Ces divisions, suivant les âges de l'enfance, sont :

— 1°) *La Nourricerie :* enfants depuis la naissance jusqu'à l'âge de 26 ou 28 mois. Salles aux berceaux et aux bébés.

— 2°) *Le Pouponnnat :* catégorie des petits bambins depuis les enfants sachant marcher et se tenir propres, jusqu'à ceux de l'âge de 4 ans.

— 3°) *Le Bambinat* : catégorie d'enfants de 4 à 6 ans.

— 4°) *La petite école* : ou *troisième classe* de l'enseignement; élèves âgés de 6 à 8 ans.

— 5°) *La seconde école,* ou *deuxième classe* de l'enseignement; élèves de 8 à 10 ans.

— 6°) *La première école,* ou *première classe* de l'enseignement; élèves de 10 à 13 ans.

— 7°) *Les cours supérieurs* : catégorie hors classe; les élèves dont l'intelligence s'est montrée hors ligne.

— 8°) *L'apprentissage* : l'entrée de l'enfant à la vie productive a lieu, gratuitement, dans l'établissement même de l'industrie du Familistère; les diverses professions qu'il renferme sont offertes au choix de l'enfant et l'apprenti est mis aussitôt en possession du prix du travail réalisé par lui. •

*Le jardinage*

Parmi les ressources attrayantes de l'enseignement que le Familistère offre aux enfants, il faut compter les jardins. Tous les ans, à la saison d'été, les écoles composent des groupes d'élèves qui, sous la direction du jardinier en chef de l'établissement, s'initient à la culture et à l'entretien des jardins ainsi qu'au respect du travail d'autrui. Les groupes de garçons et de filles élisent au scrutin, parmi eux, des chefs et sous-chefs, dont le devoir est de faire bien exécuter les indications du chef jardinier, et de veiller au bon ordre de la troupe des petits travailleurs. Les élections se font toutes les semaines, et les élus doivent donner l'exemple constant du meilleur travail, sous peine de perdre la considération de leurs électeurs.

L'administration du Familistère, pour encourager ce mouvement, accorde aux enfants une rétribution légère, variant suivant les aptitudes et les capacités des divisions de travailleurs, que le chef jardinier établit d'accord avec les enfants.

Les jardins du palais sont toute la journée ouverts à l'enfance pour ses promenades et ses jeux. Mais une partie réservée, agrémentée de pelouses, d'allées tortueuses, de montées et de descentes, sert aux promenades d'ensemble des classes et constitue une récompense très appréciée de tous les élèves.

*La Richesse au Service du Peuple : le Familistère de Guise,* Paris, 1874. (Pages 31-32, 53, 59, 126, 131.)

# Jules Verne

## 1828-1905

*Jules Verne a surtout anticipé dans le domaine des machines et des moyens de communication. Contrairement à ce qu'on pourrait attendre, sa foi dans la puissance créatrice de la technique ne lui inspira pas la vision optimiste d'une ville-machine. Dans sa nouvelle* La Journée d'un journaliste américain en 2889 [1], *il imagine une métropole géante dont les immeubles ont plusieurs kilomètres de côté et dont les habitants sont aliénés par l'utilisation d'appareils à tout faire. Les préférences de Jules Verne vont à une solution plus humaine où l'apport essentiel du progrès technique se résume dans l'hygiène : c'est la Franceville des* Cinq cents millions de la Bégum, *qui doit beaucoup à l'*Hygeia de Richardson [2].

## FRANCEVILLE

### DISCOURS DU DR SARRASIN [3]

*Le modèle hygiénique*

« Messieurs, parmi les causes de maladie, de misère et de mort qui nous entourent, il faut en compter une à laquelle je crois ration-

---

1. Publiée d'abord en anglais, dans la revue américaine *The Forum*, en 1899, puis en français dans le recueil *Hier et demain*.
2. Jules Verne reconnaît lui-même cette filiation dans une note du chapitre 10 de son ouvrage : « Ces prescriptions, ainsi que l'idée générale du Bien-Etre, sont empruntées au savant Docteur Benjamin Ward Richardson, membre de la Société royale de Londres. »
3. S'adressant au Congrès d'Hygiène de Londres, après avoir appris qu'il a hérité les 500 millions de la Bégum.

nel d'attacher une grande importance : ce sont les conditions hygiéniques déplorables dans lesquelles la plupart des hommes sont placés. Ils s'entassent dans des villes, dans des demeures souvent privées d'air et de lumière, ces deux agents indispensables de la vie. Ces agglomérations humaines deviennent parfois de véritables foyers d'infection. Ceux qui n'y trouvent pas la mort sont au moins atteints dans leur santé; leur force productive diminue et la société perd ainsi de grandes sommes de travail qui pourraient être appliquées aux plus précieux usages.• Pourquoi ne réunirions-nous pas toutes les forces de notre imagination pour tracer le plan d'une cité-modèle sur des données rigoureusement scientifiques ?• *(Oui! Oui! c'est vrai!)* Pourquoi ne consacrerions-nous pas ensuite le capital dont nous disposons à édifier cette ville et à la présenter au monde comme un enseignement pratique...• »

## UN ARTICLE DE L' « UNSERE CENTURIE », REVUE ALLEMANDE

(Le comité directeur de Franceville [1]) s'était contenté de poser un certain nombre de règles fixes, auxquelles les architectes étaient tenus de se plier :

*La maison-type*

1º — Chaque maison sera isolée dans un lot de terrain planté d'arbres, de gazon et de fleurs. Elle sera affectée à une seule famille.

2º — Aucune maison n'aura plus de deux étages; l'air et la lumière ne doivent pas être accaparés par les uns au détriment des autres.

3º — Toutes les maisons seront en façade, à dix mètres en arrière de la rue.•

4º — Les murs seront faits de briques tubulaires brevetées, conformes au modèle.•

5º — Les toits seront en terrasse, légèrement inclinés dans les

1. La ville-modèle dont le Dr Sarrasin a entrepris la construction.

quatre sens, couverts de bitume, bordés d'une galerie assez haute pour rendre les accidents impossibles, et soigneusement canalisés pour l'écoulement immédiat des eaux de pluie.

6° — Toutes les maisons seront bâties sur une voûte de fondations, ouverte de tous côtés, et formant sous le premier plan d'habitation un sous-sol d'aération en même temps qu'une halle. Les conduits d'eau et les décharges y seront à découvert, appliqués au pilier central de la voûte, de telle sorte qu'il soit toujours aisé d'en vérifier l'état et, en cas d'incendie, d'avoir immédiatement l'eau nécessaire. L'aire de cette halle, élevée à cinq ou six centimètres au-dessus du niveau de la rue, sera proprement sablée. Une porte et un escalier spécial la mettront directement en communication avec les cuisines.*

7° — Les cuisines, offices ou dépendances seront, contrairement à l'usage ordinaire, placés à l'étage supérieur et en communication directe avec la terrasse, qui en deviendra ainsi la large annexe en plein air.*

8° — Le plan des appartements est laissé à la fantaisie individuelle. Mais deux dangereux éléments de maladie, véritables nids à miasmes et laboratoires de poisons, en sont impitoyablement proscrits : les tapis, et les papiers peints.* (Les) murs (sont) revêtus de briques vernies.* On les lave comme on lave les glaces et les vitres, comme on frotte les parquets et les plafonds. Pas un germe morbide ne peut s'y mettre en embuscade.

9° — Chaque chambre à coucher est distincte du cabinet de toilette. On ne saurait trop recommander de faire de cette pièce où se passe un tiers de la vie, la plus vaste, la plus aérée et, en même temps, la plus simple. Elle ne doit servir qu'au sommeil.*

10° — Chaque pièce a sa cheminée.* Quant à la fumée, au lieu d'être expulsée par les toits, elle s'engage à travers des conduits souterrains qui l'appellent dans des fourneaux spéciaux établis aux frais de la ville.* Là, elle est dépouillée des particules de carbone qu'elle emporte, et déchargée à l'état incolore, à une hauteur de trente-cinq mètres dans l'atmosphère.

Telles sont les dix règles fixes imposées pour la construction de chaque habitation particulière.

Les dispositions générales ne sont pas moins soigneusement étudiées.

*La ville orthogonale*

Et d'abord, le plan de la ville est essentiellement simple et régulier, de manière à pouvoir se prêter à tous les développements. Les rues, croisées à angle droit, sont tracées à distances égales, de largeur uniforme, plantées d'arbres et désignées de numéros d'ordre.

De demi-kilomètre en demi-kilomètre, la rue, plus large d'un tiers, prend le nom de boulevard ou avenue, et présente sur un de ses côtés une tranchée à découvert pour les tramways et les chemins de fer métropolitains. A tous les carrefours, un jardin public est réservé. •

Pour obtenir le droit de résidence à France-Ville, il est nécessaire de donner de bonnes références, être apte à exercer une profession utile ou libérale, dans l'industrie, les sciences ou les arts, de s'engager à observer les lois de la ville. Les existences oisives n'y seraient pas tolérées.

Les édifices publics sont déjà en grand nombre. Les plus importants sont la cathédrale, un certain nombre de chapelles, les musées, les bibliothèques, les écoles et les gymnases, aménagés avec un luxe et une entente des convenances hygiéniques véritablement dignes d'une grande cité.

Inutile de dire que les enfants sont astreints dès l'âge de quatre ans, à suivre les exercices intellectuels et physiques, qui peuvent seuls développer leurs forces cérébrales et musculaires. On les habitue tous à une propreté si rigoureuse, qu'ils considèrent une tache sur leurs simples habits comme un déshonneur véritable.

*L'hygiène en détail*

Cette question de la propreté individuelle et collective est du reste la préoccupation capitale des fondateurs de France-Ville. Nettoyer, nettoyer sans cesse, détruire et annuler aussitôt qu'ils sont formés, les miasmes qui émanent constamment d'une agglomération humaine, telle est l'œuvre principale du gouvernement central. A cet effet, les produits des égouts sont centralisés hors de la ville, traités par des procédés qui en permettent la condensation et le transport quotidien dans les campagnes.

L'eau coule partout à flots. Les rues pavées de bois bitumé, et les trottoirs de pierre sont aussi brillants que le carreau d'une cour hollandaise. Les marchés alimentaires sont l'objet d'une surveillance incessante.• Cette police sanitaire, si nécessaire, et si délicate, est confiée à des hommes expérimentés, à de véritables spécialistes, élevés à cet effet dans les écoles normales.

Leur juridiction s'étend jusqu'aux blanchisseries.• Aucun linge de corps ne revient à son propriétaire sans avoir été véritablement blanchi à fond.•

Les hôpitaux sont peu nombreux, car le système de l'assistance à domicile est général.• Il est à peine besoin d'ajouter que l'idée de faire d'un hôpital un édifice plus grand que tous les autres et d'entasser dans un même foyer d'infection sept à huit cents malades, n'a pu entrer dans la tête d'un fondateur de la cité modèle.•

On ne finirait pas si l'on voulait citer tous les perfectionnements hygiéniques que les fondateurs de la ville ont inaugurés. Chaque citoyen reçoit, à son arrivée, une petite brochure où les principes les plus importants d'une vie réglée selon la science sont exposés dans un langage simple et clair.

*Les cinq cents millions de la Bégum*, Editions P. J. Hetzel, Paris, 1879. (Pages 25-26, 100-103.)

# Herbert-George Wells
## 1866-1946

*L'ancien élève de Huxley, le socialiste de l'école fabienne et le père de la science-fiction s'expriment tous ensemble dans* Une utopie moderne. *Wells a fait de celle-ci une sorte de somme idéologique — presque une caricature — du pré-urbanisme progressiste. Ordre, classement, hygiène, apologie du machinisme, rendement : ces thèmes et ces motivations directrices se retrouvent ici, mis en œuvre sous l'autorité particulièrement contraignante d'une classe de spécialistes. L'originalité propre de Wells est d'avoir donné à son modèle une dimension, pour la première fois, planétaire.*

## LA PLANÈTE MISE EN ORDRE

*Hôtelleries-modèles*

La maison que nous habitons est une de ces hôtelleries-pensions dotées d'un tarif minimum, et en partie réglementées et dirigées, à défaut d'entreprises privées, par l'État mondial, d'un bout à l'autre de la planète. Il existe quelques établissements du même genre à Lucerne. Le nôtre possède plusieurs centaines de petites chambres à fonctionnement et nettoyage automatiques, installées et meublées à la façon de celles que nous avons occupées à l'auberge similaire — mais beaucoup plus petite — de Hospenthol. La même cabine d'habillement et de bain s'y retrouve, et la succinte simplicité de l'ameublement a les mêmes proportions gracieuses. Mais cette auberge-ci est quadrangulaire à la façon d'un collège d'Oxford : environ quarante pieds de haut, avec cinq étages de chambres au-dessus des appartements du rez-de-chaussée. Les fenêtres s'ouvrent soit à l'intérieur, soit à l'extérieur du quadrilatère; les portes donnent sur des passages artificiellement éclairés, avec des escaliers par endroits. Ces passages sont recouverts d'une sorte de tapis de liège, mais tout le reste est nu. Le rez-de-chaussée est occupé par l'équivalent d'un club londonien : cuisines et offices, réfectoires, salles de lecture, salles de réunions, fumoirs, bibliothèques et salon de coiffure. Une colonnade garnie de sièges donne sur la cour intérieure, au milieu de laquelle s'étend une pelouse.•

Ce type de bâtiment quadrangulaire est l'élément prédominant dans la Lucerne utopienne, et l'on peut aller d'un bout à l'autre de la ville, au long de galeries et de colonnades couvertes, sans avoir à sortir par les rues.•

*Circulation*

Deux ou trois grandes voies avec leurs tramways, leur piste cyclable et leurs chaussées spéciales pour les transports rapides, convergeront vers le centre urbain, où les Bureaux Publics seront groupés autour des deux ou trois théâtres et des principaux magasins; là aussi se trouvera la tête de ligne des trains rapides pour Paris, l'Angleterre et l'Écosse.• Et, c'est en s'éloignant de ce centre de la ville, qu'on arrivera à l'assemblage d'habitations et de coins de campagne qui sera la caractéristique commune de toutes les parties habitables du globe.•

*Beauté fonctionnelle*

Nous cheminons pendant un certain temps et nous remarquons des différences entre l'art de l'ingénieur sur terre et celui d'Utopie. Les rails, les trains sur routes, les conduits souterrains, le tunnel d'Urnerloch sont de belles choses. La machinerie, les voies, les quais, les tranchées, les ponts de fer, toutes les inventions de l'ingénieur ne doivent pas forcément être laides. La laideur est à la mesure de l'imperfection : un objet de fabrication humaine est laid, dans la plupart des cas, proportionnellement à la pauvreté de la pensée qui l'a construit; il est laid ou beau, plus ou moins, selon que le constructeur a plus ou moins saisi le besoin auquel il répond.•

Mais, en Utopie, un homme qui entreprend l'établissement

d'une ligne de chemin de fer est un homme cultivé; de même qu'un bon écrivain ou un artiste, il s'efforcera d'atteindre la simplicité de la perfection. Les traverses, les rails, les accessoires, prendront cette grâce, cette harmonie que la Nature, ce grand ingénieur, donne aux tiges et aux feuilles de ses plantes, aux articulations et aux gestes de ses animaux. Juger cet homme comme le contraire d'un artiste, déclarer artiste quiconque façonne des objets avec ses pouces, et brute quiconque se sert d'une machine, ce n'est là qu'une phase passagère de la stupidité humaine. La voie de tramway que nous longeons est l'impeccable exécution d'un plan parfait.

*A Modern Utopia,* Londres, 1905; traduction française de Henry D. Davray et B. Koziakiewicz : *Une utopie moderne,* Mercure de France, Paris, 1907. (Pages 235, 236, 238, 124, 125.)

# II
# LE PRÉ-URBANISME CULTURALISTE

# Augustus Welby Northmore Pugin

## 1812-1852

*Architecte anglais qui collabora avec Sir Charles Barry aux plans du parlement de Westminster (1837-1843). Parmi ses œuvres personnelles, on citera surtout la cathédrale de Killarney et la chapelle du monastère bénédictin de Douai.*

*Devenu membre de l'Église catholique en 1833, il fut l'un des promoteurs de la renaissance gothique anglaise ; pour lui, le gothique était la forme architecturale correspondant au véritable sentiment chrétien ; inversement, la renaissance des formes ne lui apparaissait possible qu'accompagnée d'une renaissance des sentiments qui leur avaient donné naissance. On reconnaît là un thème qui sera repris par les préraphaélites.*

*Dans* Contrasts *(1836), Pugin oppose sous forme de gravures des édifices homologues du Moyen Âge et de son époque. L'un des contrastes les plus impressionnants est fourni par « une ville catholique en 1440 et la même en 1840 », les édifices religieux étant remplacés par une usine à gaz, un asile de fous, une prison, un « socialist hall of science », auxquels Pugin a donné l'aspect le plus morne.*

*En 1841, il publie* The True Principles of Pointed or Christian Architecture, *avant d'écrire sa célèbre* Apology for the Present Revival of Christian Architecture in England *(1843).*

*Il nous a semblé indispensable de citer ici quelques pages de Pugin : il est à l'origine de la position culturaliste et c'est à lui que Ruskin emprunta les idées qui devaient ensuite influencer W. Morris. « Si Ruskin n'avait pas vécu, Pugin n'aurait jamais été oublié », affirme Sir Kenneth Clark [1].*

---

1. *The Gothic Revival*, Constable, Londres, 1928. Réédité par Pelican Books, 1964.

## LE BEL HIER

*Nostalgie*

Cet ouvrage montrera combien notre âge a peu fait pour l'amélioration de l'architecture, et quel est le piètre niveau où celle-ci devra demeurer, à moins que ne revivent les mêmes sentiments qui ont inspiré les anciens constructeurs dans la composition de leurs œuvres : rétablissement que, tout en le souhaitant avec ferveur, je n'ose pas espérer actuellement. Mais j'en suis intimement convaincu : ce n'est que par des sentiments semblables et aussi élevés que des résultats tout aussi élevés pourront être obtenus.•

### I. HIER

La comparaison des œuvres architecturales de ce siècle avec celles du Moyen Age, doit faire apparaître aux yeux de tout observateur attentif la merveilleuse supériorité de ces dernières.•

On admettra sans peine que le grand critère de la beauté architecturale est l'adaptation de la forme à la fonction : le style d'un édifice doit correspondre à son utilisation de telle sorte que le spectateur en perçoive instantanément la destination.•

Qui peut contempler les prodigieux édifices religieux du Moyen Age sans ressentir la justesse de cette remarque ? Chaque portion témoigne de son origine; le plan même de l'édifice est le symbole de la rédemption humaine.•

Pour que des constructions produisent de pareils effets sur l'esprit, il faut que leurs auteurs aient été totalement absorbés par la dévotion et la foi, que la glorification de la religion ait été la fin même de leur éducation.

*La communauté culturelle*

Ils sentaient qu'ils étaient engagés dans l'occupation la plus glorieuse qui puisse échoir à un homme, celle d'élever un temple à la vénération du Dieu de Vérité et de Vie.

C'est ce sentiment qui guidait à la fois l'esprit qui concevait les plans de l'édifice et le sculpteur patient dont le ciseau découpait le détail admirable et divers. C'est ce sentiment qui conduisit les anciens maçons, en dépit du danger et des difficultés de la tâche, à persévérer jusqu'à ce qu'ils eussent élevé leurs flèches gigantesques dans une région voisine des nuages.• C'est un sentiment que l'on peut retrouver dans la presque totalité des édifices du Moyen Age : malgré la grande diversité de tempéraments dont témoignent leurs styles, ils expriment l'unité d'inspiration qui animait bâtisseurs et décorateurs.

Oui, ce fut effectivement la foi, l'ardeur et par-dessus tout l'unité de nos ancêtres qui leur permirent de concevoir et d'élever ces merveilleux édifices.• Il en fut ainsi jusqu'à ce que l'hérésie ait détruit la foi, le schisme mis un terme à l'unité, jusqu'à ce que l'avarice ait inspiré le saccage des richesses qui avaient été consacrées au service de l'église.•

## II. AUJOURD'HUI

Peut-être n'y a-t-il pas, à l'heure actuelle, de thème plus banal que l'immense supériorité de ce siècle sur tous ceux qui l'ont précédé. Cette grande époque de progrès et d'avancement intellectuel• est supposée riche d'accomplissements jamais égalés; et gonflée d'orgueil par sa prétendue excellence, la nouvelle génération regarde avec pitié et dédain tout ce qui l'a précédée.

*Procès du progressisme*

Dans certains domaines, je suis prêt à admettre que de grandes et importantes inventions ont été portées à la perfection, mais il faut appeler leur nature purement mécanique et je n'hésite pas à dire que, dans la mesure où de semblables œuvres ont progressé, les œuvres d'art et les pures productions de l'esprit ont décliné, dans une proportion beaucoup trop grande.• Est-ce que le lieu, la destination ou le caractère de l'édifice en inspirent le plan (*design*) ? Non, certes non. Nous avons des chalets suisses dans un pays plat, des villas italiennes sous un climat froid, un kremlin turc en guise de résidence royale, des temples grecs dans les squares populeux, des salles de ventes égyptiennes.

Mais il n'y a pas que des édifices isolés qui soient construits dans ces styles impropres : qu'il suffise de porter le regard vers ces nids de monstruosités que sont Regent's Park ou Regent Street où tous les styles s'entassent pêle-mêle.

Il est à peine pensable que des hommes consacrés à l'art de l'architecture aient pu commettre de telles énormités.• On considère ces œuvres comme une grande amélioration pour la métropole; elles sont seulement une honte nationale.• Aussi abominables sont les amas de briques et de prétention qui ont pris le nom pompeux de villes-d'eaux. •

*Mécanique et organique*

Je pense avoir montré que ce pays, quelle que soit son excellence dans le domaine mécanique, a si peu à invoquer au titre du progrès dans les arts, que sans les restes des édifices élevés au cours du Moyen Age, ses monuments architecturaux seraient totalement méprisables.

Je ressens douloureusement l'état de dégradation dans lequel chaque nouvelle invention, chaque nouvelle amélioration technique semble plonger davantage les arts. Je veux arracher à notre époque son masque de supériorité si lamentablement usurpé et désire attirer à nouveau l'attention générale sur les mérites du passé.• C'est seulement dans ses vestiges que l'on peut découvrir l'excellence; c'est seulement en étudiant la ferveur, les réalisations et les sentiments de ces temps admirables et cependant méprisés que l'art pourra être restauré et la perfection reconquise.

*Modèle possible*

Il n'y a aucune raison pour que de nobles villes, offrant tous les perfectionnements possibles en matière d'égouts, adduction d'eau, conduites de gaz, ne puissent être édifiées dans un style à la fois parfaitement cohérent et chrétien.

*Contrasts or a Parallel between the Noble Edifices of the Fourteenth and Fifteenth Centuries and Similar Buildings of the Present Day, Shewing the Present Decay of Taste,* édité par l'auteur, Londres, 1836. (Pages 1-3 et 30-35; notre traduction.)

Et pour le dernier § ci-dessus : *True Principles of Pointed or Christian Architecture,* édité par l'auteur, Londres 1841. (Page 16; notre traduction.)

# John Ruskin

## 1818-1900

*Si la critique et la philosophie de l'art sont la démarche première de Ruskin, elles s'achèvent dans une philosophie sociale qui ne saurait en être dissociée.*

*La conception ruskinienne de l'art fut marquée à la fois par une éducation esthétique exemplaire, comportant la connaissance directe des chefs-d'œuvre européens de la peinture et de l'architecture, et — très profondément — par la pensée de Pugin. L'art est, aux yeux de Ruskin, la révélation d'une vérité transcendante, mais il exprime également la vitalité d'une société : « L'art d'un pays exprime ses vertus politiques et sociales. » La société est une totalité organique dont tous les aspects sont liés entre eux et indissociables. Ces thèmes, exploités à propos de la peinture pour laquelle Ruskin adopte l'éthique préraphaélite, seront aussi appliqués à l'architecture à laquelle, dès sa jeunesse, il consacre de nombreux ouvrages* [1].

*La critique de l'architecture contemporaine conduit inévitablement Ruskin à la critique de la société victorienne, anorganique, désintégrée, incohérente* [2]. *La carence de l'architecture et de l'aménagement urbain est le reflet d'une situation générale : Ruskin analyse impitoyablement les consé-*

1. Cf. *The Poetry of Architecture*, 1837. Cet ouvrage contient déjà en germe la plupart des idées ultérieurement développées. Dès la page 1, Ruskin affirme : « Nul ne peut être architecte s'il n'est métaphysicien. » Et il ajoute plus loin, « On trouvera aussi intéressant qu'utile de constater que les caractères particuliers des architectures nationales proviennent non seulement de leur adaptation aux lieux et aux climats, mais de leur connexion avec le climat mental particulier dans lequel elles se sont développées. » Ruskin publia ensuite, notamment: *Les sept lampes de l'architecture* (1849), *Les pierres de Venise* (1851-1853), *Conférences sur l'architecture et la peinture* (1853) dont les premières sont connues sous le nom d'*Eloge du gothique*.

2. 1860 marque, pour Ruskin, la fin de la période vouée exclusivement à l'art. Désormais, l'économie politique prend une place importante dans ses préoccupations : cf. *La Couronne d'oliviers sauvages* (1866), consacré à trois essais sur le travail, le commerce et la guerre.

*quences du système industriel et la déchéance du travail humain qui, axé sur les notions de profit et de production, a cessé d'être l'accomplissement d'une fonction vitale.*

*Cette pensée nostalgique constituera, notamment à travers William Morris, le fondement de l'urbanisme culturaliste. Mais, autant la critique de Ruskin est aiguë, fondée sur une expérience vécue, autant les propositions positives de* Unto this Last *(1862) et* Munera Pulveris *(1862) en faveur d'un État paternaliste et hiérarchisé, sont plates et abstraites.*

## ÉLOGE DE LA DIVERSITÉ

Pour autant que je sois familiarisé avec l'architecture moderne, je ne conçois pas de rues qui, par la simplicité et la dignité de leur style et par l'ampleur et la clarté de leur aspect, égalent celles de la ville neuve d'Edimbourg. Et pourtant, je suis persuadé que lorsque vous [1] traversez ces rues, le plaisir et l'orgueil que vous ressentez vous sont inspirés, en grande partie, par le paysage qui les encadre, • la surface brillante du firth of Forth ou les contours accidentés du Castle Rock. Faites abstraction de la mer onduleuse et des sombres roches de basalte, et je crains que la George Street en elle-même ne vous offre que peu d'intérêt.

*La cité, spectacle plus attrayant que le site*

Je songe à une ville placée dans une situation plus remarquable encore que celle de votre Edimbourg. • Au lieu du sombre rocher solitaire qui supporte votre château, elle est entourée d'un amphithéâtre de collines couronnées de cyprès et d'oliviers, • elle possède une chaîne de montagnes bleues plus hautes que les plus fiers sommets de vos Highlands. • Et pourtant, lorsque vous sortez des murs et que vous parcourez les rues des faubourgs de cette ville — je parle de Vérone — l'œil ne tend pas à s'arrêter sur ce

---

1. Ruskin prononça cette conférence à Edimbourg, au cours du voyage qu'il avait entrepris (avec le peintre Millais) pour se reposer de la rédaction, juste achevée, des *Pierres de Venise.*

paysage, si merveilleux qu'il soit; il ne recherche pas, comme ici, les échappées qui s'ouvrent entre les maisons.• Le cœur et l'œil ont assez à faire dans les rues de la cité-même; ce spectacle leur suffit.•

### La cité n'est pas une collection d'unités

*Voilà* en vérité une ville dont il y a lieu d'être fier et voilà la noblesse architecturale que vous devez ambitionner, dans tout ce que vous construirez ou reconstruirez dans Edimbourg.• Souvenez-vous surtout que c'est par l'initiative privée, bien plus que par l'action publique, que votre ville doit être embellie. Il importe peu que vous possédiez une foule de beaux monuments publics s'ils ne s'allient pas, s'ils ne s'harmonisent pas avec l'ensemble des maisons. Ni l'esprit, ni l'œil ne prendront un nouveau collège, un nouvel hôpital, ou tout autre nouvel établissement, pour toute une ville.•

Ne croyez pas que vous puissiez avoir de bonne architecture en y mettant le prix, sans plus. Ce n'est pas en souscrivant généreusement, tous les quarante ans, à l'érection d'un vaste monument que vous susciterez des architectes inspirés. C'est seulement par la sympathie et l'intérêt actifs que vous porterez au travail domestique qui se fait, chaque jour, pour chacun de vous, que vous pourrez élever votre sentiment et l'art de vos constructeurs à la compréhension de ce qui est vraiment grand.•

Aucun mortel n'a jamais aimé et ne pourra jamais aimer notre architecture actuelle. Vous n'éprouvez aucun intérêt à *entendre* répéter toujours la même chose; comment pourriez-vous en éprouver à *voir* répéter toujours la même chose ?

Vous connaissez tous le type de fenêtres que l'on construit généralement à Edimbourg.• Ce n'est, d'aucune manière, une mauvaise forme; c'est, au contraire, une forme virile et forte à laquelle le mépris de tout ornement confère une certaine dignité. Mais je ne puis pourtant dire qu'elle soit captivante.

### Contre la répétition

Combien de fenêtres de ce même type croyez-vous qu'il y ait dans la ville neuve d'Edimbourg ? Je ne les ai pas comptées dans toute la ville,• mais seulement, ce matin•, (dans) Queen Street•; et d'un côté de cette rue, je n'ai pas relevé moins de six cent soixante dix-huit fenêtres absolument de même type, sans que rien ne vienne rompre cette uniformité. Et votre ornementation est tout aussi monotone.•

*Pour la diversité*

« Mais, me répondez-vous,• nous voyons constamment des levers et des couchers de soleil, des violettes et des roses, et nous n'en éprouvons jamais aucune lassitude. » — Quoi! Avez-vous jamais vu un lever de soleil semblable à un autre ? Dieu ne varie-t-il pas pour vous la forme de ses nuages chaque matin, chaque soir ?• Et vous croyez pourtant pouvoir placer 150.000 fenêtres carrées l'une à côté de l'autre et y découvrir quelque intérêt. Vous faites *refaire* à vos architectes toujours la même chose• et vous espérez encore qu'elle vous impressionnera.•

Toutes les œuvres d'art dignes d'être exécutées sont intéressantes et attrayantes, une fois terminées. Aucune loi, aucun droit, ne consacre l'ennui.•

Regardez un instant ce dessin[1]. C'est• la fenêtre d'un édifice domestique anglais, construit il y a six cents ans. Vous ne me direz pas que vous n'éprouvez aucun plaisir en la regardant• ou que, si toutes les fenêtres de vos rues étaient d'une forme à peu près semblable, avec des ornements constamment variés, vous les regarderiez avec la même indifférence• qu'aujourd'hui.•

L'architecture est un art que tout le monde devrait apprendre parce qu'il intéresse tout le monde; et il est d'une telle simplicité qu'il est aussi inexcusable de ne pas être familiarisé avec ses règles élémentaires que d'ignorer la grammaire et l'orthographe.•

*Pour l'asymétrie*

Vous savez combien les architectes• sont férus de leur égalité et de leurs similitudes.• Or, la Nature méprise autant l'égalité et la similitude que la sottise des hommes. Vous observerez que les pousses de frêne[2] se terminent par quatre tiges vertes, portant

1. Ruskin, anticipant les méthodes modernes, faisait passer des planches illustrant ses thèses, et qu'en l'absence de la photographie, il avait dessinées lui-même d'après nature.
2. Dans les comparaisons avec l'œuvre de la nature, illustrées également de croquis, Ruskin est le précurseur des théoriciens du modern'style.

des feuilles; vues d'en haut, elles présentent la forme d'une croix.* Vous croiriez* que les quatre bras de la croix sont égaux. Mais regardez plus attentivement et vous remarquerez que deux bras ou deux tiges opposés n'ont que cinq feuilles, tandis que les deux autres en ont sept*; il y a toujours une paire de tiges plus fournie que l'autre.* C'est à cette (asymétrie) que l'(arbre) doit toute sa grâce, tout son charme*.

Vous n'êtes pas sans savoir combien nos meilleurs peintres d'architecture apprécient l'aspect des rues de certaines villes du continent.* Or, le principal charme de toutes ces rues provient de ce que leurs maisons possèdent de hauts toits à pignons.* Le long des rues d'Anvers, de Gand ou de Bruxelles, une série merveilleuse et fantastique de gradins et de courbes diversement décorées, se succèdent à l'infini. En Picardie, en Normandie et dans beaucoup de villes allemandes, si le bois est surtout employé, le toit, bordé d'une belle corniche sculptée, surplombe le pignon et projette son ombre sur la façade.*

*Modèle des rues médiévales*

En tout cas, l'aspect de toute la rue dépend de l'importance des pignons, non seulement sur les façades principales, mais aussi sur les côtés où s'ouvrent de petites lucarnes et des fenêtres mansardes d'une forme fantaisiste et charmante, couronnées de petites flèches et de pinacles. Chaque fois qu'il se trouve un petit escalier tournant, ou une fenêtre en saillie, ou tout autre irrégularité de forme, les arrêtes escarpées du toit s'élancent en tourelles ou en flèches,* couronnées par de capricieux ornements;* si bien que, vue de haut et à distance, la houle confuse des toits d'une ville française n'est pas moins intéressante que ses rues.*

(Mon) plan de réformes, même s'il était utopique ou romantique, n'en serait pas plus mauvais pour cela. Mais il n'est ni l'un ni l'autre. Il n'est pas utopique, car il vous conseille de reprendre une tradition qui a été suivie durant des siècles.* Il n'est pas romantique* car il se borne à conseiller, à chacun de vous, d'habiter une maison plus belle que celle qu'il habite à présent, en substituant un mode de décoration bon marché à un mode de décoration coûteux.

Vous croyez peut-être que la beauté, en architecture, se paie très cher. Loin de là, c'est la laideur qui est ruineuse. Dans notre architecture moderne, la décoration coûte des sommes énormes, parce qu'elle est à la fois mal placée et mal exécutée.•

*L'artisanat*

Faites le tour de vos monuments édimbourgeois, et regardez• ce qu'ils peuvent vous fournir. Rien que des damiers, encore des damiers, toujours des damiers, un désert de damiers. Ils donnent à vos maisons l'aspect de prisons, et c'en sont en effet.• Ces damiers ne sont pas des prisons pour le corps, mais des sépultures pour l'âme, car les hommes qui ont pu accomplir une œuvre telle que la sculpture de Lyon [1], sont ici. Ils sont encore ici, sous l'aspect méprisé de vos artisans. La race n'a pas dégénéré. C'est vous qui les avez asservis.• Ils renaîtraient à la vie avec une âme nouvelle, si vous soulagiez leurs cœurs du poids accablant de ces murs.

L'architecture diffère de la peinture en ce qu'elle est un art de *cumul*.• La sculpture [2] qui orne la maison de votre ami augmente l'effet que peut produire celle qui décore la vôtre. Les deux maisons ne forment qu'une grande masse, plus grande encore s'il s'en ajoute une troisième•, si toutes les rues de la ville unissent leurs sculptures en une harmonie solennelle.•

*Ville et communauté*

L'harmonie que dégagent les rues d'une ville, où un pinacle s'élève au-dessus de l'autre, où un auvent en abrite un autre, où les tours se succèdent le long des crêtes des collines•, atteint un degré de sublimité dont rien ne peut nous donner une idée aujourd'hui.•

C'est une loi divine et naturelle que vos plaisirs comme vos vertus, soient rendus plus précieux par l'entraide.• L'architecture

1. Il s'agit d'un piédestal du portail de la cathédrale de Lyon, analysé précédemment par Ruskin.
2. Pour Ruskin, « la décoration est l'élément principal de l'architecture ». « Ce principe, dit-il, est toujours* considéré comme une de mes plus choquantes hérésies » (appendice à l'*Éloge du gothique,* éd. citée, p. 92-93). Car si « la première condition que l'on soit en droit de réclamer d'un édifice est qu'il réponde complètement et pour toujours à sa destination*, toute cette opération ne nécessite pas l'intervention du grand ART*, de la partie divine de l'œuvre » (*Ibid.,* p. 94-95).

urbaine peut ainsi acquérir un charme et une sainteté qui doit faire défaut même au temple.•

Je crois• que les habitudes nomades, qui sont devenues aujourd'hui à peu près nécessaires à notre existence sont, plus que tout autre caractère de notre vie moderne, la cause profonde des vices de notre architecture. Nous ne considérons nos maisons que comme des logements temporaires.• [1]

*L'enracinement*

Je ne puis m'empêcher de penser que ce ne soit d'un mauvais présage pour un peuple, lorsqu'il destine ses maisons à ne durer qu'une seule génération.• Si les hommes vivaient vraiment en hommes, leurs maisons seraient des temples.• Ces pitoyables concrétions de chaux et d'argile élevées, avec tant de hâte gâchée, dans la plaine défoncée autour de notre capitale — carcasses maigres, chancelantes, sans fondations, faites d'éclats de bois et de pauvres pierres — sombres rangées où préside la mesquinerie, sans différence et sans rapport entre elles — aussi uniques qu'elles sont pareilles — je les regarde non seulement avec le dégoût de l'œil outragé, non seulement avec la douleur de voir le paysage profané, mais avec le sentiment pénible, à les voir ainsi négligemment enfoncées dans leur sol natal, que les racines de notre grandeur nationale ne soient profondément rongées;• la crainte qu'elles ne marquent l'heure• où la multitude des habitations d'une population luttante et affairée ne se distinguera plus des tentes de l'Arabe ou du Bohémien que parce qu'elles seront moins salubrement ouvertes à l'air du ciel et que moins heureux sera le choix de leur emplacement sur cette terre.•

*Valeur de la particularité*

Si, chaque fois que c'était possible, les hommes bâtissaient leur demeure selon leur condition, au début de leur carrière•, s'ils les bâtissaient pour durer aussi longtemps qu'on peut espérer voir durer l'ouvrage humain le plus solide•, nous aurions alors une véritable architecture domestique, source de toutes les autres•; elle ne dédaignerait pas d'accorder le même respect aux petites et aux grandes constructions.•

Cette sagesse• a été la source de la grande Architecture d'autrefois, en Italie et en France. De nos jours encore, l'intérêt de leurs villes les plus belles vient, non pas de la richesse isolée de leurs palais, mais de l'exquise et jalouse décoration des habitations, même les plus petites, de leurs orgueilleuses époques. A Venise,• beaucoup des maisons les plus exquises donnent sur d'étroits canaux et sont de dimensions très restreintes.•

Je voudrais donc voir nos habitations ordinaires construites pour durer, et construites pour être belles•; je les voudrais voir avec des différences capables de convenir au caractère et aux occupations de leurs hôtes, susceptibles de les exprimer et d'en conter en partie l'histoire.•

### L'intention

Dans les édifices publics, l'intention historique devrait être mieux définie encore. C'est un des avantages de l'architecture gothique• d'admettre une richesse d'annales sans bornes•; nos grands monuments civiques ne devraient pas avoir un seul ornement sans quelque intention intellectuelle.•

L'idée• d'édifier des cités qu'habiteraient de futures nations n'a jamais, je suppose, vraiment compté parmi les mobiles reconnus de nos efforts. Ce n'en sont pas moins là pour vous des devoirs.•

Ces égards pour la postérité n'entraînent d'ailleurs aucune perte pour le présent.• La plus grande gloire d'un édifice ne réside ni dans ses pierres, ni dans son or. Sa gloire est toute dans son âge, dans cette sensation profonde d'expression, de vigilance grave, de sympathie mystérieuse,• qui pour nous se dégage de ses murs, longuement baignés par les flots rapides de l'humanité.•

La conservation des monuments du passé n'est pas une simple question de convenance ou de sentiment. *Nous n'avons pas le droit d'y toucher.* Ils ne nous appartiennent pas. Ils appartiennent en partie à ceux qui les ont construits, en partie à toutes les générations d'hommes qui viendront après nous.•

La seule influence qui puisse remplacer celle des bois et des prés, c'est la force de l'ancienne architecture. Ne vous en séparez pas par considération pour la régularité du square, pour l'allée•

plantée d'arbres, pour la belle rue ou le vaste quai. Ce n'est pas là ce dont s'enorgueillira une cité.• [2]

[1] *Lecture on Architecture and Painting. Delivered at Edimburgh in November 1853*, Londres, 1854, traduit par E. Cammaerts : *Conférences sur l'architecture et la peinture*, H. Laurens, Paris, 1910. Conférence *Éloge du gothique*. (Pages 4-11, 18-19, 32-33, 62, 67-68, 78-81.)

[2] *The Seven Lamps of Architecture*, Londres, 1849, traduction française de George Elwall : *Les sept lampes de l'architecture*, 2ᵉ édit. Laurens, Paris, 1916. (Pages 246-251, 261-262).

# William Morris
## 1834-1896

*William Morris dit lui-même que Ruskin « fut son maître spirituel »,
mais il précise : « avant que je ne devienne un socialiste militant* [1] *». Cette
restriction marque ce qui sépare deux esprits dont la pensée fut également
dominée par l'idée d'art et de beauté, que l'un et l'autre découvraient
dans les œuvres du passé et que l'un et l'autre lièrent à une théorie sociale :
à l'encontre du conservateur Ruskin, Morris propose l'idéologie culturaliste
et nostalgique aux classes laborieuses qui constituent pour lui les forces
nouvelles et réelles de la société* [2]*.*

*Chronologiquement, avant d'être poète, penseur et militant politique,
Morris est un artiste. Architecte, il entre dans le groupe préraphaélite
où il se lie particulièrement avec D. G. Rossetti. Avec ce dernier, Webb,
Burne-Jones, Madox Brown, Faulkner et Marshall, il fonde en 1862 une
firme de décoration dont les travaux contribueront puissamment à la genèse*

---

1. *How I became a Socialist*, 1894, *The Collected Works of William Morris.*
Longmans, Green and Cᵒ, Londres, 1915, t. 23 ; p. 279-281.
2. « En dehors du désir de produire de belles choses, la passion de ma vie
a été et demeure la haine de la civilisation moderne.\* Comment puis-je qualifier sa domestication et son gaspillage des forces mécaniques, la pauvreté de
sa culture, son incroyable organisation au service d'une vie si misérable ?
Son mépris des plaisirs simples que, dans son délire, chacun devrait savourer
en paix ? Son aveugle vulgarité qui a détruit l'art ?\* Les luttes menées par
l'humanité pendant des siècles n'auraient rien produit que cette confusion
sordide et hideuse ?

« J'en serais resté là, s'il ne m'était pas apparu que parmi les ordures de la
civilisation, les semences d'un grand changement, ce que nous appelons la
révolution sociale, commençaient à lever.\* Grâce à quoi j'évitai d'une part
de devenir un contempteur du progrès, et de l'autre de perdre du temps et de
l'énergie à élaborer ces plans à l'aide desquels les petits bourgeois esthétisants
espèrent faire pousser l'art alors qu'il n'a plus de racines. Et ainsi je devins un
socialiste militant.\* C'est le propre de l'art que d'offrir au travailleur une vie
à laquelle la perception de la beauté, c'est-à-dire la jouissance du plaisir véritable, apparaîtra aussi nécessaire que le pain quotidien. » *(Ibid.)*

*du meilleur modern'style et comptent parmi les « sources (plastiques) du xxe siècle »[1]. Morris jouera le même rôle dans les arts typographiques après avoir fondé, en 1891, la* Kelmscottpress.

*Pour lui, le beau travail est l'expression d'une culture totale qui n'a de sens qu'à condition d'être le bien propre de la classe laborieuse. (« La cause de l'art est la cause du peuple[2]. ») Or, celle-ci est actuellement aliénée dans le travail dégradant du système industriel ; sa libération est nécessaire.*

*Pour y participer, Morris va jouer un rôle actif dans l'aile gauche du socialisme anglais, critiquant inlassablement le mercantilisme sous tous ses aspects. En 1883, il adhère à la* Democratic Federation, *en 1884 à la* Socialist League. *Trésorier et rédacteur en chef du* Commonweal *(organe mensuel de la* League), *il y publiera en feuilleton les* Nouvelles de Nulle part, *roman d'utopie dans lequel l'auteur se suppose transporté dans l'Angleterre du xxie siècle, décrit le pays et dialogue avec ceux qu'il rencontre. C'est pour lui l'occasion d'exposer sa vision de la société future. Les problèmes de la ville et de l'architecture y tiennent une place considérable, comme d'ailleurs dans les nombreux essais politiques et sociaux de Morris, parmi lesquels on citera, en particulier les recueils intitulés :*

— Signs of Change *(1884-1887),*
— Lectures on Socialism *(1883-1894),*
— Lectures on Art and Industry *(1881-1894),*
— Hopes and Fears for Art *(1877-1881).*


# LA COMMUNAUTÉ


## I. AUJOURD'HUI

*Dégénérescence de l'architecture*

Personne ne sait mieux que moi quelle immense somme de talent et de connaissance est actuellement l'apanage de nos grands architectes : ici et là, à travers le pays, on peut voir les édifices

---

1. La firme ayant pris trop d'importance, Morris s'en sépara en 1875, pour conserver une entreprise personnelle et plus réduite. Pour sa contribution à l'art du xxe siècle, cf. le catalogue de l'exposition *Les sources du xxe siècle*, Paris, 1960-1961.
2. *Art and Socialism*, 1884, *The Collected Works*, t. 23, p. 204.

dont ils ont fait les plans et s'en réjouir. Mais cela nous est d'un mince secours, en cette époque où un homme qui quitte l'Angleterre pour quelques années trouve, au retour, Londres grossi d'un demi comté de briques et de ciment. Les optimistes peuvent-ils prétendre que le style architectural de ces constructions témoigne d'un progrès ? N'est-il pas vrai, au contraire, que la situation ne cesse d'empirer, si c'est possible. La dernière maison bâtie est toujours la plus vulgaire et la plus laide.•

Il va de soi que, pratiquement, chaque nouvelle maison est d'une laideur honteuse et dégradante, et que si par hasard nous avons la chance d'en rencontrer une qui témoigne d'un réel souci dans l'organisation et le plan, nous restons étonnés et désirons savoir qui l'a construite, quel en est le propriétaire, qui en a conçu les plans et tout ce qui la concerne de a à z; lorsque l'architecture était vivante, c'est toute maison construite qui était plus ou moins belle.•

*La ville médiévale*

Nous savons maintenant qu'au Moyen Age, cottage et cathédrale étaient édifiés dans le même style et recouverts des mêmes ornements; les dimensions, et dans certains cas, les matériaux différenciaient seuls les édifices humbles des édifices importants. Et c'est seulement lorsque cette sorte de beauté s'installera à nouveau dans nos villes que nous aurons à nouveau une véritable école d'architecture; lorsque chaque petite échoppe d'épicier de nos faubourgs, chaque appenti sera naturellement adapté à sa destination et pourvu de beauté.•

Il n'est sans doute pas aisé d'imaginer la beauté d'une ville qui l'est par toutes ses maisons, au moins si l'on n'a pas vu, par exemple, Rouen ou Oxford il y a trente ans. Mais dans quel étrange état l'art ne doit-il pas être tombé si nous ne désirons ou ne savons en aucune façon obtenir que nos maisons soient adaptées à l'existence d'êtres humains raisonnables. La vérité est que nous n'y parvenons pas.•

Et maintenant, pourquoi ne pouvons-nous pas remédier à cette situation ? Pourquoi ne pouvons-nous pas, par exemple, avoir des demeures simples et belles, adaptées à des hommes et des femmes cultivés, bien élevés, et non à des machines à digérer, ignorantes et cupides ? Vous pouvez dire : parce que nous ne les souhaitons pas, et cela est bien vrai; mais cela ne fait que reculer la question, et nous devons demander : pourquoi sommes-nous indifférents à l'art ? Pourquoi la société civilisée, dans tout ce qui a trait à la beauté des ouvrages de l'homme, a-t-elle dégénéré depuis l'époque troublée du barbare et superstitieux Moyen Age ?•

### L'industrie et l'artisanat

J'ai dit que les reliques de l'art du passé que nous sommes conduits à étudier aujourd'hui révèlent un travail qui n'était pas seulement supérieur en qualité à celui que nous accomplissons maintenant, mais d'une autre nature. Cette différence de nature explique notre actuel dénûment et nous conduit à une dernière question : comment remédier à cette carence ? De soi, l'ancien artisanat jusqu'à la Renaissance au moins, impliquait un travail intelligent; dans notre cas, il s'agit, soit d'un travail inintelligent, soit d'un travail d'esclaves, raison suffisante de la dégradation de l'art, puisqu'elle signifie la disparition de l'art populaire, de la civilisation. L'art populaire, l'art qui résulte de la coopération de nombreux esprits, de tempéraments et de talents divers, où chacun subordonne son activité à celle de la communauté, sans perdre son individualité, cet art est inestimable et sa perte irréparable.•

Le travail intelligent, qui produisait l'art véritable, était plaisant à accomplir : c'était un travail humain et non vexatoire et dégradant : le travail inintelligent qui produit un simulacre d'art est ennuyeux, c'est un travail inhumain, vexatoire et dégradant; il est juste et normal qu'il en résulte seulement de la laideur. Et la cause immédiate de ce labeur dégradant qui opprime une si grande partie de notre peuple est l'organisation du travail, devenue l'instrument majeur de la grande puissance de l'Europe moderne, le commerce compétitif. Ce système a complètement changé la façon de travailler dans tous les domaines qui peuvent être considérés comme de l'art. [1]

## II. DEMAIN

### Richesse de l'architecture

Il me sembla reconnaître Broadway au croisement de routes qui existaient encore. Sur le côté Nord de Broadway, il y avait une rangée de bâtiments précédés de cours, bas, mais magnifiquement construits et ornés, qui formaient un vif contraste avec les maisons sans prétention d'alentour; et au-dessus de ce bâtiment bas, s'élevaient, le toit raide, couvert de tôle, et les contreforts et parties supérieures du mur d'un grand hall, dans un style splendide d'architecture flamboyante, dont il ne suffirait pas de dire qu'elle me parût réunir les meilleures qualités du gothique de l'Europe moderne avec celles de l'architecture sarrazine et de la byzantine, bien qu'il n'y eut copie d'aucun de ces styles. Sur l'autre côté de la route, au Sud, il y avait une construction octogonale avec un toit élevé, rappelant comme aspect le baptistère de Florence, sauf qu'elle était entourée d'une arcade de cloître appuyée sur elle : elle était aussi très délicatement ouvragée.

Toute cette masse d'architecture sur laquelle nous avions si soudainement débouché, du milieu des cultures riantes, n'était pas seulement d'une beauté exquise par elle-même, mais une telle expression de vie généreuse et abondante y était empreinte que jamais je ne m'étais senti réjoui à tel point.*

*Critique du fouriérisme*

— Vous [1] avez parlé tout à l'heure de tenue de maison : cela a frappé mon oreille un peu comme des usages des temps passés; j'aurais cru que vous deviez vivre plus en commun.

— En Phalanstère, hein ? Eh bien, nous vivons comme il nous plaît, et il nous plaît en général de vivre avec certains compagnons (de maison), auxquels nous nous sommes habitués. Rappelez-vous encore que la pauvreté a disparu et que les Phalanstères de Fourier, et toutes choses de ce genre, bien naturelles en leur temps, n'impliquaient rien d'autre qu'un refuge contre la pure indigence. Une manière de vivre comme celle-là n'a pu être conçue que par des gens qu'entourait la pire forme de pauvreté. Mais vous devez comprendre en même temps que si des maisons distinctes sont la règle ordinaire parmi nous, et si elles sont tenues de façons plus ou moins différentes, aucune porte n'est cependant fermée à une personne de bon caractère qui s'accommode de vivre comme les

1. L'interlocuteur de Morris est ici Hammond, un vieux philosophe de cent cinq ans, aïeul de Dick, qui est le jeune guide de Morris à travers l'Angleterre utopique du XXIe siècle.

autres compagnons de la maison; seulement, bien entendu, il ne serait pas raisonnable que quelqu'un s'introduisît dans une maison et invitât les gens à changer leurs habitudes pour lui être agréables, car il peut aller ailleurs et vivre comme il lui plait.•

*Les grandes villes...*

— Et vos grandes villes ? Qu'en faites-vous ? Londres, qui... dont j'ai lu qu'elle était la moderne Babylone de la civilisation, semble avoir disparu.

— Eh bien, mais, dit le vieux Hammond, peut-être après tout, elle ressemble davantage à l'ancienne Babylone que la « moderne Babylone » du XIXᵉ siècle. Mais peu importe. Après tout, il y a pas mal de population dans les endroits entre ici et Hammersmith, et vous n'avez pas vu encore la partie la plus dense de la ville.

— Dites-moi donc comment c'eſt vers l'Eſt ?

*...bien limitées, et denses*

— Il y a eu un temps où, si vous aviez monté un bon cheval et aviez couru tout droit depuis ma porte, ici, à une bonne allure, pendant une heure et demie, vous vous seriez encore trouvé en plein Londres et la plus grande partie de tout cela était des « bouges », comme on les appelait; cela veut dire des lieux de torture pour des innocents, hommes et femmes, ou pis, des maisons de proſtitution, pour entretenir et élever hommes et femmes dans un avilissement tel que cette torture leur enlevât la simple vie ordinaire et naturelle.

— Je sais, je sais, dis-je assez impatiemment. C'était ce que c'était; dites-moi quelque chose de ce qui eſt. Rien de tout cela eſt-il reſté ?

— Pas un pouce, mais quelques souvenirs sont demeurés et j'en suis heureux.•

Il n'y a que peu de maisons entre ici et les limites de l'ancienne cité, mais dans la cité nous avons une population dense. Nos ancêtres, au premier défrichement des bouges, ne se sont pas hâtés d'abattre les maisons, dans ce qu'on appelait, à la fin du XIXᵉ siècle, le quartier des affaires de la ville, et ce qui, plus tard, fut connu sous le nom d'Escroc-Ville. Vous comprenez, ces maisons, bien qu'elles fussent hideusement serrées sur le sol, étaient grandes, solidement construites, et propres, parce qu'on ne s'en servait pas pour y vivre, mais uniquement comme maisons de jeu; en sorte que les pauvres gens des bouges défrichés les prirent comme logement et habitèrent là jusqu'au moment où les hommes de ces temps-là eurent le temps de penser à quelque chose de mieux pour eux; les constructions furent donc abattues si progressivement que les gens se sont habitués à vivre en groupes plus denses là, que dans la plupart des endroits; aussi, c'est encore la partie la plus populeuse de Londres.• Mais c'est très agréable, en partie à cause de la splendeur de l'architecture.• Pourtant, cette densité• ne dépasse pas une rue appelée Aldgate.• Au-delà, les maisons sont largement disséminées parmi les prairies, qui sont très belles, surtout• vers les endroits qu'on appelle Strat Ford et Old Ford, noms que vous ne connaissez pas, bien entendu•.

Je ne les connaissais pas! pensais-je. Comme c'est étrange! que moi, qui avais vu détruire le dernier reste du charme de ces prairies le long de la Lea, je dusse en entendre parler comme ayant repris leur charme à pleine mesure.•

*L'industrie expulsée*

— Quant aux lieux sombres qui étaient autrefois, comme nous savons, les centres manufacturiers, ils ont disparu comme le désert londonien de briques et de mortier; seulement, comme ils n'étaient des centres de rien que de « manufactures », et n'avaient d'autre objet que le marché du jeu, ils ont laissé moins de traces de leur existence que Londres. Bien entendu, le grand changement dans l'emploi de la force mécanique rendait cela plus facile, et ils auraient probablement cessé d'être des « centres », même si nous n'avions pas changé nos habitudes; mais, étant ce qu'ils étaient, aucun sacrifice ne nous a paru trop grand pour nous débarrasser des « districts manufacturiers », comme on les appelait. D'ailleurs, tout le charbon et le minerai dont nous avons besoin est extrait et envoyé là où on en a besoin avec aussi peu de saleté et de désordre que possible, et sans autant troubler la vie des gens tranquilles. On serait tenté de croire, d'après ce qu'on a lu sur l'état de ces districts au XIXᵉ siècle, que ceux qui les tenaient en leur pouvoir tourmentaient, salissaient, et avilissaient les hommes par méchanceté préméditée; mais il n'en était pas ainsi : comme la fausse éducation dont nous avons parlé tout à l'heure, cela venait de leur effrayante pauvreté. Ils étaient obligés d'endurer n'importe quoi, et même d'assurer qu'ils étaient contents; tandis que nous pouvons maintenant en user largement avec tout, et refuser de marcher quand ça ne nous plaît pas.*

— Et les petites villes ? Je pense que vous les avez balayées complètement ?

*Valeur des petites villes*

— Non, non, il n'en a pas été ainsi. Au contraire, on a peu éclairci, quoique beaucoup rebâti, dans les petites villes. Il est vrai que leurs faubourgs, quand elles en avaient, ont disparu et pris l'aspect général du pays, et que leur centre a gagné de l'espace et s'est mis à l'aise; en sorte que c'est au moyen de ces petites villes que nous, hommes d'aujourd'hui, pouvons nous faire quelque idée de ce qu'étaient les villes de l'ancien monde — je veux dire en mieux.

— Prenez Oxford, par exemple, dis-je.

— Oui, je crois qu'Oxford était beau, même au xixe siècle. Maintenant, il présente cet intérêt de conserver encore un grand nombre de constructions de l'époque pré-commerciale, et c'est un endroit magnifique, bien qu'il y ait beaucoup de villes qui soient devenues à peine moins belles.*

*Retour au village*

— Vous devez savoir que, vers la fin du xixe siècle, les villages étaient presque détruits, excepté là où ils étaient devenus de simples annexes des districts manufacturiers, ou même des sortes de districts manufacturiers secondaires. On laissait les maisons se dégrader et tomber en ruine; on y coupait les arbres pour les quelques shillings que les branches pouvaient rapporter; la construction y était devenue inexprimablement pauvre et laide. La main-d'œuvre était rare; mais le salaire baissait quand même. Tous les humbles arts de la campagne, qui autrefois s'ajoutaient aux petits plaisirs des campagnards, étaient perdus. Les produits de la campagne qui passaient par les mains des cultivateurs n'atteignaient jamais jusqu'à leur bouche. Une incroyable misère et une âpre gêne régnaient sur les champs.•

— J'ai entendu dire qu'il en était ainsi, dis-je; mais quelle fut la suite ?

### Suppression de la différence entre la ville et la campagne

— Le changement qui, en ces matières, se produisit dès les premiers temps de notre époque, fut d'une rapidité très singulière. Les gens envahirent les villages de la campagne et, pour ainsi dire, se jetèrent sur la terre libérée comme une bête sauvage sur sa proie; et en un temps très court, les villages d'Angleterre furent plus peuplés qu'ils n'avaient été depuis le XIVe siècle, et grossirent rapidement. Naturellement, cette invasion de la campagne fut une affaire malaisée à traiter et aurait causé beaucoup de misère si le peuple eût été encore sous la servitude d'un monopole de classe. Mais, au point où l'on en était, les choses s'arrangèrent bientôt. Les gens trouvèrent l'occupation qui leur convenait.• La ville envahit la campagne; mais les envahisseurs, comme les envahisseurs guerriers des temps anciens, cédèrent à l'influence de leur entourage, et devinrent campagnards; et, à leur tour, lorsqu'ils furent devenus plus nombreux que les hommes des villes, ils influencèrent ceux-ci; en sorte que la différence entre la ville et la campagne alla diminuant; et c'est bien ce mode de la campagne, vivifié par la pensée et l'esprit alerte des gens élevés dans les villes, qui a produit cette vie heureuse, pleine de loisirs, active pourtant, dont vous avez eu une première idée.•

### Le plaisir

Bien des fautes ont été commises, mais nous avons eu le temps de les réparer. Beaucoup est resté à faire pour les hommes du temps de ma jeunesse. Les idées confuses de la première moitié du XXe siècle, à l'époque où les hommes étaient encore courbés sous la crainte de la pauvreté, et ne faisaient pas assez attention au plaisir présent de la simple vie journalière, détruisaient en grande partie ce que l'époque commerciale nous avait laissé de beauté extérieure; et je reconnais que les hommes ne se sont relevés que lentement des torts qu'ils se sont faits à eux-mêmes, même après qu'ils furent devenus libres.• Le relèvement• est, du moins, venu; et plus vous nous verrez, plus clairement vous apparaîtra que nous sommes heureux, que nous vivons parmi la beauté, sans aucune crainte de devenir efféminés; que nous avons beaucoup à faire et° avons plaisir à le faire. Que pouvons-nous demander de plus à la vie ?°

### Les réserves de nature

— Une chose, il me semble, ne va pas avec votre mot de « jardin » pour caractériser le pays. Vous avez parlé de terres incultes et de forêts, et j'ai vu moi-même le commencement de votre forêt de Middlesex et d'Essex. Pourquoi conservez-vous cela dans un jardin ? N'est-ce pas vraiment fâcheux ?

— Mon ami, nous aimons ces morceaux de nature sauvage, nous pouvons nous les permettre, et nous les avons; d'ailleurs, quant aux forêts, nous avons besoin de beaucoup de bois de charpente, et nous pensons qu'il en sera de même de nos fils et de nos petits-fils. Si le pays est un jardin, j'ai entendu dire qu'on avait autrefois des plantations d'arbres et de rochers dans les jardins; et moi qui n'aimerais guère les rochers artificiels, je vous assure que plusieurs des rochers naturels de notre jardin méritent d'être vus.*

### L'architecture comme écriture

— Des livres, des livres, toujours des livres, grand-père [1]! Quand comprendrez-vous qu'après tout, c'est le monde dans lequel nous vivons qui nous intéresse, ce monde dont nous sommes une partie et que nous n'aimerons jamais trop! Regardez! dit-elle, et elle ouvrit plus large la croisée, nous montrant la blanche lumière que la lune faisait briller parmi les ombres noires du jardin, où courait un léger frisson de vent d'été dans la nuit, regardez! voilà nos livres aujourd'hui!° Oui, voilà nos livres et, s'il nous en faut d'autres, ne pouvons-nous pas trouver de l'ouvrage dans les magnifiques constructions que nous élevons dans tout le pays (et je sais qu'il n'y a rien eu de pareil aux époques passées), où un

---

1. Le personnage, à qui s'adresse ici sa petite-fille Hélène, est un phénomène rare dans l'*Utopie* de Morris, un « admirateur des temps passés ».

homme peut montrer tout ce qu'il a en lui, et exprimer son esprit et son âme dans le travail de ses mains. [2]

[1] *Art, Wealth and Riches,* conférence prononcée le 6 mars 1883, in *The Collected Works of William Morris,* Londres, 1915. (Tome 23, pages 147-150. Notre traduction.)

[2] *News from Nowhere* publié en feuilleton en 1884 et en livre en 1891, traduit par P. G. La Chesnais : *Nouvelles de Nulle part ou une ère de repos,* Société nouvelle de Librairie et d'Édition, Paris, 1902. (Pages 39-40, 107-111, 113-114, 116-118, 121, 244-245.)

# III
# LE PRÉ-URBANISME SANS MODÈLE

# Friedrich Engels

## 1820-1895

*Le problème des grandes villes a été abordé de deux façons par Engels. D'une part, en une analyse critique impitoyable, fondée sur une enquête sociologique avant la lettre, que nourrissent à la fois les observations personnelles de l'auteur et toutes les sources écrites disponibles, il dénonce la misère du prolétariat urbain dans les cités industrielles anglaises : c'est le chapitre sur « Les grandes villes » de* La situation de la classe laborieuse en Angleterre *(1845).*

*D'autre part, près de trente ans plus tard, Engels s'attaque non plus à la situation de fait, mais aux solutions préconisées pour y remédier. Les trois articles de 1872, réunis en 1897 pour constituer* La question du logement, *sont destinés à faire apparaître le caractère paternaliste et réactionnaire des solutions « sociales » proposées par Proudhon, certains de ses disciples et certains bourgeois libéraux devant la crise du logement. Engels prend vigoureusement parti pour des solutions provisoires et pragmatiques : le logement n'est, à ses yeux, qu'un aspect partiel d'un problème global dont il ne peut être dissocié et que, seule, l'action révolutionnaire permettra de résoudre.*

*Engels refuse donc ici les modèles des socialistes-utopistes dont la pensée est par lui assimilée, sur ce point, à celle des capitalistes exploitants du prolétariat. Davantage, il offre une fin de non-recevoir à la méthode générale des modèles, non pour des raisons de facilité, mais par défiance à l'égard des constructions a priori et parce qu'il refuse radicalement de séparer la question du logement de son contexte économique et politique. A cet égard, l'attitude de Engels demeure exemplaire pour la pensée urbanistique d'aujourd'hui.*

# EN ATTENDANT LA RÉVOLUTION

### I. CRITIQUE DES GRANDES VILLES INDUSTRIELLES

Une ville comme Londres, où l'on peut marcher des heures sans même parvenir au commencement de la fin, sans découvrir le moindre indice qui signale la proximité de la campagne, est vraiment quelque chose de très particulier.

*Splendeur*

Cette centralisation énorme, cet entassement de 3,5 millions d'êtres humains en un seul endroit a centuplé la puissance de ces 3,5 millions d'hommes. Elle a élevé Londres au rang de capitale commerciale du monde, créé les docks gigantesques et rassemblé les milliers de navires qui couvrent continuellement la Tamise. Je ne connais rien qui soit plus imposant que le spectacle offert par la Tamise, lorsqu'on remonte depuis la mer jusqu'au London Bridge. •

*Misère*

Quant aux sacrifices que tout cela a coûté, on ne les découvre que plus tard. Lorsqu'on a battu durant quelques jours le pavé des rues principales, qu'on s'est péniblement frayé un passage à travers la cohue, les files sans fin de voitures et de chariots, lorsqu'on a visité les « mauvais quartiers » de cette métropole, c'est alors seulement qu'on commence à remarquer que ces Londoniens ont dû sacrifier la meilleure part de leur qualité d'hommes, pour accomplir tous les miracles de la civilisation dont la ville regorge, que cent forces, qui sommeillaient en eux, sont restées inactives et ont été étouffées afin que seules quelques-unes puissent se développer plus largement et être multipliées en s'unissant avec celles des autres. La cohue des rues a déjà, à elle seule, quelque chose de répugnant, qui révolte la nature humaine. Ces centaines de milliers de personnes, de tout état et de toutes classes, qui se pressent et se bousculent, ne sont-elles pas *toutes* des hommes possédant les mêmes qualités et capacités et le même intérêt dans la quête du bonheur ? Et ne doivent-elles pas finalement quêter ce bonheur par les mêmes moyens et procédés ? Et pourtant, ces gens se croisent en courant, comme s'ils n'avaient rien de commun, rien à faire ensemble, et pourtant, la seule convention entre eux, est l'accord tacite selon lequel chacun tient sur le trottoir sa droite, afin que les deux courants de la foule qui se croisent ne se fassent pas mutuellement obstacle ; et pourtant, il ne vient à l'esprit de personne d'accorder à autrui ne fut-ce qu'un regard. Cette indifférence brutale, cet isolement insensible de chaque individu au sein de ses intérêts particuliers, sont d'autant plus répugnants et blessants que le nombre de ces individus confinés dans cet espace réduit est plus grand. Et même si nous savons que cet isolement de l'individu, cet égoïsme borné sont partout le principe fondamental de la société actuelle, ils ne se manifestent nulle part avec une impudence, une assurance si totales qu'ici, précisément, dans la cohue de la grande ville. La désagrégation de l'humanité en monades, dont chacune a un principe de vie particulier et une fin particulière, cette atomisation du monde est poussée ici à l'extrême.

Il en résulte aussi que la guerre sociale, la guerre de tous contre tous, est ici ouvertement déclarée.■

### Ségrégation des pauvres

Toute grande ville a un ou plusieurs « mauvais quartiers » — où se concentre la classe ouvrière. Certes, il est fréquent que la pauvreté réside dans des venelles cachées tout près des palais des riches, mais en général, on lui a assigné un terrain à part où, dérobée au regard des classes plus heureuses, elle n'a qu'à se débrouiller seule, tant bien que mal. Ces « mauvais quartiers » sont organisés, en Angleterre, partout à peu près de la même manière, les plus mauvaises maisons dans la partie la plus laide de la ville ; le plus souvent, ce sont des bâtiments à deux étages ou à un seul, en briques, alignés en longues files, si possible avec des caves habitées et presque toujours bâtis irrégulièrement. Ces petites maisons de trois ou quatre pièces et une cuisine s'appellent des *cottages* et elles constituent communément dans toute l'Angleterre, sauf quelques quartiers de Londres, les demeures de la classe ouvrière. Les rues elles-mêmes ne sont habituellement ni planes ni pavées ; elles sont sales, pleines de détritus végétaux et animaux, sans égouts ni caniveaux mais, en revanche, parsemées de flaques stagnantes et puantes. De plus, l'aération est rendue difficile par la mauvaise et confuse construction de tout le quartier, et comme beaucoup de personnes vivent ici dans un petit espace, il est aisé d'imaginer quel air on respire dans ces quartiers ouvriers. En outre, les rues servent de séchoir, par beau temps ; on tend des cordes d'une maison à celle d'en face, et on y suspend le linge humide.

*St Giles*

Examinons quelques-uns de ces mauvais quartiers. Il y a d'abord Londres et, à Londres, la célèbre « Nichée des Corbeaux » (Roockery), St Giles, où l'on va seulement percer quelques rues et qui doit être ainsi détruit. Ce St Giles est situé au milieu de la partie la plus peuplée de la ville, entouré de rues larges et lumineuses, où s'affaire le beau monde londonien — tout près d'Oxford Street, de Trafalgar Square et du Strand. C'est une masse de maisons à trois ou quatre étages, bâties sans plan, avec des rues étroites, tortueuses et sales où règne une animation aussi intense que dans les rues principales qui traversent la ville, à cela près que l'on ne voit, à St Giles, que des gens de la classe ouvrière. Le marché se tient dans les rues : des paniers de légumes et de fruits, naturellement tous de mauvaise qualité et à peine comestibles, réduisent encore le passage et il en émane, comme des boutiques de boucher, une odeur écœurante. Les maisons sont habitées de la cave aux combles, aussi sales à l'extérieur qu'à l'intérieur, et ont un aspect tel que personne n'éprouverait le désir d'y habiter. Mais cela n'est rien encore auprès des logements dans les cours et les venelles transversales où l'on accède par des passages couverts, et où la saleté et la vétusté dépassent l'imagination ; on ne voit pour ainsi dire pas une seule vitre intacte, les murs sont lépreux, les chambranles des portes et les cadres des fenêtres sont brisés ou descellés, les portes — quand il y en a — faites de vieilles planches clouées ensemble ; ici, même dans ce quartier de voleurs, les portes sont inutiles parce qu'il n'y a rien à voler. Partout, des tas de détritus et de cendres et les eaux usées déversées devant les portes finissent par former des plaques nauséabondes. C'est là qu'habitent les plus pauvres des pauvres, les travailleurs les plus mal payés, avec les voleurs, les escrocs et les victimes de la prostitution, tous pêle-mêle. •

A Londres, 50.000 personnes se lèvent chaque matin sans savoir où elles poseront leur tête la nuit suivante. Les plus heureux d'entre eux sont ceux qui parviennent à disposer pour le soir d'un ou deux pence et vont dans ce qu'on appelle une « maison-dortoir » (Lodging house) qu'on trouve en grand nombre dans toutes les grandes villes et où on leur donne asile en échange de leur argent. •

### Liverpool

Les autres grands ports ne valent guère mieux. Liverpool, malgré tout son trafic, son luxe et sa richesse, traite cependant ses travailleurs avec la même barbarie. Un bon cinquième de la population, soit plus de 45.000 personnes habitent dans des caves exiguës et sombres, humides et mal aérées, au nombre de 7.862 dans la ville. A cela s'ajoutent encore 2.270 cours *(courts)*, c'est-à-dire de petites places fermées des quatre côtés et n'ayant comme accès et sortie qu'un étroit passage, le plus souvent voûté et qui, par conséquent ne permet pas *la moindre* aération, la plupart du temps très sales et habitées presque exclusivement par des prolétaires. Nous aurons à reparler de ces cours, lorsque nous en arriverons à Manchester. A Bristol, on a eu l'occasion de visiter 2.800 familles d'ouvriers dont 46 % n'avaient qu'une seule pièce. •

### Manchester

Tout l'ensemble appelé couramment Manchester compte au moins 400.000 habitants sinon plus. La ville elle-même est construite d'une façon si particulière qu'on peut y habiter des années, en sortir et y entrer quotidiennement, sans jamais entrevoir un quartier ouvrier ni même rencontrer d'ouvriers, si l'on se borne à vaquer à ses affaires ou à se promener. Mais cela tient principalement à ce que les quartiers ouvriers — par un accord inconscient et tacite, autant que par intention consciente et avouée — sont séparés avec la plus grande rigueur des parties de la ville réservées à la classe moyenne, ou bien alors, quand c'est impossible, dissimulées sous le manteau de la charité. Manchester abrite, en son centre, un quartier commercial assez étendu, long d'environ un demi mille et large d'autant, composé presque uniquement de comptoirs et d'entrepôts *(warehouses)*. Presque tout ce quartier est inhabité et, durant la nuit, désert et vide; seules les patrouilles de police rôdent avec leurs lanternes sourdes dans les rues étroites et sombres.

Cette partie est sillonnée par quelques grandes artères à l'énorme trafic et dont les rez-de-chaussée sont occupés par de luxueux magasins; dans ces rues, on trouve çà et là des étages habités, et il y règne, jusque tard dans la soirée, une assez grande animation. A l'exception de ce quartier commercial, toute la ville de Manchester proprement dite, tout Salford et Hulme, une importante partie de Pendleton et Chorlton, les deux tiers d'Ardwick et quelques quartiers de Cheetham Hill et Broughton, ne sont qu'un district ouvrier qui entoure le quartier commercial comme une ceinture, dont la largeur moyenne est de un mille et demi. Au-delà de cette ceinture, habitent la bourgeoisie moyenne et la haute bourgeoisie.•

« *La petite Irlande* »

Le coin le plus hideux — si je voulais parler en détail de tous les blocs d'immeubles séparément, je n'en finirais pas — se situe du côté de Manchester, immédiatement au Sud-Ouest d'Oxford Road et s'appelle « la petite Irlande » *(Little Ireland)*. Dans un creux de terrain assez profond, bordé en demi-cercle par le Medlock, et sur les quatre côtés par de hautes usines, de hautes rives couvertes de maisons ou des remblais, 200 cottages environ sont répartis en deux groupes, le mur de derrière étant le plus souvent mitoyen; quelque 4.000 personnes y habitent, presque tous des Irlandais. Les cottages sont vieux, sales et du type le plus petit, les rues inégales tout en bosses, en partie sans pavés et sans caniveaux; partout, une quantité considérable d'immondices, de détritus et de boue nauséabonde entre les flaques stagnantes; l'atmosphère est empestée par leurs émanations, assombrie et alourdie par les fumées d'une douzaine de cheminées d'usines; une foule d'enfants et de femmes en haillons rôdent en ces lieux, aussi sales que les porcs qui se prélassent sur les tas de cendres et dans les flaques. Bref, tout ce coin offre un spectacle aussi répugnant que les pires cours des bords de l'Irk. La population qui vit dans ces cottages délabrés, derrière ces fenêtres brisées et sur lesquelles on a collé du papier huilé, et ces portes fendues aux montants pourris, voire dans ces caves humides et sombres, au milieu de cette saleté et de cette puanteur sans bornes, dans cette atmosphère qui semble intentionnellement renfermée, cette population doit réellement se situer à l'échelon le plus bas de l'humanité; telle est l'impression et la conclusion qu'impose au visiteur l'aspect de ce quartier vu de l'extérieur. Mais que dire quand on apprend que, dans chacune de ces petites maisons, qui ont tout au plus deux pièces et un grenier, parfois une cave, habitent vingt personnes, que dans tout ce quartier il n'y a qu'un cabinet — le plus souvent inabordable, bien sûr — pour 120 personnes environ, et qu'en dépit de tous les sermons des médecins, en dépit de l'émotion qui s'empara de la police chargée de l'hygiène pendant l'épidémie de choléra, quand elle découvrit l'état de la Petite Irlande, tout est, aujourd'hui, en l'an de grâce 1844, presque dans le même état qu'en 1831.[•]

### Affront à l'homme

Voilà les différents quartiers ouvriers de Manchester, tels que j'ai eu l'occasion de les observer moi-même durant vingt mois. Pour résumer le résultat de nos promenades à travers ces localités, nous dirons que la quasi-totalité des 350.000 ouvriers de Manchester et de sa banlieue habite dans des cottages en mauvais état, humides et sales; que les rues qu'ils prennent sont le plus souvent dans le plus déplorable état et extrêmement malpropres, et qu'elles ont été construites sans le moindre souci de l'aération, avec l'unique préoccupation du plus grand profit possible pour le constructeur; en un mot, que dans les logements ouvriers de Manchester il n'y a pas de propreté, pas de confort et donc pas de vie de famille possible; que seule une race déshumanisée, dégradée, rabaissée à un niveau bestial, tant du point de vue intellectuel que du point de vue moral, physiquement morbide, peut s'y sentir à l'aise et s'y retrouver chez soi. [1]

## II. LA QUESTION DU LOGEMENT

*La crise du logement, aspect particulier de l'exploitation*

La crise du logement — à laquelle la presse de nos jours, porte une si grande attention — ne réside pas dans le fait universel que la classe ouvrière est mal logée et vit dans des logis surpeuplés et malsains. *Cette* crise du logement-là n'est pas une particularité du moment présent; elle n'est pas même un de ces maux qui soit propre au prolétariat moderne et le distinguerait de toutes les classes opprimées qui l'ont précédé; bien au contraire, toutes les classes opprimées de tous les temps en ont été à peu près également touchées. Pour mettre fin à *cette* crise du logement, il n'y a qu'*un* moyen : éliminer purement et simplement l'exploitation et l'oppression de la classe laborieuse par la classe dominante. Ce qu'on entend de nos jours par crise du logement, c'est l'aggravation particulière des mauvaises conditions d'habitation des travailleurs par suite du brusque afflux de la population vers les grandes villes; c'est une énorme augmentation des loyers; un entassement encore accru de locataires dans chaque maison et, pour quelques-uns, l'impossibilité de trouver même à se loger. Et si *cette* crise du logement fait tant parler d'elle, c'est qu'elle n'est pas limitée à la classe ouvrière, mais qu'elle atteint également la petite bourgeoisie.

La crise du logement pour les travailleurs et une partie de la petite bourgeoisie dans nos grandes villes modernes est un des innombrables maux d'importance *mineure* et secondaire qui résultent de l'actuel mode de production capitaliste. Elle n'est nullement une conséquence directe de l'exploitation du travailleur, *en tant que tel*, par le capitalisme. •

*Pas de solution sans révolution*

Comment donc résoudre la question du logement ? Dans notre société actuelle, comme toute autre question sociale : en établissant graduellement un équilibre économique entre l'offre et la demande; cette solution, qui n'empêche pas le problème de se reposer sans cesse, n'en est donc pas une. Quant à la manière dont une révolution sociale résoudrait la question, cela dépend non seulement des circonstances dans lesquelles elle se produirait, mais aussi de questions beaucoup plus étendues, dont l'une des plus essentielles est la suppression de l'opposition entre la ville et la campagne. Comme nous n'avons pas à bâtir des systèmes utopiques pour l'organisation de la société future, il serait plus qu'oiseux de nous étendre sur ce sujet. Ce qui est certain, c'est qu'il y a dans les grandes villes déjà suffisamment d'immeubles à usage d'habitation pour remédier sans délai, par leur emploi rationnel, à toute véritable « crise du logement ». Ceci ne peut naturellement se faire que par l'expropriation des propriétaires actuels, par l'occupation de leurs immeubles par des travailleurs sans abri ou immodérément entassés dans leurs logis ; et, dès que le prolétariat aura conquis le pouvoir politique, cette mesure exigée par le bien public sera aussi facile à réaliser que le sont aujourd'hui les expropriations et réquisitions de logements par l'État.•

### La ville et la campagne

On avoue donc que la solution bourgeoise de la question du logement a fait faillite : elle s'est heurtée à *l'opposition entre la ville et la campagne.* Et nous voici arrivés au cœur même de la question : elle ne pourra être résolue que si la société est profondément transformée pour qu'elle puisse s'attaquer à la suppression de cette opposition, poussée à l'extrême dans la société capitaliste d'aujourd'hui. Bien éloignée de pouvoir supprimer cette opposition, elle la rend au contraire chaque jour plus aiguë. Les premiers socialistes utopiques modernes, Owen et Fourier, l'avaient déjà parfaitement reconnu. Dans leurs constructions modèles, l'opposition entre la ville et la campagne n'existe plus ;• ce n'est pas la solution de la question du logement qui résoud du même coup la question sociale, mais bien la solution de la question sociale, c'est-à-dire l'abolition du mode de production capitaliste, qui rendra possible celle de la question du logement. Vouloir résoudre cette dernière avec le maintien des grandes villes modernes est une absurdité. Ces grandes villes modernes ne seront supprimées que par l'abolition du mode de production capitaliste et, quand ce processus sera en train, il s'agira alors de tout autre chose que de procurer à chaque travailleur une maisonnette qui lui appartienne en propre.•

*Contre les projets utopiques*

Quand• M. Sax [1] sort des grandes villes et discourt longuement sur les colonies ouvrières qui doivent être érigées *à côté* des villes, nous dépeignant toutes leurs merveilles, leurs « canalisations d'eau, leur éclairage au gaz, leur chauffage central à l'air et à l'eau, leurs cuisines-buanderies, leurs séchoirs, leurs salles de bains, etc. » avec des « jardins d'enfants, des écoles, des salles de prière (!) et de lecture, des bibliothèques... des cafés, des brasseries, des salles de danse et de musique en tout bien tout honneur », cela ne change rien à rien. Cette colonie, telle qu'il nous la dépeint, est empruntée directement aux socialistes Owen et Fourier par M. Huber qui l'a complètement embourgeoisée, simplement en la dépouillant de tout ce qu'elle avait de socialiste. Et, par là, elle devient doublement utopique. Aucun capitaliste n'a intérêt à édifier de telles colonies, aussi bien il n'en existe nulle part au monde, en dehors de Guise, en France ; et celle-ci a été construite par un fouriériste, non comme une affaire rentable mais comme « expérience socialiste ».•

*Enquête et attente*

• Je n'ai pas à me défendre contre le reproche de considérer l'état déshonorant des habitations ouvrières actuelles « comme un détail sans importance ». J'ai été, autant que je sache, le premier écrivain de langue allemande à décrire cette situation dans son développement typique, tel qu'on le rencontre en Angleterre : non pas comme le pense Mülberger [2] parce qu'elle « heurte de front

1. Emil Sax (1845-1927), économiste bourgeois autrichien, avait publié à Vienne en 1869 *Les conditions d'habitation des classes laborieuses et leur réforme*. Pour Engels, cet ouvrage symbolise « la littérature bourgeoise sur la santé publique et la question du logement » ; le second essai (ou deuxième partie) de *La question du logement* est entièrement consacré à sa réfutation.
2. Médecin de Wurtemberg qui publia anonymement dans le *Volksstaat* (organe central du parti socialiste démocrate allemand, de 1868 à 1876) une série d'articles « sur les effets miraculeux de la médecine universelle de Proudhon » (Engels, Préface, p. 10). Engels lui répondit, dans le même organe, par des articles qui constituent aujourd'hui la première partie de *La question*. La troisième partie (*Remarques complémentaires sur Proudhon et la*

*mon sentiment de la justice* » — celui qui voudrait écrire des livres sur tout ce qui heurte son sentiment de la justice, aurait fort à faire — mais bien, comme on peut le lire dans la préface de mon livre, pour donner au socialisme allemand alors à ses débuts et qui s'égarait dans une vaine phraséologie, une base concrète, en lui dépeignant la situation sociale créée par la grande industrie moderne. Quant à vouloir résoudre ce qu'on appelle la question du *logement,* cela me vient aussi peu à l'esprit que de m'occuper en détail de la question encore plus importante de la *nourriture.* Je m'estimerai satisfait si j'ai pu démontrer que la production, dans notre société moderne, est suffisante pour que tous ses membres aient assez à manger et qu'il existe assez d'habitations pour offrir provisoirement aux masses travailleuses un abri spacieux et sain. Mais, spéculer sur la manière dont la société future réglera la répartition de la nourriture et des logements aboutit directement à l'*utopie.* Tout au plus, pouvons-nous, d'après la connaissance que nous avons des conditions fondamentales de tous les modes de production ayant existé jusqu'ici, établir qu'avec la chute de la production capitaliste, certaines formes d'appropriation dans la société actuelle deviendront impossibles. Les mesures de transition elles-mêmes devront partout s'adapter aux conditions qui existeront à ce moment-là. Elles seront fondamentalement différentes dans les pays de petite propriété et dans ceux de grande propriété foncière. [2]

[1] *Die Lage der arbeitenden Klasse in England,* Otto Wigand, Leipzig, 1845. Traduction française par G. Badia et J. Frédéric : *La situation de la classe laborieuse en Angleterre,* Éditions sociales, Paris, 1960. (Pages 59-60, 62-64, 68, 74, 85-86, 101, 104.)

[2] *Zur Wohnungsfrage,* Leipzig, 1887. Traduction française par Gilberte Lenoir : *La question du logement,* Éditions sociales, Paris 1957. Pages 21, 36-37, 57-58, 108.)

*question du logement )* est une réponse à la réponse, signée, cette fois, que Mülberger avait, à son tour, adressée aux articles de Engels.

# Karl Marx

## 1818-1883

*L'horizon de la ville est la toile de fond sur laquelle se découpe l'ensemble de la pensée historique et politique de Marx. « L'histoire de toute société jusqu'à ce jour, c'est l'histoire de la lutte des classes[1]. » Or celle-ci, dans ses phases décisives, se déroule dans la ville, berceau de la bourgeoisie, puis du prolétariat industriel, ces deux moteurs de l'histoire et de la révolution.*

*A travers le temps, la ville a donc joué un double rôle, aliénant et libérateur. La cité industrielle du XIXe siècle est un moment — ultime, peut-être — de cette dialectique. Marx lui a consacré quelques pages seulement, mais qu'une réflexion sur la ville ne peut ignorer. C'est tout d'abord — et surtout — l'inoubliable analyse théorique des manuscrits de 1844, où le jeune Marx trace en négatif le statut « ontologique » de la ville[2]. Ce sont ensuite les descriptions concrètes du Capital où, après Engels, il décrit la condition du prolétariat urbain en Angleterre.*

## LA VILLE COMME DÉGRADATION

### I. LA GRANDE VILLE INDUSTRIELLE :

*« Maison de la lumière » ou tanière*

• Même le besoin de grand air cesse d'être un besoin pour l'ouvrier ; l'homme retourne à sa tanière, mais elle est maintenant

---

1. *Manifeste du parti communiste.*
2. On pourra, avec beaucoup de précautions, rapprocher de ces pages

empestée par le souffle pestilentiel et méphitique de la civilisation et il ne l'habite plus que d'une façon *précaire,* comme une puissance étrangère qui peut chaque jour se dérober à lui, dont il peut chaque jour être expulsé s'il ne paie pas. Cette maison de mort, il faut qu'il la *paie.* La « maison de lumière » que, dans Eschyle, Prométhée désigne comme l'un des plus grands cadeaux qui lui ait permis de transformer le sauvage en homme, cesse d'être pour l'ouvrier. La lumière, l'air, etc. ou la propreté *animale* la plus élémentaire cessent d'être un besoin pour l'homme. La *saleté,* cette stagnation, cette putréfaction de l'homme, ce *cloaque* (au sens littéral) de la civilisation devient son *élément de vie.* L'incurie complète et *contre nature,* la nature putride devient *l'élément de sa vie.* Aucun de ses sens n'existe plus, non seulement sous son aspect humain, mais aussi sous son aspect *inhumain,* c'est-à-dire pire qu'animal.•

Nous avons dit plus haut que l'homme retourne à sa *tanière,* etc., mais la retrouve sous une forme aliénée et hostile. Le sauvage dans sa caverne — cet élément de la nature qui s'offre spontanément à lui pour qu'il en jouisse et qu'il y trouve abri — ne se sent pas plus étranger, ou plus exactement, tout aussi à l'aise que le *poisson* dans l'eau. Mais la cave où loge le pauvre est quelque chose d'hostile, elle est un « domicile qui contient en soi une puissance étrangère, qui ne se donne à lui que dans la mesure où il lui donne sa sueur », qu'il ne peut considérer comme sa propre maison, — où il pourrait enfin dire : ici je suis chez moi, — où il se trouve plutôt dans la maison d'un autre, dans la maison d'un *étranger* qui chaque jour le guette et l'expulse s'il ne paie pas le loyer. De même, au point de vue de la qualité, il connaît son logement comme le contraire du logement humain situé *dans l'au-delà,* au ciel de la richesse. [1]

### Contre le mythe du désordre

Jamais une société n'expire avant que soient développées toutes les forces productives qu'elle est assez large pour contenir; jamais des rapports supérieurs de production ne se mettent en place avant que les conditions matérielles de leur existence se soient écloses

toutes empreintes encore d'hégélianisme, le texte de Heidegger cité plus loin. Dans les deux cas apparaît le rôle formateur d'un « habiter » authentique.

dans le sein même de la vieille société. C'est pourquoi l'humanité ne se propose jamais que les tâches qu'elle peut remplir : à mieux considérer les choses, on verra toujours que la tâche surgit là où les conditions matérielles de sa réalisation sont déjà formées, ou sont en voie de se créer. [2]

## II. LONDRES

*Misère de Londres*

C'est Londres qui occupe le premier rang sous le rapport des logements encombrés, ou absolument impropres à servir d'habitation humaine. Il y a deux faits certains, dit le docteur Hunter : « Le premier, c'est que Londres renferme vingt grandes colonies fortes d'environ dix mille personnes chacune, dont l'état de misère dépasse tout ce qu'on a vu jusqu'à ce jour en Angleterre, et cet état résulte presque entièrement de l'accomodation pitoyable de leurs demeures. Le second, c'est que le degré d'encombrement et de ruine de ces demeures est bien pire qu'il y a vingt ans. Ce n'est pas trop dire que d'affirmer que, dans nombre de quartiers de Londres et de Newcastle, la vie est réellement infernale[1]. »

A Londres, la partie même la mieux située de la classe ouvrière, en y joignant les petits détaillants et d'autres éléments de la petite classe moyenne, subit chaque jour davantage l'influence fatale de ces abjectes conditions de logement, à mesure que marchent les « améliorations », et aussi la démolition des anciens quartiers, à mesure que les fabriques toujours plus nombreuses font affluer des masses d'habitants dans la métropole, et enfin que les loyers des maisons s'élèvent avec la rente foncière dans les villes.•

*Surpopulation*

Les ouvriers chassés par la démolition de leurs anciennes demeures ne quittent point leur paroisse, ou ils s'en établissent le plus près possible, sur la lisière. « Ils cherchent naturellement à se loger dans le voisinage de leurs ateliers, d'où il résulte que la famille qui avait deux chambres est forcée de se réduire à une seule.

1. Citation du *Public Health, Eighth Report,* 1866.

Lors même que le loyer en est plus élevé, le logement nouveau est pire que celui, déjà mauvais, d'où on les a expulsés. La moitié des ouvriers du Strand sont déjà obligés de faire une course de deux milles pour se rendre à leur atelier. » Ce Strand, dont la rue principale donne à l'étranger une haute idée de la richesse londonienne, va précisément nous fournir un exemple de l'entassement humain qui règne à Londres. L'employé de la police sanitaire a compté, dans une de ces paroisses, cinq cent quatre-vingt un habitants par acre[1], quoique la moitié du lit de la Tamise fut comprise dans cette estimation. Il va de soi que toute mesure de police qui, comme cela s'est fait jusqu'ici à Londres, chasse les ouvriers d'un quartier en en faisant démolir les maisons inhabitables, ne sert qu'à les entasser plus à l'étroit dans un autre. « Ou bien il faut absolument, dit le docteur Hunter, que ce mode absurde de procéder ait un terme, ou bien la sympathie publique (!) doit s'éveiller pour ce que l'on peut appeler sans exagération un devoir national. Il s'agit de fournir un abri à des gens qui ne peuvent s'en procurer faute de capital, mais n'en rémunèrent pas moins leurs propriétaires par des paiements périodiques. »•

*Prolétarisation*

Au commencement du XIXe siècle, il n'y avait, en dehors de Londres, pas une seule ville en Angleterre qui comptât cent mille habitants. Cinq seulement en comptaient plus de cinquante mille. Il en existe aujourd'hui vingt-huit dont la population dépasse ce nombre. « L'augmentation énorme de la population des villes n'a pas été le seul résultat de ce changement, mais les anciennes petites villes compactes sont devenues des centres autour desquels des constructions s'élèvent de tous côtés, ne laissant arriver l'air de nulle part. Les riches ne les trouvant plus agréables, les quittent pour les faubourgs où ils se plaisent davantage. Les successeurs de ces riches viennent donc occuper leurs grandes maisons; une famille s'installe dans chaque chambre, souvent même avec des sous-locataires. C'est ainsi qu'une population entière s'est installée dans des habitations qui n'étaient pas disposées pour elle, et où

1. L'acre vaut quarante ares et demi.

elle était absolument déplacée, livrée à des influences dégradantes pour les adultes et pernicieuses pour les enfants. » [3]

[1] *Manuscrits de 1844* : rédigés par Marx à Paris, en 1844, et publiés pour la première fois par Landshut et Mayer dans *Der historische Materialismus. Die Frühschriften,* Leipzig, 1932. Traduction française de E. Bottigelli, Éditions sociales, Paris, 1957. (Le texte cité appartient au troisième manuscrit, pages 101-102, 108-109.)

[2] *Zur Kritik der politischen Œkonomie, erstes Heft,* Duncker, Berlin, 1859. Traduction française de M. Rubel et E. Évrard, in *Karl Marx, Œuvres,* t. I, La Pléiade, Gallimard, Paris 1963. (Pages 273-274.)

[3] *Das Kapital, erstes Buch,* Meisner, Berlin, 1867. Traduction française de J. Roy, revue par M. Rubel, La Pléiade, Gallimard. (Pages 1348-1350.)

# Pierre Kropotkine

## 1842-1921

*Cet aristocrate russe fut à la fois un géographe brillant, un révolutionnaire militant, un écrivain qui consacra son talent à la vulgarisation de ses idées scientifiques comme à la diffusion de la doctrine anarchiste.*

*Dès sa jeunesse, il s'intéressa à la condition de la classe paysanne et à l'agriculture russe. Secrétaire de la section de géophysique de la Société russe de Géographie, il fit de nombreuses explorations en Mandchourie et étudia les dépôts glaciaires de Finlande et de Suède. En 1873, il publia des rectifications à la carte de l'Asie.*

*En 1872, il était devenu anarchiste et membre, en Suisse, de la Fédération du Jura. Militant nihiliste, il fut emprisonné en Russie de 1874 à 1876. Après s'être évadé de Russie, il milita à nouveau en Suisse et en France (où il fut incarcéré de 1882 à 1886), avant de s'installer à Londres. C'est là qu'il devait développer sa théorie de l'aide mutuelle, qui préconise un système de coopération économique rendant superflu tout gouvernement fortement structuré.*

*Ses connaissances agricoles, exceptionnelles pour l'époque, son information scientifique et sa haine de la contrainte conduisirent Kropotkine à une vision de l'avenir d'où les grandes villes et les fortes concentrations démographiques seraient éliminées au profit d'une véritable symbiose de l'industrie et de la campagne ; de cette vision se rapprochera plus tard l'idéal « usonien » de Frank Lloyd Wright.*

# L'ÉQUILIBRE VILLE-CAMPAGNE

## I. CRITIQUE DES UTOPIES PROGRESSISTES

*Contre la contrainte*

Avec Cabet• le communisme jacobin et la suppression de l'individualité arrivaient à leur complète expression. Ainsi, dans le *Voyage* de Cabet nous voyons partout l'autorité, l'État, jusque dans la cuisine de chaque ménage.• Le Comité va jusqu'à régler le nombre de repas, leur temps, leur durée, le nombre de mets, leur espèce et leur ordre de service. Quant aux vêtements, ils sont tous ordonnés par le Comité, sur un plan-modèle, l'uniforme porté par chacun indiquant les conditions et la position de l'individu. Les ouvriers, toujours fabriquant les mêmes pièces, sont un régiment [1] — « tant l'ordre et la discipline y règnent ! » s'exclame Cabet.•

*Pour un groupement « vital »*

L'idée de Communes indépendantes pour les groupements *territoriaux*, et de vastes fédérations de métiers pour les groupements *par fonctions sociales*• permit aux anarchistes de concevoir d'une façon concrète, réelle, l'organisation possible d'une société affranchie. Il n'y avait plus qu'à y ajouter les *groupements par affinités personnelles* — groupements sans nombre, variés à l'infini, de longue durée ou éphémères, surgissant selon les besoins du moment pour

---

1. La pensée de Kropotkine se développe donc contre l'idée de contrainte, qui caractérise au contraire les modèles progressistes, où elle est solidaire de l'objectif du rendement. Dans l'un et l'autre cas, le projet urbain n'est pas détachable d'une position éthique. Pour Kropotkine, cf. *La morale anarchiste*, (Paris, Les Temps nouveaux, 1889) p. 7 : « Rechercher le plaisir, éviter la peine, c'est le fait général, c'est l'essence même de la vie. Sans cette recherche de l'agréable, la vie serait impossible. L'organisme se désagrégerait, la vie cesserait. » Et, p. 9 : « C'est toujours cette maudite idée de punition et de châtiment qui se met en travers de la raison, c'est toujours cet héritage absurde de l'enseignement religieux. »

tous les buts possibles — groupements que nous voyons déjà surgir dans la société actuelle, en dehors des groupements politiques et professionnels.

Ces trois sortes de groupements, se couvrant comme un réseau les uns les autres, arriveraient ainsi à permettre la satisfaction de tous les besoins sociaux : la consommation, la production et l'échange; les communications, les arrangements sanitaires, l'éducation; la protection mutuelle contre les agressions, l'entr'aide, la défense du territoire; la satisfaction, enfin, des besoins scientifiques, artistiques, littéraires, d'amusement. Le tout — toujours plein de vie et toujours prêt à répondre par de nouvelles adaptations aux nouveaux besoins et aux nouvelles influences du milieu social et intellectuel.•

*Contre le modèle*

Quant aux *nouvelles* formes de la vie qui commencera à germer lors d'une révolution sur les ruines des formes précédentes — aucun gouvernement ne pourra jamais trouver *leur* expression *tant que ces formes ne se détermineront pas elles-mêmes dans l'œuvre de reconstruction des masses, se faisant sur mille points à la fois.*• On ne légifère pas l'avenir. Tout ce qu'on peut, c'est en deviner les tendances essentielles et leur déblayer le chemin.•

*Contre le prosélytisme phalanstérien*

Presque toutes les Communes furent fondées à la suite d'un élan d'enthousiasme quasi religieux. On demandait aux hommes d'être « des pionniers de l'humanité », de se soumettre à des règlements de morale minutieux, de se refaire entièrement par la vie communiste, de donner tout leur temps pendant les heures de travail et en dehors de ces heures, à la Commune; de vivre entièrement pour la Commune. C'était insensé.

C'était faire comme pour les moines, et demander aux hommes — sans aucune nécessité — d'être ce qu'ils ne sont pas.•

L'autre faute fut de modeler la commune sur la famille et de vouloir en faire « la grande famille ». Pour cela, on vivait tous sous un même toit, forcés toujours à chaque instant, d'être en compagnie des mêmes frères et sœurs.•

Une première condition de réussite pour une commune, serait

donc d'abandonner l'idée d'un phalanstère et d'habiter des maisonnettes séparées, comme cela se fait en Angleterre.

### Contre les agglomérations réduites

En outre, une *petite* commune ne saurait durer. Les « frères et sœurs » forcés au contact continuel avec la pauvreté d'impressions qui les entoure finissent par se détester.• Il faut se dire d'avance qu'une association étroite de dix, vingt, cent personnes ne pourra durer que trois ou quatre années. Si elle durait plus, ce serait même regrettable, puisque cela prouverait seulement que tous se sont laissés subjuguer par un seul, ou que tous ont perdu leur individualité.• Il faudrait au moins avoir une dizaine ou plus de communes fédérées.• Autrement la ruche communiste doit nécessairement périr ou tomber (comme cela arrive presque toujours) aux mains d'un seul.•

### Contre la construction en rase campagne

On comprend donc quelle faute commettaient les Icariens et les autres communistes en allant fonder leurs communes dans les prairies de l'Amérique du Nord. Il valait mieux payer le loyer de la terre en Europe que de s'éloigner dans le désert — à moins de rêver• la fondation d'un nouvel *empire religieux*. Pour des réformateurs *sociaux,* il faut la lutte, la proximité des centres intellectuels, le contact continuel avec la société que l'on cherche à réformer — et l'inspiration de la science, de l'art, du progrès, qui ne s'obtient pas par les livres seuls.• [1]

### II. SUGGESTIONS POUR L'AVENIR

Le progrès est en ce que nous comprenons qu'une *ville* seule, se mettant en commune, trouverait de la difficulté à vivre. L'essai devrait être commencé conséquemment sur un *territoire* — celui, par exemple, d'un des États de l'Ouest Américain.•

C'est sur un territoire assez grand, *comprenant ville et campagne* — et non pas dans une ville ou un village seuls — qu'il faudra, en effet, se lancer un jour vers l'avenir communiste.

*Le travail intégré*

Jusqu'ici l'économie politique a surtout insisté sur la *division*. Nous, nous réclamons *l'intégration*, et nous soutenons que l'idéal de la société — c'est-à-dire le but prochain vers lequel la société est déjà en marche — est une société de travail intégré, une société où chaque individu est producteur, à la fois de travail manuel et de travail intellectuel, où tout homme valide est ouvrier, et où chaque ouvrier travaille à la fois aux champs et à l'atelier; où tout groupement d'individus, assez nombreux pour disposer d'une certaine variété de ressources naturelles — que ce soit une nation ou mieux encore une région — produit et consomme lui-même la plus grande partie de ses produits agricoles et manufacturés.•

*La décentralisation industrielle*

Pourquoi, dans une société rationnellement organisée, Londres resterait-il un grand centre pour la production des confitures et des conserves, et continuerait-il à fabriquer des parapluies pour à peu près tout le Royaume-Uni ? Pourquoi les innombrables petites industries de Whitechapel resteraient-elles où elles sont, au lieu de se disperser dans tout le pays ? Il n'y a aucune raison pour que les manteaux portés par les Anglaises soient confectionnés à Berlin et dans Whitechapel, plutôt que dans le Devonshire ou dans le Derbyshire. Et pourquoi Paris raffinerait-il du sucre à peu près pour la France entière ?•. Il n'y a absolument aucune raison pour que ces anomalies et autres analogues persistent. Les industries doivent se disséminer sur toute la surface du globe, dans tous les pays civilisés, et cette dispersion sera nécessairement suivie d'une dispersion des fabriques sur tout le territoire de chaque nation.•

Lorsque nous voyons la Suisse devenir un pays d'exportation pour les machines à vapeur, les locomotives, les bateaux à vapeur — alors qu'elle n'a ni minerai de fer, ni houille pour obtenir l'acier,• ni même un port de mer;• lorsque nous voyons la Belgique se faire exportatrice de raisin, Manchester devenu port de mer, et ainsi de suite, nous comprenons que, dans la distribution géographique des industries, le facteur des produits locaux et celui des facilités maritimes ne sont pas encore les deux facteurs dominants. Nous nous apercevons qu'en fin de compte, c'est le facteur *intellectuel* (l'esprit d'invention, la faculté d'adaptation, la liberté, etc.) qui domine les autres.

*Mélange des activités*

Que *toutes* les industries gagnent à se toucher les coudes dans un milieu d'industries variées, — le lecteur a pu s'en persuader par de nombreux exemples. Pour chaque industrie, il faut un *milieu technique*. Mais il en est de même aussi pour l'agriculture.

L'agriculture ne peut pas se développer sans l'aide des machines, et l'usage de celles-ci ne peut se généraliser sans un milieu industriel : sans qu'il y ait des ateliers mécaniques à la portée de l'agriculteur.•

L'agriculture a tant besoin du secours de ceux qui habitent les villes que, chaque été, on voit des milliers d'hommes quitter leur galetas et aller faire la moisson à la campagne. Les miséreux de Londres vont par milliers dans le Sussex.• En France, des villages en entier sont abandonnés en été.• Chaque été des milliers• de polonais se répandent, pour y faire la moisson, par les plaines de la Prusse, du Mecklembourg.•

L'agriculture ne peut se passer de l'aide de ces ouvriers supplémentaires pendant la saison d'été. Mais elle a encore bien plus besoin de secours temporaire pour améliorer le sol.•

*Éducation intégrale : homme complet*

La dissémination des industries, dans les campagnes, de façon que l'agriculture puisse recueillir tous les avantages qu'elle retire toujours de son alliance avec l'industrie et de la combinaison du travail industriel avec le travail agricole, voilà certainement la première mesure à prendre dès qu'une réorganisation sérieuse de l'état de choses actuel sera possible.•

Cette mesure nous sera imposée• par la nécessité pour toute femme ou tout homme bien portants de consacrer une partie de leur vie au travail manuel en plein air.•

Mais une telle transformation implique aussi une modification radicale de notre système d'éducation actuel.•

A la division de la société en travailleurs intellectuels et travailleurs manuels, nous opposons la combinaison de deux ordres d'activité; et au lieu de l'enseignement « professionnel », qui comporte le maintien de la séparation actuelle, nous préconisons, avec les fouriéristes· et avec bon nombre de savants modernes, l'éducation intégrale, l'éducation complète. [2]

[1] *La science moderne et l'anarchie,* Stock,Paris, 1913, 2ᵉ édition. (Pages 73, 92-93, 129, 152-154.)
[2] *Fields, Factories and Workshops,* Hutchinson & Cᵒ, Londres, 1899. Traduit de l'anglais sur le texte révisé et augmenté, par Francis Leray : *Champs, usines, ateliers,* Paris, 1910. (Pages 334-340, 348.)

# N. Boukharine et G. Préobrajensky

1888-1938 ?            1886-193 ?

*Militants révolutionnaires bolcheviques de la première heure, membres du Comité central du P. C. soviétique, ils rédigent ensemble, pendant la guerre civile, entre mars et octobre 1919, l'A.B.C. du communisme. Cet ouvrage, écrit à la hâte et inspiré par le programme adopté par le P. C. russe à son 8e congrès, est une sorte de guide pratique pour la formation des militants.*

*Le caractère pragmatique de ce manuel et le contexte révolutionnaire où il s'insère lui font tout naturellement retrouver, en matière d'habitat, la position de Engels dans* Le problème du logement. *Et c'est pourquoi nous avons fait figurer ces pages dans la présente section. Néanmoins, les deux jeunes théoriciens entrevoient, pour la période post-révolutionnaire, la création possible de villes-type. C'est dans ce sens que s'orientera rapidement l'urbanisme soviétique.*

*Après 1923, Boukharine et Préobrajensky ont connu des destins différents pour finir tous deux tragiquement. Le premier fut fusillé à la suite du troisième procès de Moscou ; le second disparut peu après dans les prisons staliniennes.*

## UN PRAGMATISME

*Le logement, symbole de la lutte des classes*

Nulle part les privilèges de la classe bourgeoise n'apparaissent aussi brutalement que dans le domaine de l'habitation. Les meilleurs quartiers de la ville sont habités par la classe bourgeoise. Les rues les plus propres, bordées d'arbres et de jardins, sont occupées par les classes possédantes.*

Les familles bourgeoises occupent des hôtels particuliers ou des appartements dont le nombre de pièces dépasse de beaucoup le nombre des membres de la famille et qui sont agrémentés de jardins, de salles de bains et de tout le confort moderne.

Les familles ouvrières s'entassent dans des sous-sols, dans des chambres uniques ou, ce qui arrive souvent, dans des baraquements communs, comme les détenus dans les cellules communes des prisons. L'ouvrier qui absorde durant toute la journée de travail la fumée de l'usine, la sciure, la limaille, la poussière, doit encore vivre la nuit dans l'atmosphère où respirent souvent quatre ou cinq enfants.

Il n'y a rien d'étonnant que la statistique ait enregistré un plus grand nombre de décès dans les quartiers ouvriers, parmi les personnes dont la journée de travail est longue, mais dont le taudis est étroit et la vie courte.*

## *Premières réalisations de la révolution soviétique*

La révolution prolétarienne a opéré un bouleversement complet dans la question de l'habitation. Le pouvoir soviétique a entrepris la nationalisation des maisons bourgeoises, a annulé les termes ouvriers en retard dans certains cas, les a diminués dans d'autres. On a établi, et en partie réalisé, un programme de logement gratuit pour les travailleurs qui habitent les maisons nationalisées. De plus, dans les grandes villes on a transféré systématiquement les ouvriers de leurs sous-sols, de leurs maisons à demi-démolies, de leurs quartiers malsains, dans les hôtels particuliers et les grands immeubles du centre. En outre, on a commencé à les fournir de mobilier et de tous les objets d'usage domestique.

La tâche du Parti communiste tend à continuer cette politique, à améliorer le ménage ouvrier, à lutter contre le délabrement des maisons nationalisées, à veiller à leur réparation et au maintien de leur propreté, à entretenir en bon état tous les accessoires comme les canalisations, le chauffage central, etc.

Le pouvoir soviétique, tout en généralisant la nationalisation des maisons de rapport appartenant aux gros capitalistes, n'a aucun intérêt à toucher aux petits propriétaires appartenant à la classe des ouvriers, des employés et des petits bourgeois. L'essai de nationalisation de leurs petites maisons dans les petites villes de province, a conduit à cet état de choses qu'il n'y avait personne pour surveiller ces maisons une fois nationalisées; elles commencèrent à se délabrer et, souvent, il n'y avait plus personne pour vouloir les habiter. Par contre, les petits propriétaires se mirent à murmurer et à se révolter contre le pouvoir soviétique.

Le pouvoir soviétique, placé dans les villes en face de la crise de logements la plus grave, crise occasionnée par la cessation de toute construction nouvelle, a fourni un travail énorme pour la distribution équitable des appartements à tous les citoyens. Les sections soviétiques d'habitation ont le contrôle sur tous les appartements libres et y mettent des locataires suivant un plan arrêté. En même temps, ces sections recensent le nombre de pièces dans toutes les maisons des grandes villes et disposent des pièces dans les appartements des familles et des personnes seules qui possèdent un nombre de pièces supérieur au chiffre fixé.

*Pas de modèles*

La fin de la guerre civile et de la ruine économique va provoquer un accroissement de la population urbaine. Le prolétariat qui s'était réfugié dans les villages va revenir dans les villes. Le trop-plein des villages s'y déversera également. Alors, devant le pouvoir soviétique se posera la question de nouvelles constructions, de constructions qui devront satisfaire aux besoins de la société communiste. Il est difficile de dire en ce moment quel type de maison sera le meilleur : ou de très grandes maisons avec tout le confort moderne, avec jardin, restaurant en commun, etc. ou de petites maisons ouvrières bien aménagées. Une chose est certaine : le programme d'habitation ne doit nullement s'opposer au programme d'association de l'industrie avec l'agriculture. Il doit contribuer à la dispersion des citadins dans les banlieues et ne plus permettre l'entassement de millions de gens, privés d'air pur, séparés de la nature et voués à une mort prématurée.

*L'A.B.C. du communisme,* par N. Boukharine et E. Préobrajensky, Moscou, 1919. Édition française nouvelle présentée par P. Broué, F. Maspero, Paris, 1963. (Pages 321-324.)

# IV
# L'URBANISME PROGRESSISTE

# Tony Garnier

## 1869-1948

*Élève de Paul Blondel, épris des formes antiques dont l'influence est perceptible dans toute son œuvre, ce Prix de Rome 1899 n'en employa pas moins son séjour à la Villa Medicis à élaborer le projet révolutionnaire d'une cité moderne. Le plan en était achevé dès 1901 et l'ensemble des illustrations en 1904, date à laquelle elles furent exposées à l'Académie.*

*Dès cette époque, elles exercèrent une influence considérable.* Une cité industrielle *ne devait cependant être édité qu'en 1917 : l'ouvrage comprend une introduction théorique et une série de planches. C'est, avant la* Charte d'Athènes, *le premier manifeste de l'urbanisme progressiste.* Une cité industrielle *a pour principes directeurs l'analyse et la séparation des fonctions urbaines, l'exaltation des espaces verts qui jouent le rôle d'éléments isolants, l'utilisation systématique des matériaux nouveaux, en particulier le béton armé.*

*Les différents types d'édifices sont standardisés : maisons à atrium, pavillons scolaires de plain-pied, usines ; certaines solutions morphologiques sont très en avance sur leur époque (notamment les halls à champignons de béton).*

*Dès 1905, E. Herriot, maire de Lyon, avait appelé Tony Garnier aux fonctions d'architecte en chef de la ville, qui en pratique fut pour lui la cité industrielle* [1]. *Il y édifia notamment l'abattoir de la Mouche (1909-1913), le stade olympique (1913-1916), l'hôpital de Grange Blanche (1915-1930) et le fameux quartier d'habitation des « États-Unis », qui disperse l'habitat collectif dans la verdure et élimine entièrement les cours intérieures. Les constructions de Tony Garnier sont, dans leur utilisation du béton, moins audacieuses que ses dessins, et la rigueur de son stade ou de ses maisons à atrium traduit la nostalgie de l'antiquité. C'est essentiellement par son*

---

1. Cf. *Les grands travaux de la ville de Lyon*, Paris, Massin, 1919.

*œuvre écrite et graphique que Tony Garnier a pu jouer un rôle fondamental dans la genèse de l'architecture moderne et de l'urbanisme.*

## UNE CITÉ INDUSTRIELLE[1]

### Disposition

Les études d'architecture que nous présentons ici dans une longue suite de planches concernent l'établissement d'une cité neuve, *Cité Industrielle* : car c'est à des raisons industrielles que la plupart des villes neuves que l'on fondera désormais, vaudront leur fondation; nous avons donc visé le cas le plus général. D'autre part, dans une cité de cette sorte, toutes les applications de l'architecture peuvent légitimement trouver place, et il y a possibilité de les examiner toutes. En donnant à notre ville une importance moyenne (nous lui supposons environ 35.000 habitants), nous avions toujours le même but, de nous attacher à des recherches d'ordre général, que n'aurait pu motiver l'étude d'un village ou celle d'une très grande ville. Enfin, c'est dans cet esprit encore que nous avons admis, pour le terrain où s'étend l'ensemble des constructions, qu'il comprenait à la fois des parties de montagne et une plaine, celle-ci traversée par un fleuve.

Notre cité est une imagination sans réalité : disons cependant que les villes de Rive-de-Gier, Saint-Étienne, Saint-Chamond, Chasse, Givors, ont des besoins analogues à ceux de la ville imaginée par nous. La région du Sud-est de la France est celle dans laquelle nous situons le lieu de cette étude, et ce sont les matériaux en usage dans cette région qui seront employés par nous comme moyens de construction.

La raison déterminante de l'établissement d'une pareille cité peut être la proximité de matières premières à ouvrer, ou bien l'existence d'une force naturelle susceptible d'être utilisée pour le travail, ou encore la commodité des moyens de transport. Ici, c'est

1. Tous les titres et intertitres de ce texte sont ceux de Tony Garnier.

la force du torrent qui est à l'origine; il y a aussi des mines dans la région, mais on peut les imaginer plus éloignées.

Le lit du torrent est barré; une usine hydro-électrique distribue la force, la lumière, le chauffage aux usines et à toute la ville.

L'usine principale est établie dans la plaine, à la rencontre du torrent et du fleuve. Une voie ferrée de grande communication passe entre l'usine et la ville, celle-ci très au-dessus sur un plateau. Plus haut encore, s'espacent les établissements sanitaires; ils sont, ainsi que la ville même, abrités des vents froids, exposés au midi, en terrasses du côté du fleuve. — Chacun de ces éléments principaux (usine, ville, établissements pour malades) est isolé de manière à en rendre l'extension possible en cas de nécessité; et cela nous a permis d'en poursuivre l'étude à un point de vue plus général.

En cherchant les dispositions qui donnent le mieux satisfaction aux besoins matériels et moraux de l'individu, nous avons été amené à créer des règlements concernant ces dispositions, règlements de voirie, règlements sanitaires, etc., et à supposer déjà réalisés certains progrès d'ordre social d'où résulterait pour ces règlements une extension normale, que les lois actuelles n'autorisent point. Nous avons donc admis que la Société a désormais la libre disposition du sol, et que c'est à elle de s'occuper de l'alimentation en eau, pain, viande, lait, médicaments, en raison des soins multiples que réclament ces produits.

## Habitations

Beaucoup de villes ont déjà mis en vigueur certains règlements d'hygiène, variables selon les conditions géographiques ou climatériques. Nous avons supposé que, dans notre cité, l'orientation et le régime des vents avaient amené à stipuler le choix de dispositions, lesquelles peuvent se résumer ainsi :

— 1º Pour l'habitation, les chambres à lit doivent avoir au moins une fenêtre au Sud, assez grande pour donner de la lumière dans toute la pièce et laisser entrer largement les rayons du soleil;

— 2º Les cours et courettes, c'est-à-dire les espaces clos de murs servant pour éclairer ou pour aérer, sont prohibés. — Tout espace, si petit soit-il, doit être éclairé et ventilé par l'extérieur;

— 3° A l'intérieur des habitations, les murs, les sols, etc., sont de matière lisse, avec leurs angles de rencontre arrondis.

Ces règles imposées pour l'habitation inspirent le plus possible les dispositions prises pour les édifices publics.

Le terrain à bâtir dans les quartiers d'habitation est divisé d'abord en îlots de 150 mètres dans le sens Est-Ouest et 30 mètres dans le sens Nord-Sud; ces îlots eux-mêmes sont divisés en lots de 15 mètres par 15 mètres, ayant toujours un côté sur rue. Une telle division permet d'utiliser au mieux le terrain et de donner satisfaction aux règlements énoncés tout à l'heure. Qu'il s'agisse d'une habitation ou de toute autre construction, elle peut comprendre un ou plusieurs lots; mais la surface construite devra toujours être inférieure à la moitié de la surface totale, le reste du lot formant jardin public et étant utilisable aux piétons : nous voulons dire que chaque construction doit laisser sur la partie non construite de son lot un passage libre, allant de la rue à la construction située en arrière. Cette disposition permet la traversée de la ville en n'importe quel sens; indépendamment des rues qu'on n'a plus besoin de suivre; et le sol de la ville, pris d'ensemble, est comme un grand parc, sans aucun mur de clôture pour limiter des terrains. L'espace entre deux habitations dans le sens Nord-Sud est au minimum au moins égal à la hauteur de la construction située au Sud. En raison de ces règles qui ne permettent l'usage que de la moitié du terrain et prohibent toute clôture, en raison aussi de ce que le sol est nivelé seulement pour l'écoulement des eaux, il n'y a pas lieu de craindre la monotonie de nos alignements actuels.

La ville comprend un réseau de rues parallèles et perpendiculaires. La rue la plus importante a son origine à la station de la voie ferrée, et va de l'Est à l'Ouest. Les rues Nord-Sud ont 20 mètres de large et sont plantées des deux côtés; les rues Ouest-Est ont 13 mètres ou 19 mètres de large, celles de 19 mètres sont plantées seulement sur leur côté Sud, celles de 13 mètres non plantées du tout.

## Administration — Établissements publics

Au centre de l'agglomération est réservé un vaste espace pour la distribution des établissements publics. Ils forment 3 groupes :

I — Services administratifs et salles d'assemblées.

II — Collections.

III — Établissements sportifs et de spectacles.

Les groupes II et III sont dans un parc que limitent au Nord la rue principale et le groupe I, au Sud une terrasse plantée permettant la vue de la plaine, du fleuve et des montagnes de l'autre rive.

*Groupe I : Les salles d'assemblées* comprennent :

1º Une salle ouverte, très ouverte, continuellement accessible au public et pouvant contenir 3.000 personnes; elle sert aux affichages, à l'audition des phonographes haut-parleurs permettant d'entendre, au moment où elles ont lieu, les séances d'un parlement ou les représentations musicales; elle sert aussi pour de grandes réunions.

2º Une seconde salle pour 1.000 auditeurs, disposée en gradins, et deux autres salles, également à gradins, de 500 places chacune; — ces trois salles destinées aux conférences et projections, etc.

3º Une grande quantité de petites salles de réunion (ayant chacune bureau et vestiaire) pour les syndicats, sociétés, groupement divers.

Toutes ces salles ont leur accès sous un vaste portique formant promenoir couvert, qui est placé au centre de la Cité, et dans lequel peut circuler une grande foule à l'abri des intempéries.

Au Sud de ce portique, une tour d'horloges, visible de la rue principale dans toute sa longueur, indique de loin le point central de la cité.

*Les services administratifs* comprennent :

1º Un bâtiment contenant à la fois les services du Conseil de la cité, ceux des actes publics (naissances, unions, décès), ceux du tribunal d'arbitrage; chacun de ces services ayant des salles publiques, salles de commissions, bureaux, dépendances;

2º Un autre bâtiment destiné à tous les bureaux où tous les organes de la cité ont au moins un employé en contact avec l'administration;

3º Un troisième bâtiment pour les laboratoires d'analyses;

4º Un dernier, enfin, pour les archives administratives à proximité du service d'incendie.

Il y a encore le service de l'organisation du travail, lequel comprend des bureaux pour l'inscription des offres et demandes d'emploi, ainsi que les bureaux de renseignements, un ensemble de bureaux pour les syndicats et associations, enfin des hôtelleries et restaurants pour recevoir les personnes attendant une situation de travail.

Puis, il y a les services de consultations, lesquels comprennent un bâtiment de consultations médicales, un autre de pharmacie pour la distribution des médicaments; enfin, un service d'hydrothérapie médicale.

Plus au Sud et sur la rue principale, se trouve le Service de correspondances : postes, télégraphes, téléphones.

*Groupe II :* Ce groupe comprend *les collections.*

1° Collections historiques, documents intéressant la cité au point de vue archéologique, artistique, industriel, commercial. Autour des salles qui les contiennent, sont disposés dans le parc les monuments en matière durable.

2° Collections botaniques, dans le jardin et dans une grande serre.

3° Bibliothèque, composée d'une très vaste salle de lecture, d'un côté pour la consultation des ouvrages de bibliothèque, de l'autre, pour celle des publications périodiques et des estampes, et d'une vaste salle des cartes au milieu de laquelle est une mappemonde avec échelle à gradins en permettant l'étude. A l'entrée de ce service, les dépenses indispensables pour les catalogues, la reliure, le classement, l'imprimerie, les bureaux du prêt des livres à l'extérieur, etc. Tout autour, les dépôts.

4° Une grande salle isolée, avec quatre entrées, destinée à des expositions temporaires; on y peut présenter à volonté plusieurs expositions simultanées ou une seule de plus grande importance.

*Groupe III : Pour les sports et spectacles,* ce groupe comprend :

1° Une salle de spectacles et d'audition (1900 places) avec toutes les dépendances nécessaires : scène mobile permettant la réduction des entr'actes et la suppression des dessus et dessous de scène; dépendances pour les acteurs, l'orchestre et les décors; vestiaires et toilettes, foyer et buffet pour le public.

2° Un espace de gradins demi-circulaires, analogue aux théâtres antiques, pour des représentations en plein air, la scène étant exclusivement un fond de verdure.

3° Des gymnases.

4° Un grand établissement de bains, à piscines chaudes et froides, avec beaucoup de cabines et baignoires, des salles de douche, de massage et de repos, un restaurant, une salle d'escrime et des pistes d'entraînement.

5° Des terrains pour les jeux (tennis, foot-ball, etc.) et des pistes d'entraînement pour les courses cyclistes ou pédestres, pour le saut, le lancement du disque, etc. Des tribunes couvertes et des gradins de verdure abrités par des arbres bordent ces terrains sur une moitié.

Les groupes II et III sont disposés, comme il a été dit précédemment, dans des jardins plantés, et, par conséquent traversés par des promenades avec bancs de repos, fontaines, etc.

Pour tous les établissements publics, la construction est presque entièrement en ciment armé et verre armé.

### Écoles

En certains points de la ville, convenablement choisis et répartis par quartiers, sont les Écoles primaires pour enfants de tout âge jusqu'à quatorze ans environ : écoles mixtes, c'est-à-dire que les mêmes classes comptent des garçons et des filles, la séparation des enfants dépendant seulement de leur âge et de leur avancement en instruction.

Une rue spéciale et traitée en jardin sépare les classes des petits et celles des grands, et sert de lieu d'amusement en attendant les heures des cours. Il y a aussi, bien entendu, des préaux couverts et découverts destinés aux récréations. Ces écoles possèdent, en plus des salles de cours, une salle de projections. A proximité, sont les habitations des directeurs et surveillants.

A l'extrémité Nord-Est de la ville, sont les Écoles secondaires; l'enseignement qui y est donné répond aux besoins d'une cité industrielle; c'est l'enseignement spécial pour une petite quantité d'élèves se destinant à l'administration et au commerce, puis un enseignement professionnel artistique et, pour le plus grand nombre, un enseignement professionnel industriel. Ces écoles secondaires sont fréquentées par tous les jeunes gens de quatorze à vingt ans. Quelques-uns qui ont été reconnus bien doués en vue d'une éducation supérieure sont dirigés au dehors vers l'école spéciale ou une Faculté.

L'école professionnelle artistique est assez développée pour former des ouvriers d'industrie artistique ressortissant à l'architecture, à la peinture, à la sculpture et à toutes leurs applications en ameublement, étoffes, lingerie, broderie, vêtement, travail du cuir, du cuivre, de l'étain ou du fer, verrerie, poterie, émaux, imprimerie, lithographie, photographie, gravure, mosaïque, enseignes, affiches, etc.

L'école professionnelle industrielle s'occupe surtout des deux principales industries de la région : l'industrie métallurgique et la préparation de la soie : en conséquence, une division spéciale est affectée à chacune de ces industries et l'on y suit, dans toutes ses phases, la marche du travail.

### Établissements sanitaires

Les établissements sanitaires (715 lits), situés sur la montagne au Nord du centre de la ville, sont abrités des vents froids par la montagne; des rideaux de verdure les encadrent à l'Est et à l'Ouest. Ils comprennent quatre parties principales :
— 1° L'Hôpital.
— 2° L'Établissement d'héliothérapie.
— 3° La Section des maladies contagieuses.
— 4° L'Établissement des Invalides.
L'ensemble et le détail sont traités ici suivant le degré d'avancement actuel de la science médicale. La disposition de chacun des éléments est envisagée pour l'agrandissement possible.

### Station

Le quartier de la gare est réservé principalement aux habitations en commun : hôtels, grands magasins, etc. de façon à ce que le reste de la ville soit débarrassé des constructions hautes. Sur la place en face de la gare, se tiennent les marchés en plein air.

La station, de moyenne importance, est à la rencontre de la grande artère venant de la ville et des voies qui mènent à l'ancienne ville, au bord du torrent; l'usine principale s'ouvre tout auprès. Elle a ses services publics au niveau des rues; les voies en sous-sol sont desservies par des quais et des salles d'attente à leur niveau. Une grande tour à horloges est visible de toute la ville. La gare des marchandises est plus à l'Est; celle de l'usine plus à l'Ouest.

La voie ferrée de grande communication est supposée complètement droite, de manière à permettre l'usage des trains à grande vitesse.

## Services publics

Certains établissements sont sous la dépendance de l'Administration et soumis à des dispositions spéciales. Ce sont les abattoirs, la manutention des farines et du pain, le service des eaux, la manutention des produits pharmaceutiques, la laiterie.

L'Administration s'occupe de l'évacuation des eaux et matières usées, de l'utilisation des déchets; elle veille aussi à régler le barrage des eaux, à fournir force motrice, lumière et chauffage aux usines et aux particuliers : il faut donc, à cette fin une installation générale, chaque local devant être ventilé, chauffé, éclairé électriquement, devant disposer de l'eau chaude et froide, du nettoyage par le vide, etc.

## Usine

L'usine principale est une usine métallurgique. Des mines à proximité produisent la matière première, et la force est fournie par le torrent.

Elle fabrique surtout des tubes et fers ronds, des fers à profil, des tôles, des roues, des machines-outils et des machines agricoles; elle fait le montage des charpentes métalliques, le matériel des chemins-de-fer et de la navigation, les voitures automobiles et véhicules d'aviation.

En conséquence, elle comprend des hauts fourneaux, des aciéries, des ateliers pour les grandes presses et les grands marteaux, des ateliers de montage et d'ajustage, une gare d'eau pour le lancement des navires et leur réparation; une gare spéciale embranchée sur la grande voie, un port fluvial, des usines d'ameublement pour carrosserie, des usines de produits réfractaires, etc.; des pistes d'essais pour les différents véhicules, des laboratoires nombreux, des habitations pour le personnel d'ingénieurs. Naturellement, il y a des dépendances distribuées dans toutes les parties : toilettes, vestiaires, réfectoires, postes pour secours médicaux, etc.

De grandes avenues plantées d'arbres en quinconces desservent les différentes régions de l'usine. Chaque région est disposée de telle sorte qu'elle puisse s'agrandir indépendamment et sans nuire aux autres divisions.

Dans l'entourage de l'agglomération principale, il y a d'autres agglomérations encore, des fermes pour exploitation agricole, des magnaneries, des filatures, etc.


## Construction

Les matériaux employés sont le béton de gravier pour les fondations et les murs, et le ciment armé pour les planchers et les couvertures. Tous les édifices importants sont presque exclusivement bâtis en ciment armé.

Ces deux matériaux s'emploient frais, dans des moules préparés à cet effet. Plus les coffres seront simples, plus facile sera la construction, par conséquent moins elle sera coûteuse. Cette simplicité de moyens conduit logiquement à une grande simplicité d'expression dans la structure. Notons d'ailleurs que, si notre structure reste simple, sans ornement, sans moulure, nue partout, nous pouvons ensuite disposer des arts décoratifs sous toutes leurs formes, et que chaque objet d'art conservera son expression d'autant plus nette et pure qu'il sera totalement indépendant de la construction. Qui ne voit aussi que l'emploi de tels matériaux permet, mieux que jamais, d'obtenir de grandes horizontales et de grandes verticales, propres à donner aux constructions cet air de calme et d'équilibre qui les harmonise avec les lignes de la nature ? D'autres systèmes de construction, d'autres matériaux conduiront, sans doute, à d'autres formes qu'il sera aussi intéressant de rechercher.

Voici résumé le programme d'établissement d'une cité où chacun se rend compte que le travail est la loi humaine et qu'il y a assez d'idéal dans le culte de la beauté et la bienveillance pour rendre la vie splendide.

*Une cité industrielle. Étude pour la construction des villes*, Vincent, Paris, 1917. Texte intégral de l'introduction aux planches illustrées (plans et perspectives).

# Georges Benoit-Lévy

## né en 1880

*Ce fut, avec Charles Gide, et E. Risler, qui avaient antérieurement participé au mouvement des cités ouvrières, l'un des promoteurs de l'Association française des cités-jardins.*

*Son ouvrage* La cité-jardin *lui fut inspiré par la lecture d'Ebenezer Howard et par un voyage d'études en Grande-Bretagne, au cours duquel il visita les principales cités expérimentales anglaises[1]. Mais en fait,* La cité-jardin *contribua à fausser en France l'idée de la* garden-city *anglaise. La lecture des extraits qui suivent fera apparaître l'aspect paternaliste des propositions françaises, liées à une conception étroitement capitaliste de la production industrielle.*

*Ne participant nullement à l'esprit culturaliste et à la vision communautaire qui caractérisaient la cité d'Ebenezer Howard, la cité-jardin de Benoit-Lévy est une sorte de ville d'élevage verte et hygiénique, destinée à obtenir des ouvriers qui l'habitent le meilleur rendement possible.*

## CITÉ-JARDIN A LA FRANÇAISE

*Mission de l'industriel*

C'est autour des usines aujourd'hui que doivent se créer les centres de vie sociale, c'est aux industriels de créer les nouvelles cités, c'est à eux qu'il revient de les faire saines et de les faire belles· c'est d'eux que nous devons attendre toutes nos améliorations sociales.·

1. Villes antérieures aux vraies *garden-cities*, et lancées par des industriels anglais comme Lever et Cadbury.

*Là où l'industrie est puissamment organisée, là où la situation économique est prospère, l'état social et l'état moral sont aussi meilleurs.*

La Cité heureuse, la Cité du bonheur serait donc celle où, par une production nouvelle et prospère, un centre modèle de vie sociale se créerait.*

Il appartient aux industriels rationnellement organisés, de créer ce centre modèle*.

Quelle doit être la ville nouvelle ? Cela doit être la ville de l'industrie, car l'industrie se développe sans interruption — et la seule question qui se pose est celle-ci : « Comment travailler industriellement d'une manière saine et comment vivre près de l'usine d'une manière saine ? »

Il est impossible à l'industriel établi depuis longtemps dans telle région, ayant immobilisé les capitaux dans des constructions et dans de l'outillage, de penser à quitter la place et même à transformer son mode de production à moins de circonstances extraordinaires.

Mais, quotidiennement, il se monte des nouvelles affaires; il se trouve des industriels cherchant à réformer leur installation, à parfaire leur outillage. Et que demandent ces industriels ?

Se procurer du terrain à bas prix et à proximité des voies de communication, avec une force motrice avantageuse et une main-d'œuvre économique.

Rarement toutes ces conditions se rencontrent, car, qu'il s'agisse de l'ouvrier, qu'il s'agisse de l'intermédiaire, qu'il s'agisse du chef d'industrie lui-même, tous témoignent, faute des moyens nécessaires d'informations, de la plus grande ignorance en ce qui concerne les questions qui les intéressent de très près.

L'*Association des Cités-Jardins,* composée de personnes compétentes en matière d'organisation du travail et d'hygiène sociale, se met à la disposition des industriels pour leur donner tous les renseignements qu'ils pourront désirer en ce qui concerne l'installation de leurs usines et l'hygiène de leurs agglomérations ouvrières.

*Modèles*

L'Association prendra, en outre, l'initiative de grouper les industries en vue de la formation de petites villes industrielles modèles; elle recherchera quelles sont les régions qui conviendront le mieux à chaque groupe. Au point de vue de la force motrice, par exemple, pour tel groupement, il y aura lieu d'utiliser les chutes d'eau; pour tel autre, l'emploi d'un gaz pauvre suffira pour actionner les dynamos; — pour l'un, il sera peut-être préférable de grouper les travailleurs dans un atelier commun; pour l'autre de leur distribuer la force dans des ateliers de famille; autant de questions qui se posent, autant de questions que les documents déjà rassemblés, que les enquêtes actuellement en cours, nous permettront de résoudre pour le mieux. Ce seront, en réalité, des communes industrielles, des groupements économiques que nous verrons se substituer peu à peu aux subdivisions purement politiques. Lorsqu'une nation est arrivée à son point de formation intégrale, lorsque sa puissance est politiquement établie, l'évolution la conduit naturellement à développer sa vitalité économique.

Demain, le législateur sanctionnera ces tendances en approuvant les propositions qui demandent la création de syndicats d'usines, de coopératives industrielles pour l'utilisation de la force des chutes d'eau.

*Pour le rendement*

Les modes d'application de ces principes varieront suivant les circonstances. Mais dans tous les cas, nous croyons que, pour porter remède à l'anarchie que présente notre situation économique et à la crise que traversent actuellement nos industries, il y aura lieu d'aider les industriels qui le désireraient à réaliser le programme suivant :

*But* : Organiser le travail industriel et agricole de telle façon qu'il fournisse aux directeurs d'entreprises des profits équitables et *certains,* qu'il procure aux ouvriers les moyens de vivre dans des conditions normales — et qu'il assure à tous les habitants le bien-être, la sécurité et la santé.

*Moyens* : 1° — Acheter des terrains qui réuniront cette triple condition :

— D'être bon marché ;

— D'être à proximité de voies de communication;

— D'offrir les facilités nécessaires à l'exploitation agricole et industrielle;

2º — D'y construire des petites cités, d'une organisation rationnellement conçue.*

*La cité-jardin,* Paris, Henri Jouve, 1904. (Pages 78, 250-252.)

# Walter Gropius
## 1883-1969

*Gropius a exercé sur l'architecture et l'urbanisme contemporains une influence idéologique comparable à celle de Le Corbusier. Dans les années 1920 et 1930, leurs conceptions se sont rejointes. Mais, tandis que Le Corbusier a toujours agi en franc-tireur et en polémiste, diffusant ses théories sous forme de manifestes, dans des expositions, des revues et des livres, Gropius a essentiellement été un professeur[1], dont l'enseignement à la célèbre école du Bauhaus, puis à la Faculté d'Architecture de Harvard, a marqué deux générations.*

*Il fut l'élève de P. Behrens, l'architecte allemand qui, le premier, tenta une synthèse de l'architecture et de l'industrie. Avec Mies Van der Rohe, Le Corbusier, Oud et Mendelsohn, mais plus précocement, Gropius fut l'un des créateurs de l'architecture rationaliste. Il en construisit le premier symbole en 1911 : c'est l'usine Fagus d'Alfeld-an-der-Leine, à ossature d'acier, aux façades de verre et aux formes géométriques complètement dépouillées.*

*En 1919, Gropius créait à Weimar le Bauhaus, où il entendait réaliser la synthèse des arts et de l'industrie « pour promouvoir le nouvel édifice de l'avenir ». Parmi les professeurs, il avait appelé Klee, Kandinsky, Moholy-Nagy, Schlemmer. En matière d'urbanisme, les thèmes fondamentaux du Bauhaus étaient axés sur les concepts de standardisation, préfabrication, création d'un espace moderne. Gropius eut l'occasion de les mettre en application dans deux cités ouvrières, la cité Dammerstock de Karlsruhe (1927-1928) et le Siemenstadt de Berlin (1928) — qui devaient, dans la suite, servir de modèle à l'urbanisme progressiste.*

---

1. Gropius a relativement peu écrit. On pourra consulter : *Idee und Aufbau des Staatlichen Bauhauses*, Weimar & Munich, 1923; *The New Architecture and the Bauhaus*, Faber & Faber, Londres 1934; *Building our Communities*, Theobald, Chicago, 1945.

*En 1928, Gropius abandonna la direction du* Bauhaus *à* Mies. *Il voulait
plus de liberté pour ses travaux personnels, en particulier l'étude du logement en série qui ne cessa de le préoccuper par la suite* [1]. *En 1934, il fuit
le nazisme et se réfugia en Grande-Bretagne où il se consacra surtout à la
création de prototypes d'architecture scolaire. En 1937, il gagna les U.S.A.
où il fut nommé directeur de la Faculté d'Architecture de Harvard. Après
la deuxième guerre mondiale, il fonda une agence,* The Architect's
Collaborative, *dont l'activité exerça un grand rayonnement : c'est avant
tout sous l'influence de Gropius que « le style international » a, depuis la
deuxième guerre mondiale, conquis l'architecture américaine.*

# LE RÔLE DE L'INDUSTRIE

## I. DÉCLARATION DE PRINCIPE

### *Organisation, essence, fonction, uniformisation*

Un nouvel et véritable esprit constructeur apparaît aujourd'hui,
simultanément, dans tous les pays civilisés. La construction se
révèle comme l'Alpha et l'Oméga d'une volonté d'organisation
qui prend ses racines dans la société tout entière. Cet esprit nouveau, et les nouveaux moyens techniques qu'il met en œuvre, ont
pour conséquence une forme de construction entièrement nouvelle
à son tour : non pas artificiellement, mais parce que cette construction découle de l'essence même du bâtiment et de la fonction qu'il
doit remplir.

Le nouvel esprit d'organisation, qui peu à peu se dévoile, nous
renvoie au fondement des choses : pour concevoir n'importe quoi
— un meuble, une maison — de façon qu'il puisse fonctionner
correctement, il faut d'abord rechercher son essence.

La recherche de l'essence d'une construction se situe sur la
frontière commune à la mécanique, la statique, l'optique, l'acous-

1. Notamment aux U.S.A. où il s'attaquera au problème de la maison
préfabriquée.

tique, et aux lois de la proportion. La proportion appartient au règne de l'esprit — le matériau et la construction sont ses subordonnés.•

Parmi une pluralité de solutions économiquement identiques — en pratique, il y en a toujours plusieurs — l'artiste, à l'intérieur des frontières que lui assigne son temps, choisit selon son goût personnel. C'est pourquoi dans l'œuvre se lit l'écriture de son auteur. Mais il est erroné de vouloir à tout prix une expression individuelle. Et la volonté, qui caractérise notre époque, de constituer une image du monde *unique,* élimine cette nostalgie, pour libérer les valeurs spirituelles de leurs limites individuelles et affirmer leur portée objective.• L'architecture est toujours nationale, toujours individuelle, mais des trois cercles concentriques — individu, peuple, humanité — le dernier englobe très largement les deux autres. D'où notre titre : *Architecture internationale.*• Une véritable adéquation à l'esprit de notre temps, à l'espace et aux matériaux nouveaux, aux ressources actuelles de l'industrie et de l'économie, détermine infailliblement le visage de tous les ensembles de construction moderne : exactitude et rigueur de la forme; simplicité dans la diversité; structuration des unités constructives conformément aux fonctions respectives des édifices, des rues, des moyens de transports; limitation à des formes-type, de base, qui sont classées et répétées. [1]

## II. STANDARDS ET INDUSTRIALISATION

*Anonymat du standard*

La standardisation ne constitue pas un frein pour le développement de la civilisation; c'en est au contraire, l'une des conditions immédiates. On peut définir un standard comme l'exemplaire unique et simplifié de n'importe quel objet d'usage, obtenu par la synthèse des meilleures formes antérieures — cette synthèse étant précédée par l'élimination de tout l'apport personnel des dessinateurs et de tous les caractères non essentiels.•

Les grandes époques de l'histoire permettent de vérifier que l'existence de standards — autrement dit, l'usage conscient de formes-type — est le critère de toute société policée et bien ordonnée ; car c'est un lieu commun que la répétition des mêmes moyens en vue des mêmes fins exerce sur l'esprit humain une influence stabilisatrice et civilisatrice.

*Ville-standard*

En tant que cellule de base d'une unité supérieure, qui est la rue, la maison d'habitation représente un organe de groupe type. L'uniformité des cellules entre elles réclame une élaboration formelle.• Dans la mesure où il constitue un modèle plus achevé qu'aucun des prototypes dont il dérive, un standard reçu est toujours le dénominateur formel commun d'une période entière. L'unification des composantes architecturales devrait contribuer à donner à nos villes cette homogénéité salutaire qui est la marque propre d'une culture urbaine supérieure. Une prudente limitation à quelques types standard d'édifices augmente leur qualité et diminue leur prix de revient, élevant par là même le niveau social de la population dans son ensemble.• La répétition d'éléments standardisés et l'utilisation de matériaux identiques dans les différents édifices se traduira, dans nos villes, par une unité et une sobriété comparables à celles que l'uniformité du vêtement a introduites dans la vie sociale.•

*Ville-industrialisée*

De même que nous avons élaboré des matériaux artificiels, supérieurs par leur efficacité et leur uniformité aux matériaux naturels, de même les méthodes modernes de construction tendent toujours davantage à faire de celle-ci un processus industriel. Nous approchons du moment où il deviendra possible de rationaliser complètement les édifices et de les produire en série à l'usine, après avoir réduit leur structure à un petit nombre d'éléments. Comme les parties d'un meccano, ceux-ci seront assemblés à sec,• et deviendront l'un des principaux produits de l'industrie.• L'assemblage à sec est le plus favorable,• car la maçonnerie est la cause directe de la plupart des faiblesses des anciennes méthodes de construction.• Au lieu d'ancrer profondément de lourds édifices dans le sol, avec des fondations massives, la nouvelle architecture les pose légèrement• sur la surface de la terre.•

En 1928, quand je fus assuré de l'avenir du Bauhaus,• je retournai à la pratique.• La question qui me préoccupait le plus concernait la demeure minima pour les classes économiquement défavorisées : ce logement, conçu comme une unité économique complète, il fallait en déterminer la structure nécessaire.• Et par delà ces problèmes, surgissait celui de la forme à donner à la cité toute entière, envisagée comme organisme planifié.

Ma conception de l'architecte comme coordinateur — son rôle consistant à réduire au même dénominateur les problèmes plastiques, techniques, sociaux et économiques que pose la construction — me conduisit inévitablement de l'étude des fonctions du logement à celles de la rue et de celles de la rue à celles de la ville.•

*Immeuble ou pavillon*

(L'une des tâches) d'une vraie école moderne d'architecture sera• la découverte du type idéal de construction.•

L'opinion demeure partagée quant au type de logement idéal pour la majorité de la population : maisons individuelles avec jardins; immeubles à appartements de hauteur moyenne (2-5 étages); ou immeubles de 8 à 12 étages.

Les immeubles à appartements ont été critiqués à partir des exemples habituels de 5 étages,• mais leurs inconvénients disparaissent lorsqu'on leur substitue des immeubles de 8 à 12 étages. De tels logements satisfont toutes les exigences en matière d'air, de lumière, de tranquillité;• ils offrent, en outre, bien des avantages absents des maisons individuelles. Au lieu des fenêtres de rez-de-chaussée donnant sur des murs ou de petites cours sans soleil, les appartements ouvrent sur le ciel et sur la verdure qui sépare les blocs d'immeubles et sert de terrain de jeux aux enfants.• Et lorsque les toits-terrasses de ces hauts immeubles sont également occupés par des jardins, les dernières craintes qu'on associe à l'expression d' « immeuble d'appartements » disparaissent définitivement.•

*Pour la verticalité des centres urbains*

La forme d'habitat appelée en Allemagne *Flachbau* — maisons individuelles avec jardins particuliers — est tout sauf une panacée :

en effet, si le fait se généralisait, il aboutirait à une désintégration de la ville qui signifierait son absolue antithèse. Notre objectif doit être une structure urbaine plus lâche, mais qui ne tende cependant pas à la complète dispersion. Constructions horizontales et verticales — *Flachbau* et *Hochbau* — doivent être édifiées simultanément. Nous devons limiter les premières aux zones suburbaines de faible densité démographique et les dernières aux centres urbains très peuplés,• où elles se présenteront sous forme d'immeubles de 8 à 12 étages, disposant de tous les services communs habituels. Les immeubles de hauteur intermédiaire ne présentent les avantages d'aucun des deux autres types. C'est pourquoi on gagnerait à les abandonner.•

Si la cité doit être réduite à la plus petite superficie pour conserver des distances minima entre les différents centres d'affaires, une seule solution rationnelle permet d'assurer plus d'air et de lumière et, aussi paradoxal que cela paraisse, d'augmenter l'espace vital : c'est la multiplication des niveaux.

Supposons que nous ayons décidé d'élever des immeubles indépendants sur une diagonale Nord-Sud, le terrain présentant approximativement 750 pieds sur 300 [1].

Si nous comparons, du point de vue de la disposition, de l'espace et de la lumière, le cas des immeubles de 2, 3, et 5 étages et celui des immeubles de 10 étages, nous obtenons des résultats surprenants.•

*Avantages des immeubles élevés*

(1) Les immeubles de 10 étages présentent 60 % de surface utilisable, tout en disposant de la même quantité d'air et de lumière.•

(2) Le prix de revient des immeubles de 10 étages accuse une économie de 40 % par rapport à celui des immeubles de deux étages.•

(3) L'angle d'éclairement entre les immeubles tombe de 30 degrés pour 5 immeubles de 10 étages à 17,50 degrés pour les immeubles de deux étages. Autrement dit, dans le cas des immeubles de 10 étages, un gain considérable en quantité de lumière, air et

1. 228,40 m. sur 91,44 m.

soleil est obtenu grâce à des intervalles presque dix fois plus importants entre les immeubles.• Et l'on obtient encore un espace précieux pour les parkings, en même temps que l'on peut disposer des boutiques le long des deux faces des immeubles.

*New York*

Il est donc évident que les hauteurs limites imposées par les règlements constituent une restriction irrationnelle qui a inhibé l'évolution des formes architecturales. La réduction du nombre d'habitations à l'hectare est, certes, une nécessité, mais elle n'a rien à voir avec la hauteur des édifices en cause.• Le fait que les quartiers de gratte-ciel de New York et de Chicago soient un labyrinthique chaos ne constitue nullement un argument contre la valeur des immeubles de bureaux élevés. Le problème ne peut être résolu qu'en contrôlant la densité de la construction (des centres urbains), en subordonnant celle-ci aux réseaux de transport, et en mettant un frein au scandale de la spéculation foncière. [2]

## III. VILLE ET CAMPAGNE

*Ville et campagne réconciliées*

La nostalgie que ressentent le citadin à l'égard de la campagne et le campagnard à l'égard de la ville traduit une aspiration profonde, toujours grandissante. Les progrès techniques transplantent la civilisation urbaine dans la campagne, et réciproquement réintroduisent la nature au cœur de la cité. Depuis plus d'une génération, on ne cesse de protester contre la congestion des villes et de réclamer des cités plus spacieuses et plus vertes. Ces vœux ont pour corollaire le desserrement du réseau des rues et la mise en place d'un système de transports adéquat. La ville de demain repoussera ses frontières beaucoup plus loin qu'aujourd'hui, faisant disparaître à la fois ses conglomérats anarchiques de fonctions incohérentes et l'entassement de ses immeubles, les remplaçant par de beaucoup plus petites unités.

Ce sont ces unités, mieux accordées à l'échelle humaine, que nous espérons voir réparties en réseaux lâches, sur des régions entières. Ces cités dispersées [1] et spacieuses — cités vertes disséminées dans une campagne urbanisée [2] — accompliraient une mission historique, depuis longtemps nécessaire : la réconciliation de la ville et de la campagne. Ces communautés et régions ainsi planifiées[*] soulageront l'ancienne cité de ses poids morts : les quartiers décongestionnés pourront enfin assurer leur vraie fonction de centre régional organique, commercial et culturel.[*]

*Rendement et autorité*

La décongestion des villes sera assurée par le transfert de ceux qui n'y ont pas d'emploi permanent. Ces populations seront redistribuées dans de nouvelles « unités urbaines » *(townships)* où elles retrouveront leur capacité de production et leur pouvoir d'achat.

Le prix du terrain, de la construction, de la viabilité et des différents services urbains grève actuellement le budget des travailleurs et des entreprises au point de s'élever[*] aujourd'hui pratiquement à 50 % du revenu total de la population. Il appartient maintenant à l'urbaniste de concevoir des solutions audacieuses permettant de réduire cette dangereuse augmentation des frais urbains par habitant, sans réduire pour autant le rôle et l'efficacité de la ville. La valeur en capital des immeubles et services divers, à New York par exemple, s'élève aujourd'hui, approximativement, à seize mille dollars par famille, alors qu'une nouvelle ville bien conçue, établie sur un terrain vierge, offrant plus de possibilités que New York, reviendrait sans doute à moins de la moitié de cette somme.[*]

*Une nouvelle « unité-urbaine »*

Ces nouvelles unités urbaines, soigneusement conçues, représenteraient pour nous une expérience préparatoire, une étape préliminaire à un deuxième stade plus complexe : la reconstruction de nos grandes villes. Avec une population de cinq à huit mille

1. Dans cette conception radicale de la dispersion (et dans la suite de ce texte), il faut voir chez Gropius l'influence des U.S.A. Sa position diffère ici de celle de Le Corbusier, resté fidèle à l'idéal de la grande ville, qu'il concentre dans la verdure.
2. Nous ne pouvons rendre ici le jeu de mots anglais : *Country-cities in city-countries.*

personnes et une capacité industrielle de deux à trois mille travailleurs, ces nouvelles villes seraient l'unité de base d'une structure urbaine régionale,• où pourraient s'exercer la flexibilité et la plasticité que rendent nécessaires la mobilité sans cesse croissante de notre société. La vieille « ville » pourra cesser d'être une unité d'administration locale, autonome; elle deviendra une partie d'un nouveau système administratif recouvrant une région entière et dans lequel « l'unité-urbaine »• représentera l'élément ultime.• Ces unités devront faire disparaître l'antagonisme, créé par le XIXᵉ siècle, entre grandes et petites villes d'une part, entre ville et campagne de l'autre. En déplaçant les travailleurs sans emploi (qu'ils appartiennent à la ville ou à la campagne), on permettra aux citadins et aux ruraux à la fois, de participer à la création de nouvelles agglomérations humaines. [3]

[1] *Internationale Architektur,* Bauhaus Bücher (1), A. Langen, Munich, 1925. (Pages 6, 7, 8. Notre traduction.)

[2] *The New Architecture & the Bauhaus,* Faber & Faber, Londres, 1935. (Pages 34, 37, 38, 40, 39, 44, 97, 98, 110, 111, 100-103, 106-108. Notre traduction.)

[3] *A Program for City Reconstruction,* avec la collaboration de Martin Wagner, in *The Architectural Forum,* juillet 1943. (Pages 75, 78, 79. Notre traduction.)

# Charles-Édouard Jeanneret
## dit Le Corbusier
### 1887-1965

*Pour Le Corbusier, architecture et urbanisme sont indissociables ; une architecture nouvelle, mettant en œuvre les nouvelles techniques de construction et la nouvelle vision de l'espace, n'a de sens qu'intégrée dans une ville moderne.*

*Les thèmes autour desquels s'organise la ville corbusienne — classement des fonctions urbaines, multiplication des espaces verts, création de prototypes fonctionnels, rationalisation de l'habitat collectif — appartiennent au fonds commun des architectes progressistes de la même génération. L'apport personnel de Le Corbusier réside surtout dans la systématisation des idées, leur extrême schématisation [1] et leur expression en un style simple, direct et frappant, dont la verve extraordinaire et l'acuité n'ont pas peu contribué à leur succès.*

*L'œuvre urbanistique de Le Corbusier se présente sous trois aspects :*

*1º. Les réalisations :* très peu nombreuses, elles se réduisent pour la période antérieure à la guerre de 1940 à la modeste cité-jardin de Pessac (1925) composée seulement d'habitations (la plupart individuelles) ; et pour la période postérieure, au plan directeur de Chandigarh, capitale du Punjab.

*2º. Les plans directeurs* jamais exécutés. Ils sont nombreux et appliquent un schéma relativement constant aux sites les plus divers. Le premier en date est le Plan pour une ville contemporaine de 3 millions d'habitants, *de 1922 ;* celui-ci deviendra le Plan Voisin de Paris *en 1925. Puis, ce sont, au cours des années trente, les plans pour Alger, Nemours (Algérie), Barcelone, Buenos-Aires, Montevideo, Sao-Paulo, Paris 1937.*

---

1. Cf. par exemple la construction en hauteur, chère aux urbanistes progressistes parce qu'elle permet de fortes densités démographiques tout en libérant le sol. Ce thème a été particulièrement développé par L. Hilberseimer. Le Corbusier, lui, en tire l'idée de la *ville verticale.*

*Après la guerre, le plan de Saint-Dié, refusé par les autorités françaises, connaîtra un grand succès aux U.S.A.*

3°. *Les livres. Selon la parole d'un disciple de Le Corbusier, ils ont été « l'A.B.C. de deux générations d'architectes ». Nous citerons en particulier :*

— Vers une architecture *( 1923 )*.
— Urbanisme *( 1925 )*.
— La ville radieuse *( 1935 )*.
— La Charte d'Athènes *( 1943 )*.
— Propos d'urbanisme *( 1946 )*.
— Manière de penser l'urbanisme *( 1946 )*.
— L'unité d'habitation de Marseille *( 1950 )*.


## L'URBANISTE ROI [1]


### I. CRITIQUE DES VILLES CONTEMPORAINES

*Désordre*

Disons dès maintenant que, depuis cent ans, submergés dans la grande ville par une invasion subite, incohérente, précipitée, imprévue et accablante, pris de court et désarçonnés, nous nous sommes abandonnés, nous n'avons plus agi. Et le chaos est venu avec ses conséquences fatales. La grande ville, phénomène de force en mouvement, est aujourd'hui une catastrophe menaçante, pour n'avoir plus été animée d'un esprit de géométrie.•

*Insécurité*

Il est temps de répudier le tracé actuel de nos villes par lequel s'accumulent les immeubles tassés, s'enlacent les rues étroites pleines de bruit, de puanteur de benzine et de poussière et où les

---

1. Nos abréviations renvoient aux ouvrages suivants :
*MU : Manière de penser l'urbanisme*, Architecture d'aujourd'hui, Paris, 1946, rééd. Gonthier, 1963. — *VA : Vers une architecture*, Crès, 1925, rééd. Vincent Fréal, 1958. — *AA : L'Art décoratif d'aujourd'hui*, Crès, 1925, Vincent Fréal, 1958. — *U : Urbanisme*, Crès, 1925. — 3 *E : L'Urbanisme des trois établissements humains*, Ed. de Minuit, 1959. — *OC : Œuvres complètes de Le Corbusier*, publiées par W. Boesiger,. Girsberger, Zurich, t. 3.

étages ouvrent à pleins poumons leurs fenêtres sur ces saletés. Les grandes villes sont devenues trop denses pour la sécurité des habitants, et pourtant elles ne sont pas assez denses pour répondre au fait neuf des « affaires ».•

*Inhumanité*

Les conditions de nature ont été abolies! La ville radio-concentrique industrielle moderne est un cancer qui se porte bien! Encasernement et inhumanité caractérisent nos médiocres boîtes à loyer mal insonorisées.•

*Ébauche de solution*

Au grand éparpillement de panique, une loi naturelle doit être opposée, celle qui fait se grouper les hommes pour s'entraider, se défendre, économiser leurs efforts. La révolution architecturale, avec l'intervention du verre, de l'acier et du ciment armé, a permis les solutions nécessaires. L'usage séculaire : fondations massives, murs portants épais, percées de fenêtres limitées, sol entièrement encombré, toiture inutilisable, nécessité de répéter des dispositions identiques d'étage en étage — est remplacé par une nouvelle technique : fondations localisées, suppression des murs portants, possibilité de disposer de toute la façade pour éclairer, sol libre entre de minces pilotis, toiture constituant un sol nouveau à l'usage des habitants.

La maison ne porte plus sur des murs mais sur des poteaux (moins d'un millième de surface couverte).

Le sol n'est pas touché dans son ensemble. Le premier plancher est à 3 mètres du sol, laissant libre le dessous de la maison entre les pilotis.

(*U*, p. 24; *VA*, p. 43; *MPU*, p. 7; *3E*, p. 28.)


## II. LE STANDARD ET LA MACHINE

*Hommes et besoins-type*

*Rechercher l'échelle humaine, la fonction humaine, c'est définir les besoins humains.* Ils sont peu nombreux; ils sont très identiques entre tous les hommes, les hommes étant tous faits sur le même moule depuis les époques les plus lointaines que nous connaissions. Le Larousse chargé de nous fournir la définition de l'homme nous donne trois images pour démonter celui-ci sous nos yeux; toute la machine est là, carcasse, système nerveux, système sanguin; et il s'agit de chacun de nous, exactement et sans exception. *Ces besoins sont types, c'est-à-dire que tous nous avons les mêmes; nous avons tous besoin de compléter nos capacités naturelles par des éléments de renfort.*•

Les *objets-membres humains* sont des *objets-types*, répondant à des besoins-types : chaises pour s'asseoir, tables pour travailler, appareils pour éclairer, machines pour écrire (eh! oui), casiers pour classer.

Si nos esprits sont divers, nos squelettes sont semblables, nos muscles occupent les mêmes places et réalisent mêmes fonctions; dimensions et mécanismes sont donc déterminés. Le problème est donc posé et c'est à qui le résoudra ingénieusement, solide et bon marché. Sensibles à l'harmonie qui donne la quiétude, nous reconnaîtrons l'objet qui est harmonisé à nos membres. Lorsque a et b sont égaux à c, a et b sont égaux entre eux. Ici, a = *nos objets-membres humains ;* b = notre sentiment de l'harmonie; c = notre corps. Donc, les *objets-membres humains* sont conformes à notre sentiment de l'harmonie, étant conformes à notre corps. Alors, on est content... *jusqu'au prochain perfectionnement de cet outillage.*•

*Standards*

Établir un standard c'est épuiser toutes les possibilités pratiques et raisonnables, déduire un type reconnu conforme aux fonctions, à rendement maximum, à emploi minimum de moyens, main-d'œuvre et matière, mots, formes, couleurs, sons.

L'auto est un objet à fonction simple (rouler) et à fins complexes (confort, résistance, aspect) qui a mis la grande industrie dans la nécessité impérieuse de standardiser. Les autos ont toutes les mêmes dispositions essentielles.•

*Apologie de la machine*

La machine est un événement si capital dans l'histoire humaine qu'il est permis de lui désigner un rôle de conditionnement de l'esprit, rôle aussi décisif et combien plus étendu que l'imposèrent dans les âges les hégémonies guerrières, remplaçant une race par une autre race. La machine n'oppose pas une race à une autre race, mais un monde nouveau à un monde ancien dans l'unanimité de toutes les races.•

La machine crée la machine. Elles affluent maintenant et partout elles luisent. Le poli va là où sont les sections. Les sections montrent la géométrie qui conditionne tout. Si l'on polit les sections, c'est pour tendre à des fonctions parfaites. L'esprit de perfection éclate aux lieux de perfection géométrique.•

Mettez en route la machine. Toutes portes s'ouvrent, tout est confusion dans l'allégresse. *Il faut bien songer que nous sommes la première génération dans les millénaires qui voyons les machines,* et il faut pardonner à de tels engouements.

La leçon de la machine est dans la pure relation de cause à effet. Pureté, économie, tension vers la sagesse.

Le réveil brutal en nous parce que foudroyant, *des joies intenses de la géométrie.* Cette fois-ci on les sent de ses sens (et Copernic ou Archimède ne pouvaient que se les inventer, dedans leur tête).•

*La machine à habiter*

Une maison est une machine à habiter. Bains, soleil, eau chaude, eau froide, température à volonté, conservation des mets, hygiène, beauté, par proportion. Un fauteuil est une machine à s'asseoir, etc. : Maple a montré le chemin. Les aiguières sont des machines à laver : Twyford les a créées.•

Il faut étudier la cellule parfaitement humaine, celle qui répond à des circonstances physiologiques et sentimentales. Arriver à la maison-outil (pratique et suffisamment émouvante), qui se revend ou se reloue. La conception « mon toit » disparaît (régionalisme, etc.), car le travail se déplace (l'embauche), et il serait logique de pouvoir suivre avec *armes et bagages.* Armes et bagages, c'est dénoncer le problème du mobilier, le problème du « type ». Maison-type, meubles-types. Tout se fomente déjà, les idées se rencontrent et se croisent sur ce point qui est un sentiment incisif avant que d'être une conception claire. Certains esprits, déjà, envisageant le bâtiment, agitent la question d'une organisation internationale des standards du bâtiment.

(*AD,* p. 72, 76; *VA,* p. 108; *AD,* p. 110, 114; *VA,* p. 73; *U,* p. 219.)

### III. LE CLASSEMENT

*Le classement...*

Classons. Trois sortes de population : les citadins à demeure; les travailleurs dont la vie se déroule moitié dans le centre et moitié dans les cités-jardins; les masses ouvrières partageant leur journée aux usines de banlieue et dans les cités-jardins.

*...des populations*

Cette classification est, à vrai dire, un programme d'urbanisme. L'objectiver dans la pratique, c'est commencer l'apurement des grandes villes. Car celles-ci sont aujourd'hui, par suite de leur croissance précipitée, dans le plus effroyable chaos : tout s'y confond. Ce programme d'urbanisme pourrait, par exemple, se préciser ainsi, pour une ville de 3 000 000 d'habitants : au centre, et pour le travail du jour seulement, 500 000 à 800 000 personnes; à la nuit, le centre se vide. La zone de résidence citadine en absorbe une part, les cités-jardins le reste. Admettons donc un demi-million d'habitants citadins (en ceinture du centre) et deux millions et demi dans les cités-jardins.

Cette mise au clair, juste dans le principe, incertaine dans les chiffres, invite à des mesures d'ordre, fixe les lignes capitales de l'urbanisme moderne, détermine la proportion de la cité (centre), des quartiers résidentiels, pose le problème des communications et des transports, fixe les bases de l'hygiène urbaine, détermine le mode de lotissement, le tracé des rues, la configuration de celles-ci, fixe les densités et par conséquent le système de construction du centre, des quartiers de résidence et des cités-jardins.•

*...des circulations*

Une doctrine des transports peut donc exister et être appliquée aujourd'hui. « La règle des 7 V » établie en 1948 à la demande de l'U.N.E.S.C.O., constitue un système sanguin et respiratoire. Les « 7 voies » deviennent les types hiérarchisés capables de régler la circulation moderne [1].

1. Dans ses *Etudes sur les transformations de Paris* (1903-1909), Eugène Hénard classait déjà les circulations en six catégories : 1. Ménagère (constante et uni-

V. 1 : route nationale ou de province, traversant le pays ou les continents.

V. 2 : création municipale, type d'artère essentielle d'une agglomération.

V. 3 : réservées exclusivement aux circulations mécaniques, elles n'ont pas de trottoir; aucune porte de maison ou d'édifice n'ouvre sur elles. Des feux de couleur régulateurs sont disposés tous les quatre cents mètres, permettant ainsi aux véhicules une vitesse considérable. La V. 3 a pour conséquence une création moderne de l'urbanisme : le secteur.

V. 4 : rue marchande du secteur.

V. 5 : pénétrant dans le secteur, elle conduit les véhicules et les piétons aux portes des maisons, avec l'aide encore de la V. 6.

V. 7 : voie alimentant tout au long la zone verte où sont les écoles et les sports.

La V. 8 est venue depuis, canalisant les bicyclettes.

Une application totale de la règle des 7 V. a été faite à Chandigarh, nouvelle capitale du Punjab aux Indes, en construction depuis 1951.

(*U*, p. 93-94 et *3E*, p. 48.)


## IV. GÉOMÉTRIE

Or, une ville moderne vit de droite, pratiquement; construction des immeubles, des égouts, des canalisations, des chaussées, des trottoirs, etc. La circulation exige la droite. La droite est saine aussi à l'âme des villes. La courbe est ruineuse, difficile et dangereuse; elle paralyse.

La droite est dans toute l'histoire humaine, dans toute intention humaine, dans tout acte humain.

---

formément répartie). — 2. Professionnelle (constante et convergente). — 3. Economique (constante et convergente). — 4. Mondaine (constante et convergente). — 5. Fermée (périodique et divergente). — 6. Populaire (exceptionnelle et variable). Il soulignait « la nécessité d'une théorie générale de la circulation », et déclarait : « A ces six espèces de mouvement correspondent ou devraient correspondre des types de voies publiques appropriées à leur destination » (p. 191).

Il faut avoir le courage de regarder avec admiration les villes rectilignes de l'Amérique. Si l'esthète s'est encore abstenu, le moraliste, par contre, peut s'y attarder plus longtemps qu'il ne paraît d'abord.

La rue courbe est le chemin des ânes, la rue droite le chemin des hommes.•

Si, des airs on regarde la terre tumultueuse et embroussaillée, on voit que l'effort humain est identique à travers tous les siècles et sur tout les points. Les temples, les villes, les maisons sont des cellules d'aspect identique et de dimensions à échelle humaine. On peut dire que l'animal humain est, comme l'abeille, un constructeur de cellules géométriques.•

La rectitude découle des moyens mis en œuvre. L'angle droit domine. Les besoins à satisfaire : créer, pour habiter et pour travailler, des chambres ou des locaux carrés, la technique du ciment armé y pourvoit spontanément (poteaux et potelets, poutres et poutrelles, voûtes plates, hourdis, etc.); depuis l'abandon des « goussets », réalisant dans les débuts du ciment armé l'encastrement du poteau et des poutres, l'attitude *orthogonale* du plan de béton armé est devenue évidente, dans la *pureté* et la *rectitude*.•

*Ordre et efficacité*

Les nouveaux plans assurant une bonne circulation, une saine distribution, le classement et l'ordre, faisant de l'ensemble d'un édifice une véritable biologie (ossature portante, espaces aérés et éclairés, alimentation par les canalisations, en « utilités » abondantes — eau, gaz, électricité, téléphone, évacuation, chauffage, ventilation, etc.) donnent le sentiment de l'*efficience*.•

*Urbanisme et architecture*

Cette arme, qui est une armée, a nom : *les bâtisseurs ;* elle tranche le débat. Ceci fait, ce terme qui exprime à vrai dire un programme, rallie, rassemble, unit, ordonne et produit. L'unité et la continuité pénètrent alors l'ensemble des thèmes. Rien n'est plus contradictoire. Le bâtisseur est à l'atelier de fabrication aussi bien que sur les échafaudages du temple; il est raisonneur et ingénieux aussi bien que poète. Chacun bien aligné en ordre et hiérarchie occupe sa place.

L'urbaniste n'est pas autre chose que l'architecte. Le premier organise des espaces architecturaux, il fixe la place et la destination des contenants bâtis, il relie toutes les choses dans le temps et l'espace par un réseau de circulation. Et l'autre, l'architecte, occupé, par exemple, d'un simple logis,• dresse lui aussi des contenants, crée des espaces. Sur le plan de l'acte créatif, l'architecte et l'urbaniste ne font qu'un.•

On remarquera par-dessus toutes autres choses que ces volumes bâtis, conçus comme de véritables outils, apportent puissance, richesse, beauté, splendeur architecturales. Obéissant à de telles règles, les zones d'habitation offriront un spectacle de clarté, de grâce, d'ordre et d'élégance.

(*U*, p. 10, 24; *MPU*, p. 35, 11-12, 65.)

## V. CONTRE LA RUE

Les cafés, les lieux de repos, etc. n'étaient plus cette moisissure qui ronge les trottoirs : ils étaient reportés sur les terrasses des toits ainsi que le commerce de luxe (car n'est-il pas vraiment illogique qu'une entière superficie de ville soit inemployée et réservée au tête à tête des ardoises et des étoiles ?) Des passerelles courtes par-dessus les rues normales établissaient la circulation de ces nouveaux quartiers récupérés, consacrés au repos parmi les plantations de fleurs et de verdure.

Cette conception ne faisait rien moins que tripler la surface circulable de la ville; elle était réalisable, *correspondait à un besoin, coûtait moins cher, était plus saine, que les errements actuels.* Elle était saine dans le vieux cadre de nos villes, comme sera saine la conception des villes-tours dans les villes de demain.•

Le nombre des rues actuelles *doit être diminué des deux tiers.* Le nombre des croisements de rues est fonction directe du nombre des rues; c'est une aggravation considérable du nombre des rues. *Le croisement de rues est l'ennemi de la circulation.* Le nombre des rues actuelles est déterminé par la plus lointaine histoire. La protection de la propriété a presque sans exception sauvegardé le moindre sentier de la bourgade primitive et l'a érigé en rue, même en avenue. Le chemin des ânes, le chemin des hommes. Les rues, ainsi, se coupent tous les 50 mètres, tous les 20 mètres, tous les 10 mètres !.. C'est alors l'embouteillement ridicule.

L'écartement de deux stations de métro ou d'autobus fournit le module utile d'écart entre les croisements de rues, module conditionné par la vitesse des véhicules et la résistance admissible du piéton. Cette mesure moyenne de 400 mètres donne donc l'écartement normal des rues, étalon des distances urbaines. Ma ville est tracée sur un quadrillage régulier de rues espacées de 400 mètres et recoupées parfois à 200 mètres.•

Il s'agit alors d'étudier bien la cellule, c'est-à-dire le logement d'un homme, d'en fixer le module et de suivre à l'exécution en séries uniformes. Le treillage monotone et tranquille ainsi formé d'innombrables cellules s'étendra sur de grands mouvements d'architecture, mouvements autres que l'indigente rue en corridor : l'urbanisme abandonnera la « rue-corridor » actuelle et par le tracé de lotissements nouveaux, il créera, sur une échelle autrement vaste, la symphonie architecturale qu'il s'agit de réaliser.

La rue-corridor à deux trottoirs, étouffée entre de hautes maisons, doit disparaître. Les villes ont le droit d'être autre chose que des palais tout en corridors.

*L'urbanisme réclame de l'uniformité dans le détail et du mouvement dans l'ensemble.*

(*VA*, p. 45; *U*, p. 162-161, p. 68.)

## VI. POUR LA VERDURE

Au lieu de tracer des villes en massifs quadrangulaires avec l'étroite rigole des rues cantonnées par les sept étages d'immeubles à pic sur la chaussée et encerclant des cours malsaines, sentines sans air et sans soleil, on tracerait, en occupant les mêmes superficies, et avec la même densité de population, des massifs de maisons à redents successifs serpentant le long d'avenues axiales. Plus de cours mais des appartements ouvrant sur toutes les faces à l'air et à la lumière, et donnant non pas sur les arbres malingres des boulevards actuels, mais sur des pelouses, des terrains de jeux et des plantations abondantes.•

La nature a été reprise en considération. La ville, au lieu de devenir un pierrier impitoyable, est un grand parc.• L'agglomération urbaine (est) traitée en ville verte.•

Soleil, espace, verdure.

Les immeubles sont posés dans la ville derrière la dentelle d'arbres. Le pacte est signé avec la nature.•

Les logis rassemblés en hauteur, leur concentration, tout en assurant une forte densité d'habitation, n'occupent qu'une faible partie du sol. Les « unités d'habitation de grandeur conforme » ainsi constituées, hautes de 50 mètres, sont distantes de 150 à 200 mètres les unes des autres et implantées en fonction du soleil et du site dans un parc de verdure.

Une unité d'habitation loge 1 600 personnes et couvre 4 hectares. Pour le même nombre d'habitants logés en cités-jardins horizontales, il faudrait 320 petites maisons couvrant 32 hectares. La densité est de 400 habitants à l'hectare pour une unité d'habitation, au lieu de 50 pour des petites maisons.

Une ville du type « ville-radieuse », constituée d'unités d'habitation, couvrirait seulement 25 hectares, alors qu'une ville en cité-jardin en exigerait 200.•

Partant de l'événement constructif capital qu'est le gratte-ciel américain, il suffirait de rassembler en quelques points rares cette forte densité de population et d'élever là, sur 60 étages, des constructions immenses. Le ciment armé et l'acier permettent des hardiesses et se prêtent surtout à un certain développement des façades, grâce auquel toutes les fenêtres donneront en plein ciel; ainsi, désormais, les cours seront supprimées. A partir du quatorzième étage, c'est le calme absolu, c'est l'air pur.

Dans ces tours qui abriteront le travail, jusqu'ici étouffé dans des quartiers compacts et dans des rues congestionnées, tous les services, selon l'heureuse expérience américaine, se trouveront rassemblés, apportant l'efficacité, l'économie de temps et d'efforts et, par là, un calme indispensable. Ces tours, dressées à grande distance les unes des autres, donnent en hauteur ce que, jusqu'ici, on étalait en surface; elles laissent de vastes espaces qui rejettent loin d'elles les rues axiales pleines de bruit et d'une circulation plus rapide. Au pied des tours se déroulent des parcs; la verdure s'étend sur toute la ville. Les tours s'alignent en avenues imposantes; c'est vraiment de l'architecture digne de ce temps.*

(*VA*, p. 47; 3*E*, p. 37, 52, 45, 30; *VA*, p. 43.)

## VII. LA VILLE MODÈLE

Procédant à la manière du praticien dans son laboratoire, j'ai fui les cas d'espèces : j'ai éloigné tous les accidents; je me suis donné un terrain idéal. Le but n'était pas de vaincre des états de choses préexistants, mais *d'arriver, en construisant un édifice théorique rigoureux, à formuler les principes fondamentaux d'urbanisme moderne.*

Ces principes fondamentaux, s'ils ne sont pas controuvés, peuvent constituer l'ossature de tout système d'urbanisation contemporaine; ils seront la *règle* selon laquelle le jeu peut se jouer. Envisager dans la suite le cas d'espèce, c'est-à-dire n'importe quel cas : Paris, Londres, Berlin, New York ou une minuscule bourgade, c'est être maître, si l'on part des certitudes acquises, de donner une direction à la bataille qui va s'engager. Car c'est livrer une formidable bataille que de vouloir urbaniser une grande ville contemporaine. Or, voyez-vous se livrer une bataille sans connaissance précise des objectifs à atteindre ? Nous en sommes exactement là. Des autorités mises aux abois se lancent dans des aventures de gendarmes à bâtons, de gendarmes à cheval, de signaux sonores et lumineux, de passerelles sur rues, de trottoirs roulant sous rues, de cités-jardins, de suppression de tramways, etc. Tout, coup sur coup, en halètement, pour tenir tête à la bête. La BÊTE, la Grande Ville, est bien plus forte que cela; elle ne fait que s'éveiller. Qu'inventera-t-on demain ?

Il faut une ligne de conduite.

Il faut des principes fondamentaux d'urbanisme moderne.

## Terrain [1]

Le terrain plat est le terrain idéal. Partout où la civilisation s'intensifie, le terrain plat fournit les solutions normales. Là où la circulation diminue, les accidents du terrain gênent moins.

Le fleuve passe loin de la ville. Le fleuve est un chemin de fer sur eau, c'est une gare de marchandises, une gare de triage. Dans une maison bien tenue, l'escalier de service ne traverse pas le salon — même si la bonne de Bretagne est coquette (même si les péniches ravissent le badaud penché sur le pont).

## La population

Les urbains, les suburbains, les mixtes.

a) — Les urbains, ceux de la cité, qui y ont leurs affaires et qui résident dans la ville.

b) — Les suburbains, ceux qui travaillent en périphérie dans la zone des usines et qui ne viennent pas en ville; ils résident dans la cité-jardin.

c) — Les mixtes, ceux qui fournissent leur travail dans la cité des affaires, mais qui élèvent leur famille dans les cités-jardins.

Reconnaître un organe dense, rapide, agile, concentré : *la cité* (centre dûment organisé). Un autre organe souple, étendu, élastique : la *cité-jardin* (ceinture).

Entre ces deux organes, reconnaître *avec force de loi* la présence indispensable de la zone de protection et d'extension, *zone asservie,* fûtaies et prairies, réserve d'air.

## Les densités

Plus la densité de population d'une ville est grande, plus faibles sont les distances à parcourir. Conséquence : *augmenter la densité du centre des villes, siège des affaires.*

1. Toute la série de titres qui suit fait partie du texte de Le Corbusier.

## Poumon

Le travail moderne s'intensifie de plus en plus, sollicitant toujours plus dangereusement notre système nerveux. Le travail moderne exige le calme, l'air salubre et non l'air vicié.

Les villes actuelles augmentent leur densité aux dépens des plantations qui sont le poumon de la ville.

La ville nouvelle doit augmenter sa densité tout en augmentant considérablement les surfaces plantées.

*Augmenter les surfaces plantées et diminuer le chemin à parcourir.* Il faut construire le centre de la cité en *hauteur.*•

L'appartement de ville peut être construit sans cour et loin des rues, ses fenêtres donnant sur des parcs étendus : lotissements à redents et lotissements fermés.

## La rue

La rue moderne est un organisme neuf, espèce d'usine en longueur, entrepôt aéré de multiples organes complexes et délicats (les canalisations). Il est contre toute économie, tout bon sens, d'enfouir les canalisations de la ville. Les canalisations doivent être accessibles partout. Les planchers de cette usine en longueur ont des affectations diverses. La réalisation de cette usine est aussi bien de la *construction* que les maisons dont on est accoutumé de la flanquer, que les ponts qui la prolongent à travers les vallons ou par-dessus les fleuves.

La rue moderne doit être un chef-d'œuvre de génie civil et non plus un travail de terrassiers.•

Trois sortes de rues, les unes au-dessous des autres :

a) — En sous-sol, les poids lourds. L'étage des maisons occupant ce niveau formé de pilotis laissant entre eux des espaces libres très grands, les poids lourds déchargent ou chargent leurs marchandises à cet étage-là, qui constitue en vérité les docks de la maison.

b) — Au niveau du rez-de-chaussée des immeubles, le système

multiple et sensible des rues normales qui conduit la circulation jusqu'à ses fins les plus déliées.

c) — Nord-Sud, Est-Ouest, constituant les deux axes de la ville, les autodromes de traversée pour circulation rapide à sens unique, sont établis sur de vastes passerelles de béton de 40 ou 60 mètres de large, raccordées tous les 800 ou 1.200 mètres par des rampants au niveau des rues normales. On atteint les autodromes de traversée en un point quelconque de leur course et l'on peut effectuer la traversée de la ville et atteindre sa banlieue, aux allures les plus fortes, sans avoir à supporter aucun croisement.•

## La gare

Il n'y a qu'une gare. La gare ne peut être qu'au centre de la ville. C'est sa seule place; il n'y a aucune raison de lui assigner une autre place. La gare est le moyeu de la roue.

La gare est un édifice avant tout souterrain. Sa toiture à deux hauteurs d'étage au-dessous du sol naturel de la ville constitue *l'aéroport* pour aéro-taxis. L'aéroport-taxis (dépendant de l'aéroport principal situé dans la zone asservie) doit être en contiguïté directe avec les métros, les chemins de fer de banlieue, les chemins de fer de province, « la grande traversée », et avec les services administratifs de transport.

## Plan de la ville

Principes fondamentaux :
1° — Décongestionnement du centre des villes;
2° — Accroissement de la densité;
3° — Accroissement des moyens de circulation;
4° — Accroissement des surfaces plantées.

Au centre, la GARE avec plate-forme d'atterrissage des avions-taxis.

Nord-Sud, Est-Ouest, la GRANDE TRAVERSÉE pour véhicules rapides (passerelle surélevée de 40 mètres de large).

Au pied des gratte-ciel et tout'autour, place de 2.400 × 1.500 mètres (3.640.000 mètres carrés) couverte de jardins, parcs et quinconces. Dans les parcs, au pied et autour des gratte-ciel, les restaurants, cafés, commerces de luxe, bâtiments à deux ou trois terrasses en gradins; les théâtres, salles, etc.; les garages à ciel ouvert ou couverts.

Les gratte-ciel abritent les affaires.

A gauche : les grands édifices publics, musées, maisons de ville, services publics. Plus loin à gauche, le jardin anglais. (Le jardin anglais est destiné à l'extension logique du cœur de la cité.)

A droite : parcourus par l'une des branches de la « grande traversée », les docks et les quartiers industriels avec les gares de marchandises.

Tout autour de la ville, la *zone asservie,* fûtaies et prairies.•

Un mot résume la nécessité de demain : *il faut bâtir* A L'AIR LIBRE. La géométrie transcendante doit régner, dicter tous les tracés et conduire à ses conséquences les plus petites et innombrables.

La ville actuelle se meurt d'être non géométrique. Bâtir à l'air libre, c'est remplacer le terrain biscornu, *insensé,* qui *est le seul existant aujourd'hui* par un terrain *régulier.* Hors de cela *pas de salut.*

(*U,* p. 158-166.)


## VIII. L'HABITATION MODÈLE

L'édifice groupe 337 appartements de 23 types différents, depuis le petit appartement pour le célibataire, ou pour le couple sans enfants, jusqu'au grand appartement pour familles de trois à huit enfants.

Les appartements sont groupés par deux, imbriqués tête-bêche au long des corridors d'accès appelés : « rues intérieures » situés dans l'axe longitudinal du bâtiment. La première caractéristique de l'appartement-type est d'être construit sur deux étages comme une maison particulière. Les appartements sont isolés l'un de l'autre par des boîtes de plomb (isolation phonique).

La salle commune bénéficie des deux hauteurs d'étages mesurant 4 mètres 80 sous plafond. Un vitrage de 3 mètres 66 de large et de 4 mètres 80 de haut fait apparaître le magnifique paysage. Les équipements de la cuisine font corps avec l'appartement. Ils comportent : une cuisinière électrique à trois plaques et un four, un évier à double bac, dont l'un forme vide-ordures automatique, une armoire frigorifique, une grande table de travail, des placards et casiers et une hotte d'aspiration des vapeurs de cuisine, raccordée à la ventilation générale.

L'unité est desservie par 5 rues intérieures superposées. A mi-hauteur du bâtiment (niveaux 7 et 8) se trouvent la rue marchande du ravitaillement (services communs), comportant : poissonnerie, épicerie, boucherie, charcuterie, vins, crèmerie, boulangerie, fruits, légumes et plats cuisinés. Un service de livraison dans les appartements. Un restaurant, salon de thé, snack-bar, permettant de prendre des repas. Des boutiques : Salon de lavage, repassage, pressing et teinturerie, droguerie, coiffeur, de plus un bureau de poste auxiliaire, tabacs, journaux, librairie et dépôt de pharmacie. Sur la même rue intérieure se trouvent les chambres d'hôtels.

Au dernier étage (17e niveau) : une crèche et une « maternelle » en communication directe par plan incliné avec le jardin sur le toit-terrasse réservé aux enfants. Ce jardin possède une petite piscine pour enfants. Toit-terrasse formant jardin suspendu et belvédère et comprenant : une salle de culture physique, une place d'entraînement et d'exercices en plein air, un solarium, une piste de course à pied de 300 mètres, un bar-buffet, etc.

(*OC*, t. III, 1946-1952, p. 194.)

# Stanislas Gustavovitch Stroumiline

## né en 1877

*Économiste, spécialiste de la statistique et de la planification, S. G. Stroumiline a occupé des fonctions officielles élevées (il fut vice-président du Gosplan et chef de la Direction centrale des statistiques de 1921 à 1937 et de 1943 à 1951). Membre de l'Académie des Sciences de l'U.R.S.S. depuis 1931, il est devenu l'économiste officiel du régime. On lui doit une assertion fameuse, popularisée par Staline : « Notre tâche n'est pas d'étudier l'économie, mais de la transformer. Nous ne sommes liés par aucune loi. Il n'est pas une forteresse que les bolcheviks ne puissent enlever. La question des rythmes est sujette à la décision des êtres humains. »*

*Après la déstalinisation, ses* Esquisses de l'économie socialiste de l'U.R.S.S. (1959) *ont connu un grand retentissement. Il n'hésitait pas à y décrire le trucage des statistiques soviétiques, grâce à quoi « le rythme de croissance de la production brute comparée à la croissance réelle du revenu national est sciemment exagéré... »*

*L'article de* Novi Mir *dont nous donnons ici un extrait ne représente pas une position d'avant-garde. Il exprime la vision d'un auteur que sa situation dans le régime fait bénéficier d'une audience considérable. On notera que la* commune *de Stroumiline est comparable à l'*unité d'habitation de Le Corbusier [1].

---

1. Celle-ci se trouvait d'ailleurs préfigurée au cours des années 1920 dans les projets des architectes soviétiques Ol et Ginsburg.

# UNE CITÉ COMMUNISTE

Devant une nouvelle étape de notre développement — l'étape de l'épanouissement du communisme — la prévision et l'organisation méticuleuses de tout un réseau de communes intégrant travail et logement devient une nécessité, toujours plus réelle, toujours plus urgente.

*La commune-type*

Sous quel aspect se présente le maillon élémentaire de ce réseau de communes [1], la commune-élémentaire-type ? Comment cette commune peut-elle réaliser son objectif, la *collectivisation* de la vie des travailleurs, ainsi que la libération complète de la femme, enfin arrachée aux ingrates fonctions ménagères qu'elle assume encore dans chaque foyer individuel ?

Des conditions différentes mèneront à des solutions chaque fois différentes. On peut se représenter ces communes sous forme de « grandes maisons » organisées sur le modèle des sanatoria ou des hôtels actuels, dont l'organisation communautaire assure non seulement les repas, mais l'ensemble des services nécessaires aux familles qui les habitent. Il est possible, qu'à cette fin, on organise des combinats qui juxtaposeraient des immeubles ou palais-communes aux entreprises où travailleront tous les habitants des communes. Chacune de ces communes devra naturellement être desservie par un complexe de services collectifs ou de communes de travail auxiliaires : centres scolaire, médical, alimentaire, etc. Dans les grandes villes, l'ensemble de ces complexes communaux formeront des « microrayons » : sur les lieux mêmes de leur travail et de leur habitat, les habitants seront en mesure de pourvoir à tous leurs besoins vitaux et culturels quotidiens.

---

1. Dans tout ce texte, le mot commune est accompagné de l'adjectif *bytovaia* (de vie), destiné à lui retirer la résonance politique qu'il a en russe. ( *Note du traducteur.* )

Nos meilleurs architectes établissent déjà, en prévision du futur, des plans immobiliers de ce genre. Ils étudient attentivement la répartition respective des immeubles d'habitation, des établissements pré-scolaires et scolaires, des cours intérieures et des squares de ces « microrayons », de façon à mettre la population entièrement à l'abri des dangers de la circulation automobile urbaine. Dans ce type de complexes, les différents édifices seront reliés par des passages couverts et permettront aux enfants de passer de chez eux au jardin d'enfants ou à l'école, et vice-versa, par n'importe quel temps et sans le moindre risque.

Dans les petites villes et les petites agglomérations, des ensembles aussi complexes ne seront évidemment pas nécessaires. Mais la dispersion des petites maisons paysannes ou même des pavillons familiaux ne conviendra guère aux futures communes agricoles, lorsqu'elles seront devenues de grandes fabriques de grain et de viande, accomplissant les premières opérations de transformation de leur production en produits de l'industrie alimentaire ou sucrière et en conserves. Les kholkhozes actuels commencent déjà à prendre de l'importance et à se transformer selon le type urbain.•

Les palais-communes seront-ils de grande dimension ? Certains économistes leur accordent une trop grande capacité : ils prévoient jusqu'à 10 000 habitants par unité! De tels édifices seront peut-être nécessaires pour les unités de production les plus importantes du pays; mais la moyenne actuelle des entreprises soviétiques ne compte pas encore 1 000 travailleurs. Or, l'automatisation sans cesse croissante des moyens de production ne rend guère nécessaire l'accroissement de la main-d'œuvre. Dans ces conditions, la commune-type n'incluera, en comptant les enfants, les vieillards et le personnel la desservant, pas plus de 2 000 à 2 500 personnes. Les petites villes d'environ 30 000 habitants ne compteront donc pas plus de quinze communes. En prévoyant des immeubles d'habitation de trois à quatre étages, d'un volume de 250 000 mètres cubes environ, on pourrait affecter à chacun d'eux un terrain• d'environ 7 500 hectares.

*Concentration*

La ville entière, y compris les entreprises de production, les établissements communautaires, la station électrique, le central téléphonique, le centre culinaire, l'usine de fabrication du pain, le centre-radio, la bibliothèque, un institut pour 3 000 étudiants, quinze écoles-internats pour 6 000 élèves, un hôpital, un grand magasin, un théâtre, un foyer (club), et un stade, occupera un espace ne dépassant pas 300 hectares, dont la moitié consistera en espaces verts. Dans une telle ville, s'étendant sur 3 kilomètres carrés au maximum, la distance d'une extrémité au centre pourra être franchie en dix minutes au plus; cela signifie qu'il n'y aura besoin ici ni de métro, ni de trolleybus, ni d'ascenseurs pour monter dans la « stratosphère », comme dans les gratte-ciel américains. Tout sera beaucoup plus simple et beaucoup plus accessible.

*Services du palais*

Dans chaque palais-commune, comprenant une surface habitable maxima de 45 000 mètres carrés, on pourra installer à l'étage inférieur, à demi souterrain, tous les services utilitaires : bureau d'assistance, centre sanitaire, section postale, salon de coiffure, blanchisserie; les autres étages seront réservés au logement des habitants de la commune : par exemple, le premier étage pourra comprendre, dans une aile, tous les appartements d'enfants, dans l'autre aile, les vieillards,• le personnel s'occupant d'eux; le deuxième étage comprendrait des appartements de deux à trois pièces pour les familles, et le troisième, des chambres individuelles pour les jeunes travailleurs, les étudiants, et toutes les catégories de célibataires.

Les calculs actuels permettent d'affirmer que dans vingt ans, il sera possible de fournir à chaque individu une surface habitable de 16 à 18 mètres carrés, sans compter la surface occupée par les restaurants, les salles de lecture, et autres institutions communautaires (jeux d'enfants, cercles de musique, de danse, ou autres formes d'activités artistiques ou sportives). Dans chacun des étages d'habitation, on prévoit, à cette fin, une surface de 800 à 1 000 mètres carrés.

On peut imaginer que le palais-commune sera divisé en une série de sections ou de corps de bâtiments, reliés entre eux par des galeries couvertes et entourés par des jardins intérieurs, un petit stade, même une piscine et une patinoire. Pour réaliser un tel ensemble, il suffit, en tout, de 8 hectares.

Heureusement, plus personne, aujourd'hui, ne se représente les futures communes sous la forme de sinistres foyers communautaires assortis de cuisines communes et ravagés par une zizanie perpétuelle. La commune doit pourvoir aux *joies* nécessaires d'une communauté amicale.

### *La fonction « solitude »*

Le travailleur a besoin de repos et de tranquillité à l'abri des intrusions étrangères, soit au sein de sa famille, soit même isolément. Il est bon d'être seul, sans rien qui vienne vous gêner, lorsque l'on pense profondément à quelque chose, ou que l'on est attiré par la réalisation d'un travail créateur intéressant. Il n'est pas désagréable parfois, pour un couple d'époux qui s'aiment, de s'oublier[1] dans une « solitude à deux » silencieuse; quand on reste seul à seul avec l'ami du cœur, comme on dit, la route est plus courte et le repos plus plein. Voilà pourquoi chaque travailleur aspire à disposer d'une pièce à part — et toute famille, d'un appartement, petit peut-être, mais isolé.

Pourtant, rester longtemps loin des autres est vite pesant; les hommes sont essentiellement des êtres sociables. Bien reposé, empli d'une énergie nouvelle, un homme sain cherche de lui-même à communiquer avec ses semblables sur la base de sympathies et d'intérêts communs. Grâce à ses divers locaux individuels et collectifs, le palais communal garantit, à tout moment, non seulement la solitude indispensable, mais encore les plus vastes possibilités de communication libre et active entre tous ses membres.

### *Locaux collectifs*

Le contact quotidien entre individus aux heures de loisirs est déjà réalisé dans les cantines communautaires. Tel ou tel des membres de la communauté peut désirer recevoir son repas tout

---

1. Le verbe veut aussi dire « s'assoupir ». On a le choix entre une version boy-scout ou puritaine du passage. (*Note du traducteur.*)

préparé chez lui, dans son appartement, ou encore il peut vouloir le préparer lui-même, selon son goût personnel, sur son réchaud. Mais il est indubitable que l'énorme majorité des habitants ne voudra pas gaspiller à cela un temps précieux et préfèrera rencontrer des amis, discuter, au cours d'une conversation tout à fait libre, à la table commune. Les rencontres dans les locaux du palais-commune prévus pour les diverses activités collectives (scientifique, littéraire, musicale, chorégraphique, sportive, ou toute autre) fourniront des possibilités plus grandes encore de rapprochement amical. Si l'on considère que tous les habitants adultes du palais communal ont déjà expérimenté la solidarité fondamentale sur leur lieu de travail, on voit clairement quelle diversité de liens peut unir les unités de logement et de travail, et les transformer en une véritable collectivité économique et sociale.

Avec la diversité des tendances et des talents individuels de chacun, une telle commune se présentera comme un organisme économique et social monolithique, capable de soutenir effectivement ses membres et de créer entre eux un réel sentiment de solidarité dans toutes les occasions où les intérêts de la collectivité le réclameront. On y trouvera la meilleure garantie pour le développement des principes de collaboration et des fondements moraux sur lesquels doit s'édifier toute société communiste. Les communes sont l'élément fondamental de cette construction.

Mais une question vient naturellement à l'esprit : n'est-il pas un peu tôt pour penser à ces communes et à une large reconstruction de l'existence sur de nouveaux principes ?•

*Communes-type et économie planifiée*

Une commune satisfaisante, sans le moindre superflu, pour 2 000 à 2 500 personnes, exigerait, sur la base des prix actuels, un investissement de 500 millions de roubles. Pour toute la population de l'U.R.S.S., il faudrait dépenser 5 trillions de roubles. Aussi, même dans quinze ans, quand nous serons cinq fois plus riches et que nous aurons depuis longtemps rattrapé les U.S.A., il faudra encore dix ou quinze ans pour réaliser un tel programme de construction. Le problème n'est donc pas immédiat.

Mais dans une économie planifiée, il faut envisager les problèmes des dizaines d'années à l'avance; et, si dans l'avenir, nous construisons un grand nombre d'habitations, sans nous soucier des exigences d'un mode de vie communiste, il nous faudra payer cher notre imprévoyance. Nous construisons des maisons qui doivent durer longtemps et non des baraquements.

On peut dire que nous ne sommes pas encore prêts pour l'introduction massive de formes de vie collectives; c'est vrai; mais la possibilité d'introduire des expériences isolées dans ce sens existe aujourd'hui.•

A l'avant-garde du mouvement communautaire, on peut compter, rien que dans les villes, environ 2 000 brigades, équipes, secteurs de travail communiste englobant plus de 5 000 000 de travailleurs, techniciens, ingénieurs, qui sont prêts non seulement à travailler, mais encore à vivre en communistes.•

*Cités-modèles*

A titre expérimental, on pourrait — quelque part sur l'Angar ou l'Iénisséi — créer des conditions de travail et d'existence collectives : on édifierait les premières cités-modèles et les premiers immeubles communaux modèles en y attirant cette jeunesse travailleuse qui brûle dès aujourd'hui de vivre à la communiste.•

Il va de soi qu'en aucun cas, personne n'entrera dans ces communes par la contrainte. La commune sera toujours une communauté volontaire d'amis ayant les mêmes idées, prêts à collaborer et à se soutenir mutuellement. Tous les individualistes (de tempérament ou d'éducation), les misanthropes forcenés et les anachorètes pourront, s'ils le désirent, rester en dehors de la commune, à titre d'exploitants individuels. Mais les avantages de la vie collective — qui s'élargira sans cesse pour tendre toujours davantage vers le communisme intégral — seront si grands que, même parmi les atrabilaires, il se trouvera de moins en moins de gens pour les refuser.•

*La vie ouvrière et le communisme,* article publié dans *Novi Mir,* 1960, n° 7, 3e partie. (P 211-214, traduction Jean-Jacques Marie.)

# V

# L'URBANISME CULTURALISTE

# Camillo Sitte

## 1843-1903

*Architecte, directeur de l'*École impériale et royale des arts industriels *de Vienne, sa connaissance de l'archéologie médiévale et renaissante lui inspira une théorie et un modèle de la cité idéale qu'il développa dans* Der Städtebau nach seinen künstlerischen Gründsätzen *(1889).*

*Cet ouvrage, d'inspiration essentiellement esthétisante, était destiné à polémiquer contre les transformations de Vienne et l'aménagement du Ring selon des principes haussmanniens. Il fut néanmoins sans effet sur le destin urbanistique de la capitale autrichienne et les conceptions d'O. Wagner.*

*En revanche, dès sa parution, nombre de municipalités faisaient appel à Sitte pour leurs projets d'extension (Altona, Brünn, Linz).* Der Städtebau *inspira une génération d'urbanistes germaniques (K. Henrici, Th. Fischer, O. Lasme, etc.) avant d'exercer une influence décisive sur la réalisation des cités-jardins anglaises et l'urbanisme culturaliste anglo-saxon.*

*Fréquemment invoqué par P. Geddes et L. Mumford pour le caractère humain des solutions qu'il préconise, Sitte représente au contraire, pour Le Corbusier* [1] *et les progressistes, l'incarnation du passéisme le plus rétrograde.*

---

1. Cf. le Corbusier, *L'urbanisme,* Avertissement : « Un jour, la lecture de Camillo Sitte, le Viennois, m'inclina insidieusement au pittoresque urbain. Les démonstrations de Sitte étaient habiles, ses théories semblaient justes; elles étaient fondées sur le passé. A vrai dire, elles étaient le passé — et le passé au petit pied, le passé sentimental, la fleurette un peu insignifiante au bord de la route. Ce passé n'était pas celui des apogées; c'était celui des accomodements. L'éloquence de Sitte allait bien avec cette attendrissante renaissance du « toit » qui devait, en un paradoxe digne du cabanon, détourner grotesquement l'architecture de son chemin. »

# LA LEÇON DE L'HISTOIRE

## INTRODUCTION [1]

Aristote• a résumé tous les principes de la construction des villes en cette sentence : « Une ville doit être bâtie de façon à donner à ses habitants la sécurité et le bonheur. »

*Problème esthétique*

Pour atteindre ce but, il ne suffit pas de la science d'un technicien, il faut encore le talent d'un artiste. C'est ainsi qu'il en fut dans l'Antiquité, au Moyen Age et à la Renaissance, partout où les Beaux Arts étaient en honneur.•

*L'étude du passé*

Ceux qui ont assez d'enthousiasme et de foi dans les bonnes causes, doivent se convaincre que notre temps peut encore créer des œuvres de beauté et de bonté. Ce n'est donc ni en historien, ni en critique, que nous examinerons les plans d'une série de villes. C'est en technicien et en artiste que nous voulons rechercher les procédés de leur composition, procédés qui ont produit jadis des effets si harmonieux et qui ne donnent aujourd'hui que des impressions décousues et ennuyeuses. Cet examen nous permettra peut-être de trouver au problème actuel de la construction des villes une solution qui devra satisfaire à trois conditions principales : nous délivrer du système moderne des pâtés de maisons régulièrement alignés ; sauver, autant que possible, ce qui reste des cités anciennes ; et rapprocher nos créations actuelles toujours davantage de l'idéal des modèles antiques.•

*Des lieux pour la vie publique*

Les places publiques (forum, marché, etc.) servent, de notre temps, aussi peu à de grandes fêtes populaires qu'à la vie de tous les jours. Leur seule raison d'être est de procurer plus d'air et de

1. Les titres en romain sont ceux de Sitte.

lumière et de rompre la monotonie des océans de maisons. Parfois aussi, elles mettent en valeur un édifice monumental en dégageant ses façades. Quelle différence avec l'Antiquité! Les places étaient alors une nécessité de premier ordre, car elles furent le théâtre des principales scènes de la vie publique, qui se passent aujourd'hui dans des salles fermées. C'est à ciel ouvert, sur l'agora, que le conseil des villes grecques* se réunissait.

La place du marché, qui était un deuxième centre de l'activité de nos ancêtres, a subsisté, il est vrai, jusqu'à nos jours. Mais elle tend de plus en plus à être remplacée par de vastes halles également fermées. Et combien d'autres scènes de la vie publique ont complètement disparu ? Les sacrifices devant les maisons des dieux, les jeux, les représentations théâtrales de toute espèce.*

### Les places comme lieux de spectacle

Cette parenté rapprochée du forum avec une salle de fêtes, dont l'architecture est rehaussée de statues et de peintures, ressort clairement de la description de Vitruve et plus clairement encore de l'examen du forum de Pompéi. Vitruve écrit* encore à ce sujet : « Les Grecs disposent leurs places de marché en forme de carré et les entourent de vastes colonnades doubles, supportant des corniches de pierre ou de marbre au-dessus desquelles courent des galeries. Dans les villes italiennes, le forum prend un autre aspect, car de temps immémorial il est le théâtre des combats de gladiateurs. Les colonnades doivent donc être moins touffues. Elles abritent des boutiques de changeurs et leurs étages supérieurs ont des saillies en forme de balcons qui, grâce à leur utilisation fréquente, procurent à l'État des revenus sans cesse croissants. »

Cette description montre bien l'analogie du théâtre avec le forum[1]*. (A Pompéi), le centre du forum reste libre, tandis que sa phériphérie est occupée par de nombreux monuments dont les piédestaux couverts d'inscriptions sont encore visibles. Quelle impression grandiose devait produire cette place! A notre point de vue moderne, son effet était semblable à celui d'une grande salle de concert sans plafond. Car le regard s'arrêtait de tous côtés sur des édifices qui ne ressemblaient en rien à nos rangées de maisons modernes, et les rues qui débouchaient directement sur la place étaient fort peu nombreuses.*

La place du marché d'Athènes est disposée, dans ses grandes lignes, selon les mêmes règles.• Les villes consacrées de l'antiquité hellénique (Olympie, Delphes, Éleusis), en sont une application plus grandiose encore.• L'Acropole d'Athènes est la création la plus achevée de ce genre. Les temples et les monuments de l'intérieur sont les mythes de pierre du peuple grec. La poésie et la pensée les plus élevées y sont incarnées. C'est, en vérité, le centre d'une ville considérable, l'expression des sentiments d'un grand peuple. •

## DES RAPPORTS ENTRE LES ÉDIFICES, LES MONUMENTS ET LES PLACES

*Le Moyen Age*

La piazza del Duomo, à Pise,• renferme tout ce que les bourgeois de la ville ont pu créer en fait d'édifices religieux d'une richesse et d'une grandeur sans pareilles. Le splendide Dôme, le Campanile, le Baptistère, l'incomparable Campo-Santo, ne sont séparés par aucun voisinage profane ou banal. L'effet produit par une telle place, séparée du monde et pourtant riche des plus nobles œuvres de l'esprit humain, est considérable. Ceux-là même dont le sens artistique est peu développé, ne peuvent se soustraire à la puissance de cette impression. Il n'y a rien, là, qui distraie nos pensées et qui nous rappelle la vie de tous les jours. Les jouissances artistiques de celui qui contemple la noble façade du Dôme ne sont point gâtées par la vue d'une boutique moderne de tailleur, par les cris des cochers et des portefaix ou par le vacarme d'un café. Là règne la paix. On peut ainsi concentrer son attention pour jouir pleinement des œuvres d'art entassées à cet endroit.•

*Aujourd'hui : des places sans signification...*

Au Moyen Age et à la Renaissance, les places étaient utilisées souvent dans des buts pratiques et elles formaient un tout avec les édifices dont elles étaient entourées. Aujourd'hui, elles servent tout au plus de lieu de stationnement aux voitures et n'ont aucun rapport avec les maisons qui les dominent. Les palais de nos

Parlements n'ont point d'agora entourée de colonnades; nos universités et nos cathédrales ont perdu leur atmosphère de paix; une foule agitée ne circule plus, aux jours de marché, devant nos hôtels de ville; en un mot, l'animation fait défaut précisément aux endroits où, dans l'Antiquité, elle était la plus intense, près des édifices publics. Nous avons donc en grande partie perdu ce qui contribuait à la splendeur des Places anciennes.

*...ni densité esthétique*

Et ce qui constituait leur splendeur même, les statues innombrables, nous fait aujourd'hui presque entièrement défaut. Qu'avons-nous à comparer à la richesse des anciens forums et aux œuvres de grand style, telles que la Signoria de Florence et sa Loggia des Lanzi ? •

## LE CENTRE DES PLACES EST DÉGAGÉ

*Contre l'ordre élémentaire*

Il est instructif d'étudier la manière dont les anciens ont placé leurs fontaines et leurs monuments et de voir comment ils ont toujours su utiliser les circonstances qui leur étaient données.• Il faut être aveugle pour ne pas remarquer que les Romains ont laissé libre le milieu de leur forum.• Au Moyen Age, le choix de l'emplacement des fontaines et des statues semble, dans beaucoup de cas, défier toute définition; les situations les plus étranges ont été adoptées.• Nous nous trouvons donc en face d'une énigme, l'énigme du sentiment artistique naturel qui, chez les vieux maîtres, opérait des miracles sans l'aide d'aucun règlement esthétique. Les techniciens modernes qui leur ont succédé, armés d'équerres et de compas, ont prétendu résoudre les fines questions de goût avec de la grosse géométrie.•

Si nous voulons donc retrouver la liberté d'invention des anciens maîtres et réagir contre les règles géométriques et inflexibles de leurs successeurs, il nous faut suivre par réflexion les chemins où nos pères ont marché par instinct, aux époques où le respect de l'art était une tradition.•

L'URBANISME CULTURALISTE

*Ornementation latérale*

En Italie, devant le Palazzo Vecchio, sur la Signoria de Florence[1], devant le Palazzo Communale, à Pérouse, devant le Palazzo Farnèse à Rome, des fontaines s'élèvent au bord de la rue et non pas dans l'axe des palais ou de la place. De même, en France, la fontaine Saint-Lazare à Autun et la fontaine des Innocents à Paris qui, avant 1786, au lieu de se dresser au milieu d'une place, occupait l'angle formé par la rue aux Fers et la rue Saint-Denis.

La situation de la statue équestre de Guattamelata, de Donatello, devant Saint-Antoine de Padoue, est des plus instructives. Si l'on constate d'abord avec étonnement combien elle diffère de celles que préconisent nos systèmes modernes invariables, on ne tarde pas à être bientôt frappé de l'effet grandiose que produit le monument à cet endroit et l'on finit par se convaincre que, transporté au milieu de la place, il ferait une impression bien moins considérable. Une fois familiarisé avec cette idée, on ne s'étonne plus de son orientation ni des autres originalités de sa situation.

*Décor et circulation*

Ainsi, à la règle antique qui dit de situer les monuments sur les côtés des places, vient s'ajouter le principe admis au Moyen-Age, surtout dans les villes du Nord, selon lequel les monuments et les fontaines s'élèvent aux points morts de la circulation. Les deux systèmes sont observés parfois simultanément.• Il arrive souvent que les besoins pratiques et les exigences de l'art se confondent, et c'est bien compréhensible, car ce qui entrave la circulation est souvent aussi un obstacle à la vue. On doit donc éviter de placer un monument dans l'axe d'édifices ou de portes richement décorées, car il cacherait à l'œil des architectures remarquables, et réciproquement, un fond trop riche et trop mouvementé ne serait pas un arrière-plan favorable pour un monument. Les anciens Égyptiens avaient déjà connu ce principe; car de même que Guattamelata et la petite colonne s'élèvent à côté de l'entrée du Dôme de Padoue, les obélisques et les statues des Pharaons se dressaient à côté des portes

1. Sitte donne les plans de tous les exemples qui vont suivre. Il procède ainsi dans l'ensemble de l'ouvrage où, pratiquement, chaque cas cité renvoie à un plan.

des temples. Voilà tout le secret que nous refusons aujourd'hui de déchiffrer.

### Contre l'isolement des monuments

La règle que nous venons de déduire ne s'applique pas seulement aux monuments et aux fontaines, mais à toute espèce de constructions et, en particulier, aux églises. Celles-ci, qui occupent de nos jours presque sans exception, le milieu des places, ne se rencontraient autrefois jamais en cet endroit. En Italie, les églises sont toujours adossées d'un ou de plusieurs côtés à d'autres bâtiments et forment avec ceux-ci des groupes de places.•

La position de l'église au milieu de la place ne peut pas même être défendue au nom de l'intérêt du constructeur, car elle l'oblige à mener à grands frais autour de ses longues façades tous les membres de l'architecture, les corniches, les socles, etc. En adossant l'édifice d'un ou de deux côtés à d'autres bâtiments, l'architecte épargnerait toutes ces dépenses, les façades dégagées pourraient être bâties en marbre du haut en bas et il resterait encore des fonds suffisants pour les enrichir de statues. Ainsi, nous n'aurions plus ces profils monotones courant à l'infini autour de l'édifice et dont il est même impossible d'admirer la perfection d'un seul coup d'œil.•

Malgré tous ces inconvénients et malgré tous les enseignements de l'histoire de l'architecture ecclésiastique, les églises modernes du monde entier s'élèvent, presque sans exception, au centre des places. C'est à faire croire que nous avons perdu tout discernement.

### Théâtres et hôtels de ville

Les théâtres et les hôtels de ville et bien d'autres édifices sont aussi victimes de cette conception erronée. Croit-on, peut-être, qu'il est possible de voir un bâtiment de tous les côtés à la fois ou estime-t-on qu'une construction remarquable soit spécialement honorée si son pourtour est entièrement dégagé ? Personne n'imagine qu'en faisant ainsi le vide autour d'un édifice, on l'empêche de former, avec ses alentours, des tableaux variés. Quoi de plus beau que les losanges puissants des palais florentins vus des étroites ruelles adjacentes ? Ces édifices acquièrent ainsi une double valeur, car leur aspect est tout différent sur la *piazza* et dans le *vicolo.*

Il ne suffit pas, au goût de notre temps, de placer ses propres créations de la façon la plus favorable possible; il lui faut encore améliorer les œuvres des anciens maîtres en les débarrassant de leur entourage. Et l'on n'hésite pas à le faire quand il est manifeste qu'elles ont été composées précisément pour être en harmonie avec les édifices voisins et que, sans eux, elles perdraient toute valeur.•

Ce procédé est employé partout, de préférence à l'égard des anciennes portes de ville. C'est certes une bien belle chose qu'une porte de ville isolée autour de laquelle on peut se promener au lieu de passer sous ses voûtes. L'exemple des portes de Berne• nous montre comment l'on peut satisfaire les exigences de la communication sans supprimer complètement la raison d'être de ces vieux monuments du passé.•

## LA PLACE EST UN ESPACE FERMÉ

### *Valeur esthétique de l'espace clos*

• C'est parce qu'elles sont également closes que ces places produisent un effet d'ensemble si harmonieux. Et c'est même à cette qualité qu'un espace de terrain, au milieu d'une ville, doit son nom de place. Il est vrai que, de nos jours, on désigne ainsi toute parcelle de terrain entourée de quatre rues et sur laquelle on a renoncé à élever toute construction. Cela peut suffire à l'hygiéniste et au technicien; mais, pour l'artiste, ces quelques mètres carrés de terrain ne sont pas encore une place.•

Un espace fermé• est la condition la plus essentielle de tout effet artistique et, cependant, elle est ignorée de ceux qui élaborent, de nos jours, les plans de villes. Les anciens, par contre, ont employé les moyens les plus divers pour la remplir, quelles que fussent les circonstances.•

Nous nous en rendrons mieux compte à l'aide de quelques exemples. Le cas le plus simple est le suivant : vis-à-vis d'un édifice monumental, on a fait une entaille dans la masse des maisons et la place ainsi créée, entourée de tous côtés d'édifices, produit un heureux effet. Telle est la piazza San Giovanni, à Brescia. Souvent, une deuxième rue débouche sur la petite place, auquel cas l'on prend cependant soin de ne pas ouvrir une trop grande brèche dans ses parois afin que l'édifice principal reste bien encadré. Les anciens ont atteint ce but par des moyens si variés que le hasard seul ne peut les avoir guidés. Ils ont sans doute été souvent aidés par les circonstances, mais ils ont aussi su les utiliser admirablement. De nos jours, dans des cas semblables, on mettrait bas tous les obstacles et l'on ouvrirait de larges brèches dans les parois de la place, ainsi que cela se fait dans les villes que l'on veut moderniser.

*Rues et continuité visuelle*

Serait-ce peut-être par hasard que les rues anciennes débouchent sur les places de façon directement opposée aux procédés des constructeurs de villes modernes ? Il est aujourd'hui d'usage de faire aboutir deux rues, qui se coupent à angle droit, à chaque coin de place; on tient probablement à agrandir le plus possible l'ouverture faite dans l'enceinte de celle-ci et à détruire toute impression d'ensemble. Autrefois, l'on procédait d'une manière toute différente. On s'efforçait de ne faire aboutir qu'une rue à chaque angle d'une place. Si une deuxième artère de direction perpendiculaire à la première était nécessaire, on la faisait arriver dans la rue, assez loin de la place, pour qu'on ne pût pas la voir de celle-ci. Et mieux encore : les trois ou quatre rues qui aboutissaient à ses angles, avaient chacune une direction différente. Ce cas remarquable se reproduit si souvent, plus ou moins complètement il est vrai, qu'il peut être considéré comme l'un des principes conscients ou inconscients de la construction des villes anciennes. Un examen attentif montre que ce plan en forme de bras de turbine est très avantageux. Ainsi, de chaque point de la place, on ne peut avoir qu'une échappée sur les rues aboutissantes et l'enceinte des maisons n'est interrompue qu'une seule fois; elle paraît même, souvent, tout à fait continue, car les bâtiments d'angle se cachent les uns les autres, grâce à la perspective, et toute brèche qui aurait pu produire une impression désagréable est comblée. Le secret de ce procédé consiste en ce que les rues débouchent perpendiculairement aux rayons visuels au lieu de leur être parallèles.•

Les anciens ont eu recours à d'autres moyens encore pour

267

fermer l'enceinte de leurs places. Bien souvent, ils ont interrompu la perspective infinie d'une rue par une porte monumentale à une ou plusieurs arcades dont la portée et le nombre étaient déterminés par l'intensité plus ou moins grande de la circulation à cet endroit.•

Avec les portiques, les colonnades servaient aussi à encadrer les places.• Parfois même, des places sont entièrement entourées de murailles élevées, percées de portes simples ou monumentales, comme à l'ancienne résidence épiscopale de Bamberg (1591), à l'hôtel de ville d'Altenbourg (1562-1564); à la vieille université de Fribourg en Brisgau et à plusieurs autres endroits.• Enfin, le motif de l'arcade fut employé de mille façons.•

## DE L'IRRÉGULARITÉ DES PLACES ANCIENNES

*Apologie de l'irrégularité*

Les techniciens se donnent aujourd'hui plus de peine qu'il n'est nécessaire pour créer des rues rectilignes interminables et des places d'une régularité impeccable. Ces efforts paraissent bien mal dirigés à ceux que préoccupe particulièrement l'esthétique des villes. Nos pères avaient, à ce sujet, des idées très différentes des nôtres. En voici quelques preuves : la piazza dei Eremitani et la piazza del Duomo à Padoue, la piazza Anziani à Pise, deux places de San Gimignano et la piazza San Francesco à Palerme.

L'irrégularité typique de ces anciennes places provient de leur développement historique graduel. On se trompe rarement en attribuant l'existence de ces sinuosités étonnantes à des causes pratiques : à la présence d'un canal ou d'un chemin déjà tracé ou à la forme d'une construction.

Chacun sait, par sa propre expérience, que ces entorses données à la symétrie ne choquent point l'œil, mais qu'elles excitent d'autant plus notre intérêt qu'elles paraissent toutes naturelles et que leur aspect pittoresque n'est point voulu.•

*Plan dessiné et plan vécu*

Quiconque examine le plan de sa propre ville, s'assurera que des irrégularités de plan choquantes sur le papier ne l'ont pas le moins du monde frappé en réalité. Chacun connaît, si non pour y avoir été, du moins par des gravures, la célèbre piazza d'Erbe à Vérone.• Mais peu nombreux, sans doute, sont ceux qui ont constaté sa forme irrégulière• : au moment où l'on en contemple les beautés, on ne songe pas à en analyser la structure en détail. La différence existant entre la représentation graphique et l'aspect réel de la piazza Santa Maria Novella à Florence n'est pas moins étonnante. De fait, la place a cinq côtés, mais dans la mémoire de plus d'un voyageur, elle n'en a que quatre; car, sur le terrain, l'on ne peut jamais voir que trois côtés de la place à la fois et l'angle formé par les deux autres est toujours situé derrière le dos de l'observateur. En outre, il est facile de se tromper en évaluant l'angle que forment entre eux ces côtés. Les effets de perspective rendent cette estimation difficile, même pour des hommes du métier, s'ils ne se servent que de leurs yeux. C'est une vraie place à surprises, tant on y est sujet aux illusions d'optique les plus variées. C'est bien autre chose que la symétrie rigoureuse chère aux constructeurs de villes modernes.

### Construire pour l'œil

Il est très étrange que les moindres irrégularités des plans de villes modernes nous choquent, tandis que celles des places anciennes n'ont pas mauvaise apparence. En effet, celles-ci sont telles qu'on ne les perçoit que sur le papier; sur le terrain, elles échappent à notre attention. Les anciens ne concevaient pas leurs plans sur des planches à dessin, mais leurs constructions s'élevaient peu à peu *in natura*. Ils se rendaient donc aisément compte de ce qui frappait l'œil en réalité et ne s'attardaient pas à corriger des défauts de symétrie évidents seulement sur le papier. Preuve en soient les différentes places de Sienne.•

### Symétrie et proportion

La notion de symétrie se propage de nos jours avec la rapidité d'une épidémie. Elle est familière aux gens les moins cultivés et chacun se croit appelé à dire son mot dans des questions d'art aussi difficiles que celles qui touchent à la construction des villes, car il croit avoir, dans son petit doigt, le seul critérium nécessaire : la symétrie. Ce mot est grec, cependant on peut facilement prouver que, dans l'Antiquité, il avait un tout autre sens qu'aujourd'hui.•

La proportion et la symétrie sont, chez les anciens, une seule et même chose. L'unique différence entre ces deux termes est, qu'en architecture la proportion est simplement un rapport agréable à l'œil,· tandis que la symétrie est le même rapport exprimé par des nombres. Ce sens a subsisté pendant tout le Moyen Age. C'est lorsque les maîtres gothiques commencèrent à tracer des dessins d'architecture et que l'on s'inquiéta toujours plus des axes de symétrie au sens moderne du terme, que la notion de similitude de l'image à gauche et à droite d'une ligne principale fut érigée en théorie. A cette idée nouvelle, on donna un nom ancien, dont la signification fut altérée. Les écrivains de la Renaissance l'emploient déjà dans ce sens. Depuis lors, les axes de symétrie sont devenus toujours plus fréquents dans les plans des édifices comme dans ceux des villes. C'est avec leur seul recours que l'architecte moderne prétend accomplir toutes les tâches qui lui incombent. Nos règlements de construction, soi-disant esthétiques, sont là pour prouver l'insuffisance de ce malheureux principe.·

Dans les villes modernes, les irrégularités de plans n'ont pas de succès, car elles sont créées artificiellement, à l'aide de la règle. Ce sont, le plus souvent, des places triangulaires, résidu fatal d'un parcellement en damier. Celles-ci font, le plus souvent, mauvais effet : l'œil ne peut se faire illusion, car il voit toujours les intersections heurtées des lignes de maisons. ·

## LA VIE MODERNE LIMITE LE DÉVELOPPEMENT
## DE L'ART DE BÂTIR LES VILLES

*Pourquoi disparaît l'ancienne ville-lieu public*

·Dans notre vie publique, bien des choses se sont transformées sans retour, partant, bien des formes architecturales ont perdu leur importance de jadis.· Qu'y pouvons-nous, si les événements publics sont aujourd'hui racontés dans les journaux au lieu d'être proclamés, comme autrefois en Grèce et à Rome, par des crieurs publics dans les thermes ou sous les portiques ? Qu'y pouvons-nous si les marchés quittent de plus en plus les places pour s'enfermer dans des bâtiments d'aspect peu artistique ou pour se transformer en colportage direct dans les maisons ? Qu'y pouvons-nous si les fontaines n'ont plus qu'une valeur décorative, puisque la foule s'en éloigne, les canalisations amenant l'eau directement dans les maisons et les cuisines ? Les œuvres sculpturales abandonnent toujours plus les places et les rues pour s'enfermer dans les prisons d'art nommées musées.·

### Le gigantisme

Avant tout, le développement considérable qu'atteignent nos capitales a brisé, dans tous ses coins le moule des anciennes formes d'art. Plus une ville croît, plus ses rues et ses places doivent grandir en tous sens, plus ses édifices doivent s'élever et s'étendre. Avec leurs dimensions colossales, leurs étages innombrables et les rangées sans fin de leurs fenêtres semblables, ils peuvent à peine produire une impression artistique. La sensibilité finit par s'émousser à la vue de motifs architecturaux toujours les mêmes, et il faut des moyens très puissants pour arriver à produire encore quelque effet. Cela non plus ne peut être changé et le constructeur de villes, comme l'architecte, doit dessiner ses plans à l'échelle des capitales modernes de plusieurs millions d'habitants. Grâce à l'énorme entassement d'êtres humains, en certains points du globe, la valeur du sol y a augmenté en proportion.·

### Le problème économique

Au point de vue purement économique, la division régulière du terrain en parcelles est devenu un facteur aux effets duquel il est difficile d'échapper. On ne devrait cependant pas se soumettre aveuglément à cet usage, car l'on détruit ainsi, par hécatombes, les œuvres d'art de nos villes. Que deviennent, avec l'emploi des systèmes géométriques, tous les coins de rues pittoresques qui nous ravissent par leur originalité, dans le vieux Nuremberg et partout où ils ont été conservés ?

Le prix élevé des terrains pousse à les utiliser le plus possible; aussi, bien des formes d'architecture charmantes ont-elles disparu peu à peu. Chaque parcelle bâtie tend à se rapprocher toujours davantage du cube moderne. Les saillies, les avant-cours, les perrons, les arcades sont devenus, pour nous, des objets d'un luxe exorbitant; même s'il construit des bâtiments publics, l'architecte peut à peine laisser libre cours à sa fantaisie en faisant saillir des balcons des encorbellements, et en dessinant des toits de silhouette intéressante. A hauteur du sol, il ne doit pour rien au monde s'éloigner de l'alignement prévu.•

*L'acquis de l'hygiène*

Il faudrait être tout à fait aveugle pour ne pas reconnaître les acquisitions grandioses faites, dans le domaine de l'hygiène, par l'art moderne de construire les villes. Là, nos ingénieurs, dont nous avons tant critiqué le manque de goût, ont accompli des miracles et ont rendu à l'humanité des services inoubliables. C'est grâce à leurs travaux, que la santé publique des villes d'Europe s'est considérablement améliorée, ainsi que l'indiquent les coefficients de mortalité, souvent diminués de moitié. Nous l'accordons volontiers! Reste à savoir s'il est indispensable d'acheter ces avantages à un si haut prix. Pour les obtenir, faut-il vraiment enlever de nos villes tout ce qui parle de beauté ?•

*Vision du monde et esthétique*

Nous ne pouvons plus créer des œuvres d'un art aussi achevé que l'Acropole d'Athènes. Même si nous disposions des millions que coûterait une œuvre semblable, nous ne pourrions l'exécuter. Il nous manque les principes artistiques, la conception de l'univers commune à tous, vivante dans l'âme du peuple qui pourrait trouver dans une telle œuvre, sa représentation matérielle.• Pourrait-on vraiment concevoir sur le papier ces beautés que plusieurs siècles ont produites ? Pourrait-on, à la vue de cette naïveté mensongère, de ce naturel artificiel, éprouver une joie véritable et sincère ? Assurément pas. Ces réjouissances sont refusées à une époque où l'on ne bâtit plus au jour le jour, mais où l'on construit des maisons, raisonnablement, sur le papier.•

*Moderniser le modèle ancien*

La vie moderne, pas plus que la science technique moderne, ne permettent de copier servilement la disposition des villes anciennes. Il faut le reconnaître, si nous ne voulons pas nous abandonner à une sentimentalité sans espoir. Les modèles des anciens doivent revivre aujourd'hui autrement qu'en des copies consciencieuses; c'est en examinant ce qu'il y a d'essentiel dans leurs créations et en l'adaptant aux circonstances modernes que nous pourrons jeter, dans un sol devenu apparemment stérile, une graine capable de germer à nouveau.

Malgré tous les obstacles qui s'élèvent devant nous, ne craignons pas de tenter cette étude.• C'est précisément dans la manière de disposer les villes que l'art a, plus que partout ailleurs, son influence à exercer; car son action éducatrice se fait sentir à chaque instant sur l'âme du peuple, et n'est pas, comme par exemple dans les concerts ou les spectacles, réservée aux classes aisées de la nation. Il serait donc à souhaiter que les pouvoirs publics accordent à l'esthétique de la rue toute l'importance qu'elle mérite.•

### DES RÉFORMES A INTRODUIRE
### DANS L'ORDONNANCE DES VILLES MODERNES

*Faire des places*

•Chaque cité, si petite soit-elle, pourrait s'enorgueillir d'une place belle et originale si tous les édifices importants y étaient réunis comme en une exposition où ils se feraient valoir les uns les autres. C'est le but des plans d'extension des villes de préparer intelligemment et de rendre possible un tel idéal. Avant de l'atteindre, il faudra sans doute livrer plus d'un assaut contre la toute-puissance des systèmes. En effet, si les parcelles à bâtir sont déjà dessinées sur le papier, et si la superficie entière du terrain est divisée en lots prêts à être vendus, tout effort est vain : un quartier semblablement prévu restera à jamais banal.• La banalité de nos quartiers modernes a bien des conséquences importantes : l'homme n'éprouve aucune joie à y demeurer, il ne s'y attache pas et n'acquiert aucun sentiment du foyer, ainsi qu'on a pu réellement le constater chez les habitants de villes ennuyeuses et construites sans art.•

*Art ou voierie*

Un plan de ville qui devrait produire un effet artistique est aussi une œuvre d'art et non un simple acte de voierie. C'est là le nœud de toute la question.•

De l'existence d'un véritable programme dépend la bonne exécution d'un plan de ville. Les études préparatoires nécessaires [1] peuvent être faites par les soins de l'administration ou de commissions d'experts. Elles doivent consister :

*Un plan d'extension*

a) En un calcul approximatif de l'accroissement présumé de la population du quartier projeté pendant les cinquante années à venir et en une étude de la circulation et du genre d'habitations à prévoir. Il convient en effet de savoir à l'avance où s'élèveront les maisons à loyer, les villas et les bâtiments destinés au commerce et à l'industrie, soit qu'on veuille répartir ces différents genres d'édifices selon leur destination ou qu'on préfère bâtir des quartiers mixtes. Ceux qui objectent à cette manière de faire l'impossibilité d'établir ces prévisions avec une certitude même approximative, cherchent à éviter, par des faux-fuyants, une peine et une responsabilité sans doute considérables.• Certes, si l'on n'a pas le courage de prévoir quelque chose de déterminé, le quartier de maisons à loyer se développera de lui-même partout où il le pourra, car dans ce genre de constructions, en tous lieux applicables et par cela même voué à la banalité, on peut au besoin faire entrer tout au monde : des ateliers, des maisons d'ouvriers, des maisons de commerce, des palais, etc. ; je dis au besoin, car ainsi les exigences spéciales de chacun de ces édifices ne seront jamais pleinement satisfaites.•

b) Muni des renseignements indispensables que nous venons d'énumérer, l'auteur d'un plan d'extension peut alors prévoir le nombre de bâtiments publics nécessaires au quartier projeté, ainsi que leurs dimensions et leur forme approximatives. Ce travail se fait aisément d'avance, si l'on a recours aux données statistiques toujours faciles à réunir. Du chiffre présumé de la population à venir, on déduira le nombre et la grandeur des églises, des écoles, des bâtiments administratifs, des halles de marché, des jardins publics et, peut-être même, des salles de spectacle.•

Alors commencerait l'élaboration du plan d'extension proprement dit. Elle pourrait aisément s'effectuer au moyen de concours publics.• La première tâche des concurrents serait donc de prévoir

---

1. La méthode préconisée ici par Sitte anticipe les travaux de Geddes. Elle est très en avance sur son époque. Le Corbusier et les architectes progressistes ne lui ont pas rendu justice.

des emplacements convenables pour les bâtiments publics nécessaires et de grouper ceux-ci avec art. Il serait en outre judicieux de
situer les jardins publics à égale distance les uns des autres et,
autant que possible, à l'écart des rues populaires et bruyantes.*
Chacun de ces vastes espaces de verdure devrait être entouré de
tous côtés de maisons dont la ligne serait seulement interrompue
par deux ou plusieurs portails d'accès. Ces jardins à l'abri de la
poussière donneraient de la valeur aux longues façades des bâtiments voisins. Si l'on doit disséminer les jardins, il faut, au contraire,
grouper les édifices remarquables.* Si plusieurs places sont nécessaires, il conviendrait de les grouper plutôt que de les éparpiller
de côtés et d'autres. Chacune d'elles, par sa situation, sa forme et sa
grandeur, aurait à exprimer clairement un caractère déterminé.*

### Conserver les irrégularités

Pourquoi supprimer à tout prix des inégalités de terrain, détruire
des chemins existants et même, détourner des cours d'eau afin
d'obtenir une banale symétrie ? Mieux vaudrait, au contraire, les
conserver avec joie, pour motiver des brisures dans les artères et
d'autres irrégularités.* Sans elles, les créations les plus belles
gardent toujours une certaine raideur et une affectation d'un fâcheux
effet; puis, elles permettent de s'orienter facilement à travers le
dédale des rues et, même au point de vue hygiénique, elles ne sont
pas sans avantage. C'est grâce à la courbure et à la brisure de leurs
artères que la violence du vent est moins sensible dans les villes
anciennes [1]. Il ne souffle avec force que par-dessus les toits, tandis
que, dans les quartiers modernes, il s'engouffre à travers les rues
droites d'une façon fort désagréable, voire même préjudiciable à la
santé. Ce fait peut être observé partout où de vieux et de nouveaux
quartiers sont contigus. Dans la partie ancienne de la ville, on n'est
pas trop incommodé par des vents de force modérée. A peine a-t-on
pénétré dans la ville moderne qu'on est entouré de nuages de poussière. Sur les places où des rues débouchent en tous sens, amenant
des courants d'air de tous côtés, on peut observer les plus beaux
tourbillons de poussière en été, de neige en hiver. C'est l'un des

1. La reconstruction de certaines villes détruites pendant la guerre en a
fourni la preuve : cf. Le Havre de Perret.

principaux avantages que présentent les systèmes modernes de construction des villes !•

De quelque côté que l'on envisage le problème de la construction des villes, on conclut qu'il a été étudié, de nos jours, avec une trop grande légèreté. Les efforts cérébraux qu'il a nécessités et les capacités artistiques employées à le résoudre sont vraiment trop minimes. Pour obtenir des solutions pratiques, il faut agir avec autant d'énergie que de persévérance, car il ne s'agit de rien moins que d'abolir complètement les principes régnants et de les remplacer par les méthodes précisément contraires.

*Der Städtebau*, traduit par Camille Martin : *L'art de bâtir des villes*, Atar, Genève, H. Laurens, Paris. 1re édition 1902. Citations tirées de la 2e édition 1918. (Pages 10-17, 20-26, 29-30, 32-34, 37-40, 41-47, 59-66, 139-146, 149, 154-158, 161-162.)

# Ebenezer Howard

## 1850-1928

*E. Howard fut le créateur des cités-jardins. Militant depuis 1879 dans le mouvement socialiste anglais, autodidacte, il avait été profondément marqué par la lecture de deux livres :* Progress and Poverty *de Henry George (1881)*[1] *et* Looking Backward *(1889), l'utopie de l'Américain E. Bellamy. Ce furent là les sources de son propre ouvrage, paru en 1898 :* Tomorrow: A Peaceful Path to Social Reform[2]. *Nouvelle utopie, où se trouvait exposée la théorie de la* garden-city, *et qui devait bientôt devenir réalité grâce au solide sens pratique de son auteur. Le succès immédiat et considérable de son ouvrage conduisit en effet E. Howard à fonder, en 1899, l'Association des* Garden-Cities; *et, dès 1903, celle-ci put acquérir à Letchworth le premier terrain où construire.*

*E. Howard confia aux architectes Parker et Unwin le plan de Letchworth, et à Louis de Soissons celui de Welwyn (1919). Ces deux cités ont ensuite joué le rôle de modèles, en Europe et aux États-Unis, où elles ont notamment inspiré Henry Wright et Clarence Stein. Après la deuxième guerre mondiale, elles ont encore servi de prototypes pour la construction des villes nouvelles en Grande-Bretagne.*

*On sera sensible à une certaine résonance progressiste chez Howard. Toutefois, le souci de l'hygiène et du progrès a, chez lui, toujours été subordonné à l'idéal de petites communautés limitées dans l'espace et dotées d'un esprit communautaire.*

1. On peut lire dans *Social Problems* de Henry George (1884), au chapitre intitulé *City and Country* : « Les vastes populations de ces grandes villes sont complètement frustrées de toutes les aimables influences de la nature. La grande majorité d'entre elles ne mettent jamais, d'un bout de l'année à l'autre, le pied sur la terre.* Cette vie des grandes villes n'est pas la vie naturelle de l'homme. Dans de telles conditions, il ne peut que se détériorer, physiquement, mentalement, moralement » (p. 309).
2. *Demain : une voie pacifique vers la Réforme sociale.* L'ouvrage devait être réédité en 1902 sous le titre : *Garden Cities of Tomorrow ( Cités-Jardins de demain ).*

# LA CITÉ-JARDIN ANGLAISE

## I. L'IDÉE DE LA CITÉ-JARDIN

Il y a, en réalité, non pas seulement comme on l'affirme constamment, deux possibilités — la vie à la ville et la vie à la campagne — mais une troisième solution, dans laquelle tous les avantages de la vie de ville la plus active et toute la beauté et les délices de la campagne peuvent être combinés d'une manière parfaite.•

La ville et la campagne peuvent être • considérées comme deux aimants, chacun cherchant à attirer à lui la population, rivalité dans laquelle une nouvelle forme de vie, participant des deux premières, vient s'interposer.•

*L'aimant ville-campagne*

On verra que l'Aimant-Ville, comparé à l'Aimant-Campagne, offre les avantages de hauts salaires, d'occasions d'emploi, de prévisions tentantes d'avancement; mais ces avantages sont largement contrebalancés par des loyers et des prix élevés. La vie sociable qu'elle offre et ses lieux d'amusement sont très attirants; mais les heures excessives de travail de jour et de nuit, l'éloignement du chantier et l' « isolement des foules » tendent grandement à réduire la valeur de ces bonnes choses. Les rues bien éclairées sont une grande attraction, spécialement en hiver; mais la lumière du soleil est de plus en plus obturée et l'air si vicié que les beaux monuments publics, comme les moineaux, se recouvrent rapidement de suie et que les plus belles statues sont enlaidies. Des palais somptueux et des ruelles effrayantes sont les deux attraits étranges et complémentaires des cités modernes.

Il y a dans la campagne, de belles vues et des parcs seigneuriaux, les forêts parfumées, l'air frais, le murmure des eaux.• Les loyers, estimés à l'acre, sont certainement bas, mais ces loyers bas sont la conséquence naturelle de bas salaires plutôt qu'une source de confort subStantiel, tandis que les longues heures et le manque d'amusement font que la lumière du soleil et l'air pur ne parviennent plus à réjouir les cœurs. L'unique induStrie, l'agriculture, souffre fréquemment de pluies excessives, à quoi s'ajoutent, dans les temps de sécheresse également fréquents, la pénurie d'eau, d'eau à boire même.•

Ni l'Aimant-Ville, ni l'Aimant-Campagne ne réalisent complètement le but d'une vie vraiment conforme à la nature. L'homme doit jouir à la fois de la société et des beautés de la nature. Il faut que les deux aimants ne fassent qu'un.•

La ville eSt symbole de société — d'aide mutuelle et d'amicale coopération, de paternité, maternité, fraternité, de large relation d'homme à homme, d'expansives sympathies, de science, d'art, de culture, de religion. Et la campagne ? La campagne eSt le symbole de l'amour et des libéralités de Dieu pour l'homme. Tout ce que nous sommes et tout ce que nous avons nous vient d'elle. Nos corps sont formés d'elle et retournent à elle. Par elle nous sommes nourris, habillés, logés et abrités.• Sa beauté eSt l'inspiration de l'art, de la musique, de la poésie. Ses forces animent les volants de l'induStrie.• Mais sa plénitude de joie et de sagesse ne s'eSt pas révélée à l'homme et elle ne pourra pas se révéler aussi longtemps que cette séparation impie, anti-naturelle, persiStera entre la société et la nature. La ville et la campagne *doivent être mariées,* et de cette joyeuse union jaillira un nouvel espoir, une nouvelle vie, une nouvelle civilisation. Le but de cet ouvrage eSt de montrer comment le premier pas dans cette voie peut être fait par la construction d'un aimant Ville-Campagne; et j'espère convaincre le lecteur que ceci eSt pratiquement réalisable, ici et maintenant et sur les principes qui sont vraiment les plus sains, au point de vue tant éthique qu'économique.•

La construction d'un tel aimant, si elle pouvait être réalisée et suivie • de la construction de beaucoup d'autres, fournirait certainement la solution de la queStion brûlante : « Comment refouler la marée de la migration de la population dans les villes et rendre cette population à la terre ? » •

## II. LE MODÈLE

*Achat et financement*

Que le lecteur imagine une propriété couvrant une superficie de 2 400 hectares, qui, actuellement, est purement agricole et qui a été achetée en vente publique, au prix de 2 500 Fr. l'hectare, soit six millions de francs. La somme d'achat est supposée avoir été empruntée sur hypothèque, et porter intérêt à un taux moyen ne dépassant pas 4 p. cent. La propriété est légalement investie au nom de quatre hommes solvables, de probité et d'honneur indubitables, qui la tiennent en dépôt à titre de garantie, premièrement pour les créanciers hypothécaires et secondement pour la population de la Ville-Jardin, aimant Ville-Campagne, qu'on a l'intention de bâtir sur ce terrain. Un trait essentiel des dispositions financières est que tous les loyers de la terre, loyers qui devront être basés sur la valeur annuelle de celle-ci, seront payés aux administrateurs, qui, après avoir pourvu aux intérêts et au fond d'amortissement, remettront le surplus ou solde au Conseil Central de la nouvelle Municipalité, pour être employé par ce Conseil à la construction et à l'entretien de tous les ouvrages publics nécessaires : routes, écoles, parcs, etc.•

Le but est, en raccourci, d'élever l'étiage de la santé et du confort de tous les vrais travailleurs, de quelque niveau qu'ils soient; et le moyen par lequel ces fins sont à réaliser est une combinaison saine, naturelle, économique, de la vie de ville et de la vie de campagne, et cela sur un terrain appartenant à la municipalité.

La Ville-Jardin, à bâtir à peu près au centre des 2 400 hectares, couvre une superficie de 400 hectares, soit le sixième des 2 400 hectares. Elle sera, de préférence, de forme circulaire, d'un rayon de 1 130 m., soit un peu plus d'1 kilomètre, du centre à la circonférence.

*Le centre public*

Six boulevards magnifiques — chacun de 36 mètres de largeur — traversent la cité du centre à la circonférence, la divisant en six parties ou quartiers. Au centre est un espace de 2 hectares environ, consacré à un beau jardin bien arrosé ou irrigué; et autour de ce jardin se trouvent, chacun sur son terrain propre et spacieux, les plus grands bâtiments publics : hôtel de ville, salle de concert et de lecture, théâtre, bibliothèque, musée, galerie de peinture et hôpital.

*Le Crystal Palace*

Le reste du grand espace encerclé par le « Crystal Palace » forme un parc public qui couvre 58 hectares, y compris de grands terrains de récréation, et est facilement accessible pour toute la population.

Tout autour du Parc central (excepté aux intersections avec les boulevards) se développe une large arcade vitrée dénommée « Crystal Palace » s'ouvrant sur le parc. Cette construction est, par les temps pluvieux, l'une des ressources favorites du public; la certitude de la proximité de ce clair abri invite le public au Parc Central, même par les temps les plus douteux. Ici des produits manufacturés très divers sont exposés à la vente, et ici se font la plupart de ces sortes d'emplettes pour lesquelles le public aime à délibérer et à choisir à l'aise. L'espace enclos par le Crystal Palace est toutefois plus grand que ces services ne l'exigent et une partie considérable en est utilisée comme jardin d'hiver. Le tout forme une exposition permanente du caractère le plus attrayant, tandis que sa forme circulaire le met à faible portée de tous les habitants de la ville, le plus éloigné de ceux-ci se trouvant à moins de 550 m.

*Maisons*

Poursuivant, à travers le Crystal Palace, notre route vers le boulevard extérieur de la ville, nous croisons la Cinquième Avenue, bordée d'arbres, comme toutes les voies de la ville et le long de laquelle — en regardant vers le Crystal Palace — nous trouvons une ceinture de maisons excellemment bâties, chacune érigée sur son propre et spacieux terrain; et si nous continuons notre promenade, nous observons que les maisons sont bâties, pour la plupart, soit en anneaux concentriques, faisant face aux différentes avenues (puisque ce dernier terme désigne les voies circulaires) soit le long des boulevards et des voies qui convergent tous et toutes vers le centre de la ville.

*Population*

Demandant à l'ami qui nous accompagne dans notre tournée quelle peut être la population de cette petite ville, il nous répond qu'il y a environ 30 000 âmes dans la ville même et 2 000 dans la propriété agricole, et qu'il y a dans la ville 5 500 lots à bâtir d'une superficie *moyenne* de 6,5 m × 44 m, l'espace minimum étant de 6,5 m × 33 m. Remarquant l'architecture et les dispositions très variées qu'affectent les maisons et les groupes de maisons — certaines ayant des jardins communs et des cuisines coopératives —, nous apprenons que l'observance du tracé des rues ou les façons harmonieuses de s'en écarter sont les points principaux touchant les bâtisses, sur lesquelles les autorités municipales exercent un contrôle; car les préférences et les goûts individuels sont encouragés dans la mesure la plus entière, sans préjudice pour les dispositions sanitaires adéquates, qui sont strictement imposées.

*L'avenue médiane*

Nous promenant encore vers la lisière de la ville, nous arrivons à la « grande Avenue ». Cette avenue justifie pleinement son nom, car elle a 125 m. de largeur, et, formant une ceinture de verdure de plus de cinq kilomètres de longueur, divise en deux couronnes la partie de la ville qui s'étend en dehors du Parc Central. Elle constitue en réalité un parc additionnel de 50 hectares, parc qui se trouve à moins de trois minutes de marche pour l'habitant le plus éloigné. Dans cette splendide avenue, six emplacements, chacun d'un hectare et demi, sont occupés par des écoles publiques et les plaines de jeu et jardins qui les entourent; d'autres emplacements sont réservés pour des églises de telles dénominations que les croyances de la population peuvent déterminer, à ériger et entretenir des deniers des croyants et de leurs amis. Nous observons que les maisons, le long de la Grande Avenue, se sont départies • du plan général d'anneaux concentriques et sont disposées en forme de croissants, en vue d'assurer un plus long développement sur la Grande Avenue et d'amplifier encore pour l'œil la largeur déjà splendide de cette voie.

*Installations industrielles périphériques*

Sur la ceinture extérieure de la ville, s'échelonnent des manu-factures, des magasins, des marchés, des parcs à charbon, à bois, etc., toutes installations longeant le chemin de fer circulaire qui encercle toute la ville et se rattache par des embranchements à une grande ligne ferrée qui passe à travers la propriété. Cet arrange-ment permet de charger directement dans les wagons les mar-chandises qui sortent des magasins et des ateliers pour être expé-diées par chemin de fer vers des marchés éloignés, ou inversement, de décharger directement les marchandises des wagons, dans les magasins ou manufactures, procurant ainsi, non seulement une grande économie de frais d'emballage et de camionnage et rédui-sant à un minimum la perte par avaries et les bris, mais diminuant aussi le trafic dans les rues et réduisant dans un rapport très marqué les frais d'entretien de celles-ci. Dans la Ville-Jardin, la fumée, cette nuisance, est tenue dans une limite étroite, car toutes les machines sont actionnées par l'électricité avec cette conséquence que le coût de l'électricité pour l'éclairage et les autres applications est fortement diminué.

*L'agriculture suburbaine*

Les déchets de la ville sont utilisés dans les parties agricoles de la propriété, lesquelles sont cultivées, exploitées individuellement en des fermes grandes et petites, métairies, pâturages, etc.; la concurrence naturelle de ces systèmes variés d'agriculture, spon-tanément mis à l'épreuve par les occupants pour offrir à la muni-cipalité le plus haut loyer, tendra à instaurer le meilleur système d'agriculture, ou, ce qui est probable, *les meilleurs systèmes* adaptés à des buts variés. On peut de la sorte concevoir aisément qu'il soit avantageux de cultiver du froment dans des champs très vastes, impliquant une unité d'action sous un fermier capitaliste ou sous un corps de coopérateurs, alors qu'il est préférable que la culture des légumes, des fruits et des fleurs, qui exige des soins plus assidus, et plus personnels, et plus de faculté inventive ou artistique même, soit traitée par des personnes ou par de petits groupes d'individus ayant une foi commune dans l'efficacité et la valeur de certaines méthodes de culture et d'engrais, soit en serres, soit en pleine terre.•

*Liberté économique*

Tandis que la ville proprement dite, avec sa population engagée dans les divers métiers, carrières ou profession • offre à la population engagée dans l'agriculture le marché le plus naturel,• les fermiers et autres producteurs, néanmoins, n'en sont en aucune manière réduits à la ville pour unique marché; ils ont au contraire le droit le plus entier d'offrir leurs produits à qui bon leur semble. Ici, comme dans les autres parties de l'expérience, on verra qu'il n'est pas question de restreindre les droits des individus, mais qu'au contraire le champ de l'initiative est élargi.

Ce principe de liberté, il est vrai aussi pour les manufacturiers et autres fabricants qui se sont établis dans la ville. Ils dirigent leurs affaires comme il leur plait, si ce n'est évidemment qu'ils sont assujettis à la loi commune du pays et tenus de donner aux ouvriers l'espace suffisant et des conditions sanitaires raisonnables. Même en ce qui concerne des services tels que la distribution d'eau, de lumière, de communications téléphoniques, choses auxquelles une municipalité, si elle est capable et honnête, est le mieux à même de pourvoir, on ne cherchera pas à établir un monopole absolu; on autoriserait au contraire toute corporation privée ou corps quelconque d'individus qui s'en montrerait capable, à assurer ces services ou d'autres, soit pour toute la ville, soit pour une partie seulement de celle-ci, à des conditions plus avantageuses.•

*Débits de boissons*

On notera que la municipalité, en sa qualité de seul propriétaire du terrain, a le pouvoir d'agir de la manière la plus drastique sur le trafic des boissons alcooliques. On sait qu'il existe maints propriétaires qui n'autorisent pas l'ouverture de débits de boissons sur leurs propriétés; le propriétaire de la Ville-Jardin — la population elle-même — *pourrait* adopter ce procédé. Mais ceci serait-il sage ? Je ne le crois pas. D'abord une telle restriction tiendrait éloignée la catégorie nombreuse et toujours croissante des buveurs modérés et celle aussi de ceux qui ne sont pas à vrai dire modérés dans leur usage de l'alcool, mais que les réformateurs s'inquiètent le plus de voir placer sous les saines influences qui les entoureraient dans la Ville-Jardin.

Le cabaret ou son équivalent aurait, dans une telle communauté, à disputer à beaucoup d'autres compétiteurs les faveurs de la population, alors que dans les grandes villes où l'amusement rationnel et à bon marché existe peu, il prospère de lui-même.

C'est pourquoi l'expérience, dans le sens de la réforme alcoolique, aurait plus de valeur si le trafic était permis sous des règles raisonnables que s'il était interdit. •

### III. LE COMMERCE

Les affaires dans les comptoirs (du Crystal Palace) sont faites, non par l'Administration de la ville, mais par divers individus et sociétés; le nombre des commerçants est toutefois limité par le principe de l'option locale. •

*Avantages réunis du monopole et de la concurrence*

La Ville-Jardin est seule propriétaire du terrain et elle peut accorder à long bail, à un locataire, par exemple un commerçant privé ou une société en draps ou articles de fantaisie, un certain espace dans la Grande Arcade (Crystal Palace) contre un loyer-contributif annuel déterminé. Elle peut dire à son locataire : « Cet emplacement est le seul dans ce quartier que nous avons, pour le moment, l'intention de louer à un locataire engagé dans votre branche. Au surplus le Crystal Palace sera, non seulement le centre d'achat de la ville et du district et une exposition permanente où les fabricants de la ville étalent leurs produits, mais encore un jardin d'été et d'hiver. A cet effet, sa surface couverte dépasse de beaucoup les besoins des comptoirs ou magasins, supposés tenus dans des limites raisonnables. Aussi longtemps que vous donnerez satisfaction au public, aucune part de l'espace réservé aux récréations ne sera loué à quiconque sera engagé dans le même commerce que vous. Nous devons, cependant, nous garder contre le monopole. Si le public avait à se plaindre de votre manière de faire, et désirait que l'arme qu'est la concurrence fut employée contre vous, nous louerions sous l'Arcade, à la réquisition d'un certain nombre d'habitants, l'espace nécessaire à quelque marchand désireux d'ouvrir un magasin concurrent. » •

*L'initiative individuelle est respectée*

Grâce à ce système de l'option locale, on verra que les commerçants de la ville — qu'ils soient personnes individuelles ou sociétés coopératives — seraient, sinon au sens strict ou technique des mots, du moins dans un sens très réel, des serviteurs municipaux. Toutefois ils ne seraient pas liés par la routine officielle et auraient les droits et les pouvoirs les plus complets d'initiative.•

Ils pourraient même vendre notablement en-dessous du prix qui prévaut ailleurs; mais, cependant, ayant un commerce assuré et étant en mesure de jauger très exactement la demande, ils pourraient consacrer et recouvrer leur capital avec une remarquable fréquence. Leurs frais d'exploitation seraient extraordinairement faibles.•

## IV. L'AVENIR

La Ville-Jardin s'est, supposerons-nous, accrue jusqu'à atteindre une population de 32 000 âmes. De quelle manière doit-elle croître ? Comment pourvoira-t-elle aux besoins d'autres habitants, qui seraient attirés par ses nombreux avantages ? Empiétera-t-elle sur la zone des terrains agricoles qui l'entoure et détruira-t-elle ainsi à jamais son droit d'être appelée Ville-Jardin ? Sûrement non! On aboutirait à ce résultat désastreux si le terrain entourant la ville était, comme le terrain autour de nos villes actuelles, propriété individuelle d'hommes soucieux d'en tirer profit. Car alors, dès l'instant où la ville serait bâtie, le terrain agricole se trouverait « mûr » pour la bâtisse.•

*Malthusianisme urbain*

Mais • les habitants de la Ville-Jardin ne pourront-ils pas • être taxés d'égoïsme, empêchant la croissance de leur ville et privant ainsi beaucoup d'autres habitants de la jouissance de ses avantages ? Aucunement. Une brillante alternative existe, quoique oubliée jusqu'à présent. La ville *croîtra ;* mais elle croîtra conformément à un principe dont le résultat sera de n'amoindrir ni détruire, mais d'augmenter toujours ses avantages sociaux, sa beauté, sa commodité. Considérez un moment le cas d'une ville en Australie qui

286

illustre, dans une certaine mesure, le principe sur lequel j'insiste en ce moment. La ville d'Adélaïde est entourée de ses « Terrains à parcs ». La ville est construite. Comment croît-elle ? En sautant par-dessus ces « Terrains à Parcs » et en établissant North-Adélaïde. Voilà le principe auquel nous voulons conformer, en mieux cependant, la Ville-Jardin.•

*Une division cellulaire*

(Supposons), dès à présent, la Ville-Jardin * construite. Sa population a atteint 32 000 habitants. Comment croîtra-t-elle ? Elle croîtra en établissant — probablement avec l'intervention des Pouvoirs Parlementaires — une autre ville à quelque distance au delà de sa zone de Jardins ou de Campagne, de sorte que la nouvelle ville pourra posséder en propre une autre zone de Jardins ou de Campagne. J'ai dit, « en établissant une autre ville », et, pour des raisons administratives, il y aurait *deux* villes ; mais les habitants de l'une pourraient atteindre l'autre en quelques minutes, car un moyen rapide de transport serait établi, et ainsi la population des deux villes représenterait en réalité une communauté.

*La ville des villes*

Et ce principe de croissance — principe qui consiste à conserver toujours une ceinture de campagne ou jardin autour de nos villes — serait tenu présent à l'esprit jusqu'à ce que, au cours du temps, nous ayons un groupe de villes, non pas évidemment arrangé suivant la forme géométrique rigide de mon diagramme, mais groupées autour d'une ville centrale, de manière que tout habitant du groupe entier, quoique en un sens vivant dans des villes de peu d'étendue, vivrait en réalité dans une ville considérable et magnifique et jouirait de tous ses avantages ; et cependant toutes les fraîches jouissances de la campagne : les champs, les buissons, les bois, outre les jardins et les parcs, se trouveraient à quelques minutes de promenade. *Parce que la population possède en sa qualité collective le terrain* sur lequel ce beau groupe de villes est bâti, les bâtiments publics, les églises, les écoles et les universités, les bibliothèques, les galeries de peinture, les théâtres seraient à un degré de magnificence qu'aucune ville du monde où le terrain est propriété privée et individuelle ne peut offrir.

*Communications*

J'ai dit que les habitants de cette belle ville ou de ce beau groupe de villes créeront des transports rapides par chemins de fer. Il y a, d'abord, une ligne inter-municipale reliant entre elles toutes les villes du cercle extérieur — 32 km de développement — de sorte que pour aller d'une ville quelconque à sa voisine la plus éloignée, on n'aura pas à parcourir plus de 16 kilomètres, ce qui se ferait en 12 minutes. Ces trains ne feraient pas arrêt entre les villes, les moyens de communication à cet effet étant représentés par des trains électriques qui croisent les chaussées et qui sont nombreux, chaque ville étant reliée à ses voisines par une ligne directe.

Il y a aussi un système de chemins de fer qui met chaque ville du cercle extérieur en communication directe avec la Ville Centrale. La distance de chaque ville au cœur de la Ville Centrale n'est que de 5 1/4 kilomètres et peut être facilement couverte en 5 minutes.

Ceux qui savent par expérience la difficulté d'aller d'un des faubourgs de Londres à l'autre verront tout de suite l'avantage énorme dont profiteraient les habitants d'un groupe de villes tel que celui que j'ai figuré, parce qu'ils auraient pour les servir un *système* et non un *chaos* de voies ferrées. La difficulté éprouvée à Londres est due en effet au manque de prévisions et de préarrangement.

*Rompre avec le présent*

Quelques-uns de mes amis ont fait valoir qu'un tel schéma de groupe de villes est assez bien adapté à un pays neuf, mais qu'il en va tout autrement dans un pays aménagé de vieille date, avec ses villes bâties et son « système » de chemin de fer pour la plus grande partie construit. Non, cela ne peut pas être; au moins cela ne peut pas être pour longtemps. Ce Qui *Est* peut empêcher pour un temps Ce Qui *Devrait Être,* mais ne peut pas arrêter la marche du progrès. Ces villes surpeuplées ont rempli leur mission; elles étaient ce que pouvait construire de mieux une société basée grandement sur l'égoïsme et la rapacité. C'est pourquoi j'insiste auprès du lecteur pour qu'il ne prenne pas comme chose acquise que les grandes villes, au sujet desquelles il nourrit peut-être un orgueil pardonnable, sont nécessairement, dans leur forme pré-

sente, tant soit peu plus permanentes que le système de la dili-
gence, qui fut l'objet d'une si vive admiration, juste au moment
où elle était sur le point d'être supplantée par le chemin de fer.
La question simple à envisager, et cela résolument, est celle-ci :
De meilleurs résultats peuvent-ils être obtenus en partant d'un
plan hardi sur un.terrain comparativement vierge, qu'en essayant
d'adapter nos vieilles villes à nos besoins nouveaux et plus élevés ?
Si on envisage ainsi la question, on ne peut y répondre que par
l'affirmative; et, dès que ce simple fait aura été bien saisi la révolution sociale commencera vite.

*Garden-Cities of Tomorrow,* nouvelle éd. avec préfaces de Sir F.
Osborn & Prof. L. Mumford, Faber & Faber, Londres, 1946.
Traduction française par L. E. Crepelet : *Villes-jardins de demain,*
Tientsin Press Limited, Chine, 1902. (Pages 15-26, 83-84, 77-79, 81,
128, 134.)

# Raymond Unwin

## 1863-1940

*Architecte anglais, associé de Barry Parker avec qui il construisit la première et célèbre* garden-city *de Letchworth ainsi que le* Hampstead Garden Suburb. *Il occupa à Birmingham une des premières chaires de* Town Planning *fondée par Cadbury. R. Unwin a résumé ses idées et son expérience dans deux livres :*
— Nothing Gained by Overcrowding *(1918)*.
— *et* Town Planning in Practice *(1909)*.

## LE REGROUPEMENT

*Des limites nécessaires*

Il n'y a pas de raison pour limiter aujourd'hui les villes de la même manière (que dans le passé); le faire serait, par un pur contresens, aggraver encore la congestion urbaine; mais tout en laissant les villes s'étendre librement, il est important de leur donner d'une façon quelconque des limites, et de préciser, en le séparant des parties voisines, l'espace dévolu aux nouveaux quartiers et aux faubourgs.•

C'est ainsi que l'on peut tirer parti, sans copier leurs murs fortifiés, de l'excellent enseignement que nous donnent les villes des époques passées.• Le mur lui-même est susceptible de trouver une utilisation moderne. Pour un terrain en déclivité, pour un district contigu à un parc ou à une zone d'espace libre, il peut former une séparation intéressante, dont on romprait la monotonie par des pavillons et des portes.•

Mais ce ne sont pas là les seules formes à donner à ces limites; ainsi, là où existent des forêts qui ne peuvent être entièrement conservées, il sera souvent possible d'en garder une bande étroite, de largeur suffisante pour constituer un écran.• Dans les grandes villes ou dans les quartiers étendus, il y aura profit à aménager de larges bandes de séparation, faites de parcs, de terrains de jeux ou même de terrains de culture. En tout cas, il faudrait établir• une ligne de part et d'autre de laquelle la ville et la campagne pourraient, chacune de son côté, s'étendre et s'arrêter nettement; on éviterait ainsi cette marge irrégulière d'amas, de décombres et de masures qui déshonorent les banlieues de presque toutes les villes modernes.

Les ceintures d'espaces libres plantés• aideront à faire saisir comme une unité locale le terrain qu'elles entoureront.•

*Rôle des centres*

Il ne faut pas croire que n'importe quel espace libre fera une vraie place, ni s'imaginer, parce que les places réussies ont les formes les plus variées, que n'importe quelle forme sera acceptable.• La véritable place publique fait totalement défaut dans le Paris de Haussmann.

En vérité, les principes mêmes de l'architecture et de l'art urbain exigent que l'on donne la même importance aux centres caractéristiques dans les villes modernes que dans les villes anciennes. Il faut toujours établir une relation et une proportion entre les différentes parties des compositions que l'on étudie; il faut toujours faire ressortir et dominer certaines d'entre ces parties et leur subordonner les autres et, la meilleure façon d'y parvenir, en urbanisme, est d'avoir, comme les anciens, des centres bien accusés. Les édifices publics éparpillés au hasard dans toute la ville ne produisent aucune impression : dans les rues ordinaires, ils ne sont vus que d'une manière imparfaite et aucun effet architectural d'ensemble n'est atteint. Les bâtiments groupés, au contraire, se font valoir mutuellement; les contrastes violents de dimension et d'échelle qu'ils présentent avec les constructions avoisinantes sont évités et, si les édifices sont bien disposés, le résultat obtenu peut être de nature à frapper l'imagination; on aura là de véritables nœuds de composition dans le projet de la ville.

*Centres principaux et secondaires*

Les édifices officiels, d'État ou municipaux, et leurs dépendances, constitueront naturellement le centre principal; mais on aimerait voir également la formation de centres secondaires : l'un des plus indiqués serait un centre d'éducation où l'on grouperait les établissements d'instruction publique et d'art, accompagnés de gymnases, d'écoles techniques, de terrains de jeux et autres annexes que leur proximité mettrait mutuellement en valeur.•

Même dans les divers arrondissements, les faubourgs et les quartiers, il est nécessaire que les édifices publics soient groupés pour créer des effets d'ensemble bien définis. L'importance, pour le plan des villes, de ce principe de composition par centres ne peut être exagérée. Il est donc prudent, au début des études, de choisir des sites convenables pour les groupements principaux et secondaires; et comme ces centres doivent servir non seulement d'emplacement pour les édifices publics mais aussi de foyers de vie sociale, ces deux utilisations doivent être prises en considération lors du choix. Pour être certain qu'on a bien les points où le peuple s'assemblera, on se placera au lieu de concours des lignes principales, ou on en restera très proche; cette dernière disposition est toujours préférable, de nombreuses raisons convient à l'adopter.•

*La gare comme centre secondaire*

Un des points focaux des voies paraît devoir être la gare de chemin de fer : c'est par là que la majorité des gens arrivent dans les villes modernes, ou qu'elle en part; la gare appelle donc la même grandeur que les portes des anciennes villes. Les considérations de convenance ou de commodité exigent qu'il y ait, devant la gare, un espace ouvert, une place, pour donner de la grandeur à cette entrée principale de la ville et de l'aisance au trafic intense qui doit se faire à cet endroit.• D'autre part, il ne faut pas qu'aussitôt sorti de la gare, le piéton soit menacé de tous côtés par les dangers de la circulation.• On voit souvent des gares disposées de telle façon que leur façade donne directement sur une rue à circulation intense, cependant que les rues latérales présentent une égale activité : en sortant de la gare, l'étranger, de quelque côté qu'il se dirige, doit traverser précipitamment quelque voie encombrée avant de pou-

292

voir choisir la direction à prendre ou se rendre compte des dispositions générales de la ville; mieux vaudrait que les gares fussent situées au fond d'une place sans voies latérales.

On se rappellera, en étudiant les emplacements des gares, ceux aussi des hôtels de ville et autres édifices où il est probable que les usagers seront obligés d'attendre, qu'il y aurait grand avantage à trouver là quelque lieu, fermé ou en plein air, quelque jardin abrité où l'attente se fasse dans la tranquillité et dans un cadre agréable, hors des bruits de la gare et du tumulte des centres d'affaires.

*De la gare à la ville*

La place de la gare n'est pas nécessairement la place centrale de la ville : les bruits du chemin de fer, le tumulte du trafic qu'il occasionne, la rendraient inapte à ce service; mais la place centrale peut ne pas être éloignée de la gare et, en tout cas, doit être mise en communication avec elle par de larges rues ou avenues. Il est peu fréquent, aujourd'hui, que les gares soient situées hors de la ville; les préjugés contre les chemins de fer, qui ont fait rejeter ceux-ci à la périphérie ou à l'extérieur de tant de villes, sont à présent moins puissants : la diminution probable, dans l'avenir, du bruit et de la fumée achèvera de les détruire. Néanmoins, dans le cas où la gare se trouve hors de la ville, la meilleure solution est encore de la relier directement à la place centrale par une avenue principale. Il est certainement désirable que l'étranger puisse, dès sa sortie, et où que celle-ci soit située, apercevoir les édifices du centre de la ville ou du quartier, et que les grandes lignes du plan soient telles qu'il puisse les saisir rapidement.

*Town Planning in Practice,* édité par l'auteur, 1909; traduction française par W. Mooser : *Plan des villes,* Paris, 1922. (Pages 170, 179, 180, 211, 195-196, 201.)

# VI

## L'URBANISME NATURALISTE

# Frank Lloyd Wright

## 1869-1959

Disciple du maître de l'École de Chicago, Louis Sullivan, F. L. Wright est le premier architecte américain de renom qui ne soit pas passé par l'École des Beaux-Arts de Paris. Le premier aux États-Unis, il a arraché complètement l'architecture aux pastiches du passé et à l'éclectisme, au profit d'un style aussi incontestablement américain que celui de Walt Whitman et de Melville, ses auteurs favoris.

Dès 1911[1], son influence avait franchi l'Atlantique ; elle allait s'exercer dans le monde entier, mais sur un autre mode et plus discrètement que celle des architectes rationalistes européens. Comme ceux-ci, F. L. Wright est un pionnier de l'architecture moderne. Mais l'affranchissement de la tradition prend chez lui une autre forme. La meilleure illustration en est sa conception du plan libre, lié non pas à une indifférenciation de l'espace interne, mais au contraire à sa particularisation. Le concept d'espace organique inspire toute l'œuvre de Wright.

Cette organicité de l'espace intérieur, l'importance des murs et des surfaces pleines, le rôle des matériaux bruts naturels, le refus de toute typologie au profit d'une grande diversité, enfin l'enracinement dans le paysage, tels sont les éléments qui peuvent caractériser une œuvre très nombreuse, qui excella dans la maison particulière (Oak Park 1895, Robie House 1909, Midway Gardens 1914, Miniatura 1923, Falling Water 1936, Taliesin West 1938) mais ne s'y limita point (Hôtel Impérial de Tokio 1916, Usines Johnson 1936 et 1944, Musée Guggenheim de New York 1958).

A cette architecture correspond — logiquement — une théorie de l'établissement humain qui est une sorte d'anti-urbanisme et plonge ses racines

---

1. En grande partie grâce à un ouvrage paru en Allemagne : *Ausgeführte Bauten und Entwürfe von* F. L. Wright, Wasmuth, Darmstadt, 1910.

*dans la tradition de pensée américaine inaugurée par Jefferson et Emerson : c'est l'utopie de* Broadacre, *que Wright développe en trois livres successifs* [1] *et illustre en 1934 par une maquette géante.*

F. L. *Wright a publié de nombreux livres* [2] *qui sont moins l'expression d'une doctrine que celle d'une attitude et d'un tempérament. Leur écriture, toujours lyrique et personnelle, tombe parfois dans l'imprécision, voire dans l'incohérence.*

# BROADACRE

## I. MISÈRE DE L'HOMME DES GRANDES VILLES ACTUELLES

*Le citoyen « urbanifié », machine et parasite*

Le prix de la Terre en tant qu'apanage de l'homme, ou celui de l'homme en tant qu'héritage fondamental de la terre, lui sont maintenant devenus étrangers et incompréhensibles dans les grandes villes que la centralisation a édifiées (sans jamais les penser). La centralisation — sans planification — a monstrueusement surconstruit. Le bonheur du citoyen convenablement « urbanifié » consiste à s'agglutiner aux autres dans le désordre, abusé qu'il est par la chaleur hypnotique et le contact contraignant de la foule. La violence et la rumeur mécanique de la grande ville agitent sa tête « urbanifiée », emplissent ses oreilles « urbanifiées » — comme le chant des oiseaux, le bruissement du vent dans les arbres, les cris des animaux ou les voix de ceux qu'il aimait remplissaient autrefois son cœur.

Au stade actuel, dans la machine que la grande ville de l'ère automobile est devenue, aucun citoyen ne peut créer autre chose que des machines.

Le citoyen vraiment « urbanifié » devient un courtier en idées-

1. *The Disappearing City,* N. Y., 1932. — *When Democracy Builds,* Chicago University Press, 1945. — *The Living City,* Horizon Press, New York, 1958.
2. En particulier : *Modern Architecture,* Princeton, 1931. — *The Future of Architecture,* N. Y., 1953. — *The Natural House,* N. Y., 1954. — *A Testament,* N. Y., 1957.

rentables, un vendeur de gadgets, un commis-voyageur qui exploite les faiblesses humaines en spéculant sur les idées et inventions des autres,• un parasite de l'esprit.

Une agitation perpétuelle l'excite, le dérobe à la méditation et à la réflexion plus profondes qui furent autrefois siennes lorsqu'il vivait et se mouvait sous un ciel pur, dans la verdure dont il était, de naissance, le compagnon.•

Il a échangé son commerce originel avec les rivières, les bois, les champs et les animaux, pour l'agitation permanente, la souillure de l'oxyde de carbone et un agrégat de cellules à louer posées sur la dureté d'un sol artificiel. « Paramounts », « Roxies », boîtes de nuit, bars, voilà pour lui l'image de la détente, les ressources de la ville. Il vit dans une cellule, parmi d'autres cellules, soumis à la domination d'un propriétaire qui habite généralement l'étage au-dessus. Propriétaire et locataire sont la vivante apothéose du loyer. Le loyer! La ville n'est jamais qu'une forme ou une autre de loyer. S'ils ne sont encore de parfaits parasites, ses habitants vivent parasitairement.

Ainsi, le citoyen vraiment « urbanifié », perpétuel esclave de l'instinct grégaire, est soumis à une puissance étrangère, exactement comme le travailleur médiéval était l'esclave d'un roi ou d'un État.• Les enfants poussent, parqués par milliers dans des écoles construites et dirigées comme des usines : des écoles qui produisent des troupeaux d'adolescents, comme une machine produit des souliers.•

La vie elle-même est de moins en moins « tenable » dans la grande ville. La vie du citoyen « urbanifié » est artificielle et grégaire•, elle devient l'aventure aveugle d'un animal artificieux.

*Location universelle*

En proliférant de façon monstrueuse, la cité de la Renaissance, maintenant construite à la machine, devient la forme universelle de l'angoisse, sous les divers aspects de la location. La vie même du citoyen est louée dans un monde de location.•

Après avoir apporté sa contribution à l'Humanité, la forme de centralisation que nous appelons la grande ville est devenue une force centripète incontrôlable, animée par l'esprit de lucre et ainsi soumise à des puissances toujours changeantes et sans cesse accrues.

Le « système » fait régulièrement croître chez l'homme la peur animale de se voir chassé de la tanière • hors de laquelle il lui est devenu habituel de ramper chaque matin. L'horizontalité naturelle — la direction de la liberté humaine sur la terre — disparaît ou a disparu. Le citoyen se condamne soi-même à un empilement artificiel et aspire à une stérile verticalité.•

« L'ombre du mur »

Replongeons-nous assez loin dans le temps, à l'époque où l'humanité était divisée en paysans sédentaires (habitant des cavernes) et nomades guerriers.•

Le sédentaire, habitant des cavernes, était le conservateur de l'époque. Sans doute pouvait-il à l'occasion se montrer plus brutal, sinon plus féroce, avec sa lourde massue, que le voyageur nomade armé de ses éperons.

L'habitant des cavernes se retrancha sur les collines. Il commença à construire des villes. Il voulait s'établir. Son frère plus agile et plus mobile construisit une demeure plus adaptable et plus précaire, la tente pliable.•

Les habitants des villes élevaient leurs petits à l'ombre du mur. Les aventuriers nomades élevaient les leurs sous les étoiles dans la seule sécurité que peut offrir l'éloignement de l'ennemi.

L'idéal de liberté, qui n'a cessé de s'exprimer à l'intérieur même de nos sédentaires agglomérations actuelles, prend racine dans les instincts originels de l'Aventurier, de celui qui vivait sa liberté en déployant sa bravoure sous les étoiles et non de celui qui vivait de son obéissance et de son travail, enfoui profondément dans l'ombre du mur.•

Sans doute le nomade fut-il le prototype du démocrate.• Sur le plan culturel, au contraire, l'ombre du mur semble, à ce jour, avoir prédominé, même si les horizons infinis de l'aventurier paraissent aujourd'hui exercer sur l'esprit humain une séduction sans cesse croissante. A mesure que la peur physique de la force brutale diminue, les nécessités de fortification diminuent parallèlement. L'aspiration innée du chasseur nomade à la liberté s'avère aujourd'hui plus vraie et plus justifiée que les solides défenses de maçonnerie édifiées dans le lointain passé par la nécessité de protéger la vie humaine contre l'humanité même. Aujourd'hui toute aspiration à la culture implique cette notion de liberté : c'est là un état d'esprit qui persiste plus ou moins inconscient, chez le paysan comme chez l'industriel, chez le commerçant comme chez l'artiste.•

## II. VIE URBAINE ET DÉMOCRATIE

*Centralisation et autorité*

Examiner le plan d'une grande ville, c'est examiner quelque chose qui ressemble à la coupe d'un tissu cancéreux.• Pensez aux villes que vous connaissez et voyez ce qu'en ont fait les moyens prodigieux dont nous disposons aujourd'hui pour nier la distance et l'espace !• La centralisation est le vieux principe social qui a fait des rois une nécessité ; et c'est actuellement la force économique qui « sur-construit » toutes nos villes et a dégénéré en une force que nous appelons communisme [1].•

*Individualité*

Notre idéal social, la démocratie•, fut originellement conçu comme le libre développement de l'individu humain : l'humanité entière libre de fonctionner à l'unisson, dans l'unité spirituelle • et, par là même, ennemie de tout fanatisme et de toute institutionalisa-tion. Institution était synonyme de mort. Cet idéal d'un état de nature est au cœur de la démocratie organique ainsi que de l'architecture organique. Il est indispensable de le faire apparaître si nous voulons pouvoir regagner le terrain perdu depuis la révolu-tion industrielle et les guerres qui l'ont suivie.•

La démocratie ne peut s'offrir le luxe de confondre la simple personnalité avec la véritable individualité humaine [2]. Non plus que la volonté humaine et le pur intellect ne pourront jamais pro-duire l'individualité authentique.•

Si, en tant que peuple, nous désirons vraiment la démocratie, nous devons faire particulièrement attention à notre attitude à

---

1. Cette référence au communisme n'existait pas dans les deux premières versions du livre.
2. À l'encontre de la tradition philosophique, Wright, comme on va le voir, place l'individualité *au-dessus* de la personnalité.

l'égard de l'individualité — de l'*ego* de base — car nous avons omis
de la distinguer de ce qui n'est qu'égoïsme.*

Évoquons dans son essence la cité future de la démocratie
elle comportera de bien plus grandioses perspectives, et au sens
organique le plus profond, un mode de vie conforme à l'Esprit
véritable de l'homme — l'individualité étant l'*intégrité fondamentale*
de l'âme humaine, en ses temps et lieux particuliers.* Sans une cité
originale de cette sorte, l'Amérique ne possédera jamais de culture
propre. Aucune grande architecture ne pourra naître dans le cadre
de la cité ancienne. Mais partout où existera la cité démocratique
l'individualité de la conscience et la conscience de l'individualité
demeureront inviolées.*

L'ère machiniste ne nous a apporté (par rapport au Moyen Âge)
aucune nouvelle forme de plan urbain. A l'origine, la vie urbaine
était une fête de l'esprit*, tout était à l'échelle humaine. Une urbanisation vraie récompensait l'existence des temps féodaux,
un urbanisme adapté à l'échelle de la vie de cette époque, et à son
espace.*

Or, aujourd'hui, le simple phénomène de l'automobile rend
l'ancienne « grande ville » périmée. Semblable à un vieux navire ou
vieil édifice irrémédiablement inadapté à nos besoins actuels, la
ville demeure en service, habitée parce que nous n'avons pas le
courage de la rejeter et de permettre à l'esprit du Temps, du Lieu
et de l'Homme de construire les nouvelles villes dont nous avons
tant besoin. *

*Procès de la verticalité*

Pourquoi, en vue de quels objectifs, les cités-géantes de l'Amérique sont-elles si farouchement conservées ? Les raisons de cette
stagnation ne se nomment-elles pas militocratie, prostitution
banque, conflits armés ?*

Pour prendre l'exemple le plus frappant, celui qui arrive
New York pour la première fois ne peut manquer de se peindre
le grand peuple que nous devons être pour avoir su élever si haut
le puissant barrage de ces implacables pièges à hommes,* habité
au prix d'une dépense monstrueuse, pas seulement en espèces
financières mais en valeurs humaines.

Quelle énergie dépensée dans l'érection de cette aberrante mon-

tagne d'argent! Qu'importe si chaque gratte-ciel heurte le voisin·
et, de sa masse désordonnée et impitoyable, bouche l'horizon pour
l'œil affolé qui le contemple d'en-bas, perdu dans les ombres qu'il
projette à ses pieds.·

L'ombre que projette le gratte-ciel donne la signification complète
de ce phénomène : elle est l'apothéose et la survivance de l'ancienne
ombre du mur.

Si le gratte-ciel était considéré comme une unité indépendante,
un en-soi, il pourrait être justifié. Ce pourrait être un objet de
fierté. Si les circonstances s'y prêtent, un édifice élevé peut être
source de beauté; il peut s'avérer économique et souhaitable en
soi — mais toujours à condition de ne pas interférer avec ce qui
se passe en-dessous.· Le gratte-ciel cesse d'être raisonnable s'il
n'est conçu dans un libre espace vert.·

La perpendicularité exagérée n'est pas moralement admissible.
C'est la tare de nos grandes villes, de notre nation. La perpendiculaire jette une ombre·. Si les droits civiques du voisin qu'ils
plongent dans cette ombre étaient respectés, il ne pourrait y avoir
de gratte-ciel comme ceux que nous connaissons aujourd'hui.·

Parmi les forces cachées qui, sans trêve, travaillent à l'émancipation du citadin, la plus importante est le réveil progressif des instincts primitifs et encore assoupis de la tribu nomade.· L'aventurier
conteste et refuse les survivances de l'ombre du mur — la forme
ancienne de la pseudo « ville moderne ».

*Un nouvel espace*

Mais travaillent aussi à la destruction de la cité les forces mêmes
de la machine : les inventions électriques, mécaniques, chimiques,
qui volatilisent et transmettent la voix, l'image, le mouvement
sous tant de formes nouvelles.·

Les miracles de la technique — dans la genèse desquels notre
culture « de l'efficacité » n'a rien eu à faire·, sont de nouvelles
forces avec lesquelles toute culture originale doit compter aujour-
d'hui. Ce sont :

1º l'électrification.·
2º les transports mécaniques.·
3º l'architecture organique.·

Avec l'architecture organique, l'homme reprend possession de sa noblesse et de son territoire, dont il devient partie intégrante, à l'instar des arbres, des rivières qui le sculptent, des collines qui le bossèlent.• Des architectes véritablement démocratiques sont là qui réclament les fondements plus profondément organiques d'une société organique.•

La verticalité congestionnée des villes nous apparaît aujourd'hui parfaitement inesthétique et antiscientifique. A la prise de conscience spirituelle de l'architecte correspond l'amour de l'espace chez l'être humain qui est son client. Chez toute démocratie amoureuse de la liberté, la sensation d'étranglement devient intolérable. Partout où il s'agit de bien-être humain, le resserrement (vertical ou horizontal) ne peut un instant affronter la supériorité naturelle d'une vie harmonieusement liée au sol.

Mais, si l'architecture organique s'adresse ainsi à l'humanité entière•, il faut que le sol soit mis à la disposition de chacun, dans des conditions honnêtes ; il doit pouvoir être légalement considéré comme un élément possédant sa valeur propre, aussi directement accessible aux hommes que les autres éléments. La tyrannie des privilégiés et du propriétaire foncier-fantôme, les servitudes de l'argent et de la machine, tout ce type de contraintes une fois abolies, les édifices de la cité s'élèveront librement dans la verdure ou s'étireront paresseusement au flanc des collines, ne faisant qu'un avec elles. Quelle signification présente un édifice, s'il n'est pas étroitement lié au sol sur lequel il s'élève ?•

### III. UN MODÈLE : BROADACRE

La tâche essentielle pour chacun d'entre nous doit consister à intégrer les moyens mécaniques dont nous disposons aujourd'hui universellement, de façon à rendre les hommes libres de se consacrer à des tâches plus nobles, des tâches plus importantes pour le développement esthétique de la vie : et qu'il s'agisse alors de créations et de jouissances qui n'aient plus de rapport direct avec le fait de « faire de l'argent pour assurer sa subsistance », ni avec l'acquisition d'aucune sorte de puissance matérielle. Aucun homme ne doit être ainsi enchaîné.• L'homme vraiment libre doit, pour l'essentiel, faire ce qu'il désire le plus et dans l'instant où il le désire.• C'est *cela* le seul legs valable que nous avons reçu du passé. Et c'est seulement au sein d'une démocratie authentique que nous pouvons le recueillir ou même le comprendre.

Nous avons appelé ce legs libre de toute contamination de notre passé urbain « Broadacre City ».•

Le choix de ce mot ne vient pas de ce que Broadacre est fondé sur l'unité minima de l'acre pour chaque individu, mais, fait beaucoup plus important, de ce que, lorsque la démocratie la construit, Broadacre est la cité naturelle de la liberté dans l'espace, du réflexe humain.

### « *Architecture du paysage* »

Si la libre disposition du sol était assurée dans des conditions vraiment démocratiques, l'architecture résulterait authentiquement de la topographie; autrement dit, les édifices s'assimileraient, en une infinie variété de formes, la nature et le caractère du sol sur lequel ils seraient construits : ils en deviendraient partie intégrante.• Broadacre serait édifiée dans un tel climat de sympathie avec la nature que la sensibilité particulière au site et à sa beauté propre seraient désormais une qualification fondamentale exigée des nouveaux bâtisseurs de villes. La beauté du paysage serait recherchée non plus comme un support, mais comme un élément de l'architecture. Et c'est ainsi que régnerait finalement l'unité dans une inépuisable variété. Un certain régionalisme en résulterait nécessairement.•

### *Système routier*

Imaginons de vastes autoroutes, bien intégrées dans le paysage, sans aucune coupure;• des autoroutes dépouillées de toutes vilaines superstructures (poteaux télégraphiques et téléphoniques), libres de toutes les affiches criardes, et de tous les systèmes habituels de clôtures, dont de simples fossés et haies tiendraient lieu. Imaginons ces autoroutes d'une largeur généreuse, présentant toute la sécurité désirable, offrant des accès faciles, égayées par des bordures de fleurs ou rafraîchies par l'ombre des arbres, et reliées à intervalles réguliers à des aérodromes modernes.• Des routes géantes, qui sont elles-mêmes de la grande architecture, passent devant des stations-services publiques qui ont cessé d'être une offense pour la vue, qui sont, elles aussi, devenues de l'architecture et comprennent tous les services nécessaires pour les voyageurs.• Ces grandes routes unissent et séparent des séries sans fin d'unités diversifiées : fermes, marchés « routiers », écoles vertes, admirables et spacieuses habitations, chacune d'entre elles bien établie sur ses acres de terrain, aménagés de façon particulière et originale.•

*Unités fonctionnelles...*

Imaginons ces unités fonctionnelles intégrées les unes aux autres de telle façon que chaque citoyen puisse, selon son choix, disposer de toutes les formes de production, distribution, transformation et jouissance, dans un rayon distant de dix à quarante minutes de sa propre demeure. Et qu'il puisse en disposer dans les délais les plus brefs, au moyen de sa voiture, de son avion personnel ou des transports publics.• Cette distribution intégrée des modes d'existence, en liaison intime avec le sol, constitue la grande cité que je vois, recouvrant notre pays tout entier. Ce serait la « Broadacre City » de demain. La cité devient la nation.•

*diverses...*

Il n'y aurait pas deux demeures, deux jardins, deux unités fermières (de un à deux, ou trois, ou dix acres et plus), pas deux granges, deux usines, deux marchés qui seraient semblables.•

Le fermier n'envierait plus son équipement mécanique au citadin, tandis que celui-ci ne convoiterait plus les verts pâturages du fermier.•

*... dispersées*

Normalement toute unité (usine, ferme, bureau, magasin ou habitation), toute église ou tout théâtre, se situerait à dix minutes au plus d'écoles et de marchés routiers, vastes et diversifiés. Les marchés seraient approvisionnés toutes les heures en aliments frais et comporteraient des fabriques disposées de façon à coopérer efficacement entre elles et destinées à servir sans intermédiaires la population travaillant dans le voisinage immédiat. Ainsi, aucun besoin de courir à droite et à gauche d'un centre commun.•

Et les édifices élevés ? Pas supprimés. Non, ils s'élèveraient, sans voisins, dans de petits parcs individuels, insérés dans la campagne, chaque fois que ce serait souhaitable. Des appartements « coopé-ratifs » pourraient être édifiés pour les citadins encore inexpéri-mentés qui désireraient les beautés de la campagne sans être capables de participer à leur création.•

*Un nouvel espace*

Le mouvement mécanique lié à l'automobile diffère absolument du mouvement de l'homme qui se déplace à pied ou utilise la la traction animale. Ce nouvel étalon de mesure doit être appliqué à la conception générale de l'espace dans la planification de la cité nouvelle et de ses nouvelles demeures.

Voyez la construction « lourde », cette architecture de protection (fortification) est vouée à la disparition. Une nouvelle sorte d'édi-fice, destinée à la remplacer, se profile déjà sur l'horizon, comme par magie. Il s'agit d'une forme constructive plus adaptée à notre époque. En dépit de toutes les circonstances défavorables, l'homme doit être maintenant moins coupé de la nature.• Tout élément cons-tructif extérieur peut devenir intérieur et vice versa, du moment où ils sont considérés comme indissolublement liés entre eux et au paysage. Continuité, plasticité et les valeurs que celles-ci impliquent sont rapidement intégrées par la nouvelle architecture.•

*L'habitat des classes laborieuses*

Les classes socialement défavorisées pourront acheter l'unité de logement individuelle complète• prête à servir dès qu'elle aura été reliée au système d'adduction d'eau de la cité et à une fosse septique de 15 dollars.• Le travailleur plante sa première unité là où il désire que commence sa demeure. Bientôt, il y ajoute des unités identiques : elles sont peu coûteuses et conçues organique-ment, pour satisfaire aux usages quotidiens.• Toutes ces unités-standard pourront varier dans leur mode d'assemblage, de façon à s'harmoniser, selon les cas, avec une plaine ou un horizon de col-lines.•

*Unités préfabriquées*

Au bout d'un an ou deux, le « pauvre » peut ainsi posséder une demeure accueillante et bien équipée : les maisons offrent qualité et *variété*.•

La liberté d'assemblage et d'utilisation des unités est telle que tout citoyen peut faire de sa maison une totalité harmonieuse, adaptée chaque fois à sa personne comme à ses moyens, au sol qu'il occupe comme au dieu qu'il révère. Alors qu'autrefois, le travailleur ne pouvait exercer son choix que parmi des prototypes conçus par une sentimentalité réactionnaire, alors qu'il était obligé de les équiper en pacotille, par la qualité de ses investissements, il deviendra l'égal de n'importe quel « riche ». Le pavillon possède la même qualité que la maison particulière de luxe [1], l'usine ou la ferme.

Dans la cité libre, où est votre « défavorisé ? » Sur la base de l'égalité, il jouit maintenant des mêmes critères de qualité que les riches. Grâce à la qualité d'un modèle [2] de logement adapté à l'époque, au lieu et aux circonstances, il est chez lui, dans sa demeure, immédiatement et merveilleusement lié au sol sur lequel il vit.

Optimiste, non politique, non urbaine, campagnarde, elle est effectivement tout cela, notre image de la cité. Voici l'idée réalisable d'une cité organique, sociale et démocratique ressortissant à la Société créatrice — bref de la cité vivante. Ainsi non seulement on abolit « l'appartement loué », et l'esclavage du salaire mais on crée le capitalisme véritable. Le seul capitalisme possible si la démocratie possède le moindre avenir.

*La ferme « usonienne [3] »*

Le nouveau « petit fermier » a beaucoup moins de besoins, mais possède bien davantage, dans presque tous les domaines, qu'à l'époque où, exploitant de vastes terrains, il se croyait « grand ». Il n'a désormais plus besoin de vastes surfaces, d'encombrantes machines ou de nombreux hangars. Mais il lui faut maintenant un petit atelier personnel et des outils modernes. Il n'a désormais plus besoin de l'appoint des forces extérieures, à l'exception de

1. Le mot anglais est *mansion* (intermédiaire entre villa et château) qui ne possède pas d'équivalent français.
2. *Design.*
3. Le terme d'*usonien* (*usonian*) a été emprunté par Wright à Samuel Butler qui dans *Erewhon* a créé ce néologisme pour qualifier ce qui a trait aux États-Unis. Pour Wright, seule la solution de Broadacre rendra les États-Unis « usoniens », c'est-à-dire conformes à leur nature et à leur vocation.

celles qui font partie de sa demeure ou sont fournies par l'électricité.

Sa propre énergie est préservée par le simple fait qu'il dispose de tous les moyens d'action rassemblés sous le toit d'un seul et unique édifice-modèle, fonctionnel, hygiénique et ignifugé. Ses animaux sont hébergés à quelques pas, son auto ou sa camionnette sont atteints directement depuis sa maison, en ouvrant la porte d'un garage ; sa récolte est écoulée et vendue avant même d'avoir poussé, dans le cadre d'un plan d'intégration des unités de différentes tailles à l'intérieur de petits marchés fermiers. Ces marchés eux-mêmes permettent l'intégration des unités fermières dans un système de valeurs plus élevé, mettant en effet à la disposition de leurs habitants les produits les plus raffinés de l'art, de la littérature et de la science mondiale. Ce type d'intégration est inévitablement destiné à se substituer, dans un avenir proche, à tous les trafics désastreux qu'entraîne actuellement la centralisation monstrueuse de nos grandes villes et même de nos petites cités. La distribution est directe. « De l'usine ou de la ferme à la famille », la formule cesse d'être simple slogan.•

*Unités professionnelles*

Les bureaux nécessaires aux personnes exerçant les diverses professions libérales seraient construits spécialement pour chaque cas ; ils jouxteraient généralement les habitations, mais pourraient aussi constituer d'intéressants éléments plastiques secondaires pour la cité.• Beaucoup de petits ateliers ou studios, cliniques, petits hôpitaux ou galeries d'art, adaptés aux diverses exigences des « professions » en cause se trouveraient donc le plus souvent directement rattachés à la partie consacrée à l'habitation. Ces unités professionnelles hautement individualisées en apportant leur contribution à la valeur esthétique de la cité nouvelle, nous épargneraient la hideur des plaques et affichages actuels et économiseraient en outre l'énorme perte de temps qu'impliquent aujourd'hui pour les professions libérales les allées et venues entre centres et banlieues.•

Lieux de plaisir répartis au long des routes, les marchés spacieux se développeront en belles formes généreuses et flexibles, à la manière de pavillons et ce seront des lieux d'échange coopératif : on y échangera non seulement des biens de consommation matériels, mais des valeurs culturelles. La notion d' « affaires » change de signification : elle devient intégration de la présentation et de la distribution mercantile de tout produit possible conforme à la nature de la cité vivante.• Ces marchés, organes vitaux de l'avenir, apparaissent déjà sous une forme embryonnaire. Même s'ils sont aujourd'hui négligés et méprisés, ils annoncent la fin de la centralisation.•

Dans nos actuelles stations-service, on peut déjà distinguer une forme grossière de cette décentralisation généralisée; et on peut y voir le début de ces futurs établissements humains que nous appelons la cité libre.•

### Centres communautaires

Le centre communautaire (community-center) sera une sorte de club des clubs• libéral, stimulant. Il constituera un « facteur général d'éducation », car ce sera un centre de divertissement. Le musée deviendra un lieu de rendez-vous populaire, plus qu'un musée : il cessera• d'être un cimetière.•

### Écoles

Dans la cité universelle, tout centre culturel intitulé école sera installé dans un parc naturel soigneusement prélevé sur la plus belle partie de la campagne avoisinante.• Les bâtiments seront soigneusement étudiés, formant des ensembles de dimensions réduites, composés d'unités elles-mêmes les plus petites possible. Ce seront des constructions ignifugées, en verre et métal ou tout autre matériau adapté à l'usage de jeunes êtres élevés au soleil dans l'amour de la liberté et de la terre.• Le terrain sera suffisant pour aménager des plates-bandes de fleurs et de légumes qui seront plantées et entretenues par de jeunes travailleurs en même temps que les cours intérieures de verdure pourront être cultivées par les enfants.•

### Civilisation du loisir : la terre

Aujourd'hui le travailleur des champs, grâce à l'électrification et à la mobilité universelle, peut en tout lieu jouir de n'importe quel avantage offert autrefois par la grande ville, en guise de récompense, au malheureux esclave du salaire. Les bureaucrates et employés de l'industrie, la plupart des parasites emmurés dans la grande ville, actuellement en proie à une agitation incessante, attendent avec impatience d'aller en ces lieux où leur sera assuré un plein emploi de leurs énergies et un travail plaisant. La marge de loisirs sans cesse croissante que l'usage de la machine nous assure n'implique nullement le farniente, mais au contraire plus de temps à dépenser en travail agréable. Le travailleur-citoyen de notre nation doit apprendre à considérer la terre arable comme son apanage originel. Une fois qu'il s'y sera établi, librement, au gré de son tempérament personnel et ses aptitudes propres, il y achèvera nécessairement la « poursuite du bonheur ». La seule base sûre du bonheur réside dans une saine utilisation de la terre. Dès lors pourquoi ne pas retourner à la terre et apprendre à effectuer cette reconversion ?

*The Living City,* Horizon Press, New-York, 1958. (Pages 17-23, 31, 45, 47-54, 62-5, 109-10, 112, 116-122, 139-40, 148-153, 158, 161-2, 166, 168, 176, 188, 217. Notre traduction.)

# VII
# TECHNOTOPIE

# Eugène Hénard
## 1849-1923

*Architecte et urbaniste à qui Paris doit la perspective de l'avenue Alexandre III sur le dôme des Invalides.*

*En restant sur le plan de la technique, il fut sans doute le plus grand urbaniste visionnaire, et ses propositions ont eu (sans qu'il soit à peu près jamais nommé) une influence pratique et théorique considérable. Il fut l'inventeur de la ville-pilotis sur sol artificiel que l'on commence à réaliser depuis quelques années et le théoricien de l'urbanisme souterrain. Pour rompre la monotonie des alignements urbains, il proposa la solution des redans, relancée ensuite par Le Corbusier. On lui doit la première* Théorie générale de la circulation [1]; *il fut l'inventeur du* « carrefour à giration » *et du* « saut de mouton », *deux pièces fondamentales de la technique routière actuelle.*

*On trouve enfin, dans ses* Études sur les transformations de Paris, *publiées de 1903 à 1909, une série de propositions, notamment en ce qui concerne les parcs et jardins, qui conservent aujourd'hui toute leur actualité.*

---

1. Développée dans le sixième fascicule des *Transformations*. Quarante ans avant Le Corbusier, il analysait la circulation en six catégories et affirmait qu' « à ces six espèces de mouvements correspondent ou devraient correspondre des types de voies publiques appropriées à leur destination » (p. 191). Il indiquait la nécessité d'une étude qui permettrait de déterminer numériquement le débit des courants circulatoires selon les heures de la journée : telle vient d'être la méthode employée par les auteurs du *Rapport Buchanan*.

# LE TRAFIC RATIONALISÉ

La rue actuelle est l'ultime terme de l'ancien chemin rural, établi sur le sol naturel, dont on a pavé la chaussée et qu'on a complété avec des trottoirs.

*État actuel du sous-sol urbain*

Au-dessous de la chaussée, en pleine masse, on a construit un égout destiné tout d'abord à l'écoulement des eaux pluviales et ménagères, mais qu'on affecte à toutes sortes de choses pour lesquelles il n'a pas été construit. On a commencé par y installer des conduites d'eau pure et d'eau de rivière; puis, on y a ajouté des tubes pour les dépêches pneumatiques, une canalisation pour l'air comprimé et enfin l'écheveau, de plus en plus important et de plus en plus compliqué, des fils télégraphiques et téléphoniques. Cet égout trop encombré n'a pu recevoir les câbles distribuant la lumière électrique, et l'on a dû pratiquer des caniveaux sous les trottoirs pour y placer les conducteurs métalliques; et cela dans le voisinage des conduites de gaz placées plus profondément en terre. Toutes ces canalisations sont superposées, juxtaposées sans ordre et sans méthode.• C'est pourquoi, depuis dix ans (je parle pour Paris) la ville est constamment bouleversée et la circulation des voitures et des piétons devient de plus en plus difficile.

Tous ces travaux ont les conséquences les plus fâcheuses pour la rue proprement dite.•

Le plus grave inconvénient de ce système est de rendre très difficile et même impossible toute entreprise industrielle apportant un élément nouveau pour la santé ou le bien-être des habitants, et cependant dès aujourd'hui, on peut prévoir quelques-uns de ces éléments. Il est à peu près certain, par exemple, que le nettoyage par le vide deviendra général et qu'une canalisation pneumatique s'imposera prochainement pour l'aspiration et la destruction des poussières, au grand profit de l'hygiène publique. Cette canalisa-

ion, nécessairement très importante, ne pourra trouver place dans
es égouts.

Le transport des lettres au moyen d'un tube pneumatique plus
gros, analogue à celui qui sert à l'envoi des dépêches, s'impose également, tant au point de vue de l'économie que de la rapidité des
transmissions.

Les applications du froid se multiplient.• Le charbon est un
combustible d'usine, il est encombrant et malpropre; on peut
admettre que dans l'avenir on distribuera à domicile l'essence de
pétrole, dont la tuyauterie amènerait partout et proprement un
combustible plus commode. L'oxygène combiné avec le pétrole
donnerait des foyers intenses et sans fumée, pour le chauffage des
calorifères, des fours de boulangerie, etc.

On peut prévoir également d'autres canalisations spéciales
distribuant l'eau de mer, l'air pur.•

Pour réaliser ces progrès, il faudrait faire subir à la rue un bouleversement incessant et périodique entrainant des frais prohibitifs.•

### Sol naturel et sol artificiel

Tout le mal vient de cette vieille idée traditionnelle que « *le sol
de la rue doit être établi au niveau du sol naturel primitif* ». Or, rien ne
justifie cet errement. En effet, si l'on part de l'idée contraire que
« *les trottoirs et la chaussée doivent être artificiellement établis à une hauteur suffisante pour laisser, en dessous, un espace capable de contenir tous les
organes des services de voirie* », les difficultés que nous avons signalées
plus haut disparaissent totalement. Cela implique, bien entendu,
un étage en plus du sous-sol pour les maisons voisines, puisque le
sol du rez-de-chaussée se trouve relevé au niveau de la rue.•

### La rue supérieure

Tout d'abord, les trottoirs et la chaussée seraient construits
une fois pour toutes, comme un tablier de pont, et ne devraient
jamais subir de remaniements autres que ceux qu'exigerait l'entretien des parties usées. Le pavage, soit en bois, soit en toute autre
matière élastique, revêtirait une plate-forme monolithe en ciment
armé. Cette plate-forme, construite à une hauteur de 5 mètres au-
dessus du sol naturel, reposerait latéralement sur deux murs en

maçonnerie, parallèles aux murs des façades des propriétés rive
raines, dont ils ne seraient séparés que par un petit espace. Entr
les murs latéraux, la plate-forme serait supportée par plusieur
files de piliers, espacés les uns des autres d'environ 4 ou 5 mètres

*La rue inférieur*

Immédiatement au-dessous du tablier, serait suspendue toute l
série des canalisations que nous venons d'énumérer : nettoyage pa
le vide, distribution d'air comprimé, d'eau de rivière, d'eau pur
stérilisée, d'essence de pétrole, d'air liquide, transport des lettres
distribution d'air pur,• puis toute la série des câbles électriques.

Au-dessous de ces canalisations, *toutes accessibles et dont la survei.*
*lance serait facile,* se trouverait un espace de 2 m 25 de hauteu
absolument libre jusqu'au niveau de l'ancien sol naturel.

On y poserait quatre voies ferrées de 1 mètre d'écartement, su
lesquelles circuleraient des trains de wagonnets enlevant les ordure
et les déchets et, au fur et à mesure de leur production, amenant le
matériaux lourds et encombrants et dégageant de leurs gravats le
chantiers de construction et de réparation temporaire.

Les deux voies centrales serviraient aux transports à longu
distance, les deux voies latérales serviraient à la formation de
trains ; elles seraient reliées à l'aide de plaques tournantes aux voie
particulières pénétrant dans les maisons.•

Cette rue souterraine serait éclairée en permanence par des lampe
à incandescence et des dalles de verre au niveau des trottoirs. L
ventilation naturelle, aidée par des ventilateurs électriques, serai
assurée par de hautes cheminées, placées de distance en distance, a
droit des murs mitoyens séparant les propriétés.

Chaque façade serait, à l'alignement, séparée de sa voisine par u
retrait réglementaire de 2 m sur 1 m, au fond duquel serait log
le conduit de ventilation. Cette disposition serait très favorable
l'aspect architectural des façades qui seraient ainsi séparées nette
ment les unes des autres.•

*Avantag*

Cette disposition revient à dédoubler la rue actuelle en deu
rues : l'une supérieure, à l'air libre, destinée uniquement à la circu
lation des voitures légères et des piétons, l'autre inférieure, placé
au niveau du sol naturel, au-dessous de la première et qui servirait

installation de toutes les canalisations, à l'évacuation des ordures ménagères et au transport des matériaux et des marchandises lourdes. •

Un tablier plat, occupant toute la largeur de la rue, est beaucoup plus avantageux, malgré ses points d'appui multiples, qu'un tunnel voûté car il utilise *tout l'espace disponible*. Si même l'activité des organismes nouveaux exigeait plus de place ou si la création d'une nouvelle ligne de transport devenait indispensable, on pourrait approfondir et dégager l'espace nécessaire en reprenant en sous-œuvre les points d'appui et cela avec un nombre quelconque d'étages souterrains, sans jamais toucher, gêner ou encombrer la circulation de la voie supérieure. •

*Classement du trafic et rue à étages multiples*

En généralisant cette disposition, on est amené à concevoir une ville dont les rues à trafic intense auraient, proportionnellement à l'intensité de ce trafic, trois ou quatre plates-formes superposées; la 1re pour les piétons et les voitures, la 2e pour les tramways, la 3e pour les canalisations diverses et l'évacuation des déchets, la 4e pour le transport des marchandises, etc. On aurait ainsi *la rue à étages multiples ;* comme on a la maison à étages, et le problème général de la circulation pourrait être résolu, quelle que soit l'intensité de celle-ci. •

L'application de ce système serait facile dans une ville neuve. A l'extérieur du réseau des rues construites les premières, et afin de communiquer avec le sol naturel de la campagne, on établirait des rampes à 5 % de pente, supportées par des carcasses en fer démontables qu'on transporterait plus loin quand la ville prendrait de l'extension. •

*Solution pour Paris*

L'application de ce système aux villes anciennes serait plus difficile. Il s'agirait en effet d'enlever des masses considérables de terre pour établir des rues creuses, *car il ne saurait être question un seul instant de déplacer nos trésors d'art, ni de modifier les monuments historiques et l'aspect consacré de nos vieilles cités*. Toutefois, cela n'est pas impossible, c'est une question d'argent. • Une évaluation sommaire• fait ressortir le prix du mètre superficiel à 140 francs, non compris

319

les diverses canalisations et les conduites électriques qui seraient à charge des compagnies concessionnaires.

La surface des voies publiques de Paris (chaussées et trottoirs) étant de 1 500 hectares environ, la dépense serait de 2 milliards 100 millions. En supposant l'opération répartie sur une période de cent ans, cela correspondrait à une dépense annuelle de 21 millions qui n'est pas exagérée pour un budget annuel de 350 millions. Mais tout le noyau central de Paris, soit 1/3 de la surface totale, pourrait être transformé en 35 ans, avec 700 millions.

Quoi qu'il en soit, toute voie nouvelle à établir dans une vieille ville devrait, en prévision de l'avenir, être établie suivant ce système, avec 2 étages de circulation.

*Rapport sur l'avenir des grandes villes*, in *Actes du premier Congrès international d'urbanisme* de 1910 publiés par la *Royal Society of British Architects*, Londres, 1911.

# Rapport Buchanan

*En 1961, le Ministère britannique des Transports chargeait un comité de spécialistes d'étudier les problèmes posés par le développement de l'automobile dans la société moderne, et particulièrement ses incidences sur les différents types d'agglomération.*

*Deux ans plus tard, le comité publiait le Rapport dit* Buchanan *(du nom de son président) sur le trafic dans les villes. Ce document offre la première analyse qualitative et quantitative de la circulation dans les villes, doublée d'une étude prospective ; mais, mieux encore, il propose une série de mesures adaptées aux différents types de possibilités et de cas, car sa conclusion est formelle : la coexistence pacifique avec l'automobile exige la création d'un nouveau type urbain.*

*L'apport méthodologique le plus intéressant du Rapport Buchanan est son refus de dissocier trafic et plan-masse, considérés comme deux faces d'un seul et même problème.*

*Le Rapport Buchanan nous est apparu comme une étude technologique exemplaire : précise, exhaustive, consciente de ses limites comme de ses présupposés idéologiques. Nous donnons ici des extraits empruntés aux chapitres II et III qui concernent l'un* Les bases théoriques, *et l'autre des* Études de cas particuliers, *parmi lesquels nous avons retenu seulement les pages consacrées à un quartier de Londres.*

# ENQUÊTE ET PROPOSITION SUR LE
# TRAFIC DANS LES VILLES

## I. MÉTHODE [1]

### Le principe de base

Le problème que pose à l'urbaniste la circulation dans les villes ne diffère pas fondamentalement de celui que pose à l'architecte celui de la circulation dans un immeuble• : le principe de base est celui illustré par la disposition classique des couloirs et des pièces.

### L'image du « couloir »

Dans un hôpital important, par exemple, le problème de la circulation est complexe. Le trafic est important — les malades arrivent à la réception, sont conduits vers leurs pavillons, puis vers les salles d'opération et à nouveau vers leurs pavillons. Médecins, consultants, infirmières et infirmiers, nourriture, livres, courrier, médicaments• doivent être distribués aux malades. Des véhicules divers interviennent dans cette circulation. Le fonctionnement de l'ensemble est assuré par la création de *zones d'environnement* (chambres, salles d'opération, salles de consultation, laboratoires, cuisines, bibliothèques, etc.) desservies par un système de couloirs assurant la distribution primaire du trafic. Ce n'est point qu'aucun déplacement n'ait lieu à l'intérieur des *zones d'environnement* : un pavillon, par exemple, inclut des déplacements verticaux; mais ceux-ci sont contrôlés de telle sorte que l'environnement n'en souffre pas. Dans tous les cas où le volume de la circulation tend à dépasser les possibilités de l'environnement, des mesures sont

---

1. Les titres et sous-titres appartiennent au Rapport. Seuls les inter-titres sont de nous.

rapidement prises pour la réduire ou la détourner. En aucun cas, on ne peut admettre l'ouverture d'une *zone d'environnement* à un trafic de transit : la traversée d'une salle d'opération par les chariots portant les repas des malades révèlerait une erreur fondamentale dans le graphique d'acheminement.

*La ville cellulaire*

Il n'y a pas d'autre principe à appliquer en matière de circulation urbaine, qu'il s'agisse d'une ville nouvelle construite sur un site vierge ou de l'aménagement d'une ville existante. On doit y trouver des *zones d'environnement* agréables — des « chambres » urbaines — où l'on puisse vivre, travailler, faire des courses, flâner, se promener à pied à l'abri des dangers du trafic automobile; et, complémentairement, il doit exister un réseau routier — les « couloirs urbains » — assurant la distribution primaire de la circulation vers ces *zones d'environnement*. Ces zones ne sauraient être exemptes de circulation si l'on veut qu'elles fonctionnent; mais elles doivent être conçues de telle façon que le volume et la nature de cette circulation soient liés au caractère recherché pour l'environnement. Cette conception aboutit à une ville de structure cellulaire : des *zones d'environnement* seront enchâssées dans les mailles d'un réseau de routes de distribution primaire. L'idée est simple mais, faute de l'admettre, le problème de la circulation urbaine demeure confus, vague et sans signification globale.•

Relations entre zones d'environnement et réseaux

Envisageons maintenant quelques conséquences de cette idée. Appliquée à l'ensemble d'une ville, elle y créerait une série de zones à « environnement prédominant ». Ces zones seraient reliées entre elles par le lacis des voies de distribution, vers lesquelles tous les déplacements d'une certaine importance seraient *obligatoirement* canalisés. Les relations entre le réseau et les *zones d'environnement* seraient exclusivement des relations de desserte : la fonction du réseau routier serait de desservir les *zones d'environnement,* et non l'inverse. Ce schéma peut paraître élémentaire• ; il a cependant le mérite de montrer clairement que la circulation et les routes ne sont pas des fins en elles-mêmes, mais des services, que l'objectif réel c'est l'environnement où l'on vit et où l'on travaille.•

## Caractéristiques des zones d'environnement

### *Exclusion du transit*

L'idée de réseau est relativement facile à comprendre; le concept de *zones d'environnement* est plus délicat. Ces zones constituent les « pièces » de la ville; ce sont les zones ou groupes d'immeubles et autres lieux où s'écoule la vie quotidienne, et dont la qualité est, par conséquent, d'une grande importance. Le terme de « precinct » (utilisé depuis longtemps dans le vocabulaire de l'urbanisme) ne peut servir ici, puisqu'il implique aujourd'hui l'absence complète de trafic motorisé. On n'insistera jamais assez sur le fait que les *zones d'environnement* que nous envisageons peuvent être des quartiers actifs, dotés d'une circulation autonome importante, mais ne sont traversées par aucun trafic extérieur de transit.• Toutes les activités — commerciales, industrielles, résidentielles, etc., ou même mixtes — peuvent donner lieu à une *zone d'environnement* : naturellement, les normes d'environnement dépendront du type de la zone, exactement comme elles varient, dans une maison, entre la cuisine et les chambres. La sécurité restera une considération essentielle dans toutes les zones, alors que la lutte contre le bruit sera plus poussée dans une zone résidentielle que dans une zone industrielle.

### *Dimension maxima*

La dimension maximale d'une *zone d'environnement* est déterminée par la nécessité d'empêcher la circulation interne d'atteindre un volume tel qu'il nécessiterait sa division par l'insertion, dans le réseau, d'une voie de distribution supplémentaire. Le concept de *zone d'environnement* n'implique aucun découpage sociologique. Il n'existe aucun lien, par exemple, entre nos zones et la notion « d'unité de voisinage »; nous ne proposons qu'une méthode de disposition des bâtiments en fonction de la circulation automobile. Ainsi, une unité de voisinage de 10 000 personnes, c'est-à-dire celle que postule le plan d'urbanisme du Comté de Londres, devrait certainement être divisée en un certain nombre de *zones d'environnement*.

### Problèmes de la circulation intérieure

Si la circulation[1] d'une *zone d'environnement* est déterminée par le caractère de cette zone, il en résulte que toute *zone d'environnement* possède sa capacité maxima de circulation. On le constate par exemple, dans le cas d'un ensemble de maisons de grand standing, donnant sur des rues étroites. Le volume de la circulation devra être limité si l'on veut conserver à l'environnement les normes de sa classe. On pourrait, en théorie du moins, calculer le volume acceptable. Pour éviter son dépassement, on pourrait se contenter (en supposant qu'il s'agit d'une *zone d'environnement* en voie de constitution) d'en exclure tous les véhicules étrangers ; mais, même dans ce cas, la circulation propre à la zone pourrait croître au-delà de la limite fixée, à la suite, par exemple, de la conversion des maisons particulières en appartements, ou du fait d'un accroissement inattendu du taux de la motorisation. Il faudrait alors ou bien altérer la qualité de l'environnement, ou bien en réduire l'accessibilité. Mais on pourrait aussi *engager des frais* pour transformer la zone : il s'agirait alors, par exemple, de créer des garages pour les voitures qui, sinon, resteraient dans la rue, ou encore de réaménager complètement le quartier par la reconstruction.

### Trois variables

#### « Capacité circulatoire »

Ainsi, quelle que soit la *zone d'environnement*, le problème de la circulation peut être défini par trois variables principales : la qualité de l'environnement, son accessibilité et le coût des transformations matérielles à y apporter. La relation de ces termes se résume en une « loi » approximative : « *à l'intérieur de toute zone urbaine, l'établissement de normes d'environnement détermine automatiquement l'accessibilité, mais celle-ci peut être accrue en fonction de la dépense consa-*

---

1. Ce terme comprenant à la fois véhicules à l'arrêt et véhicules en marche.

*crée à des transformations matérielles* ». En d'autres termes, si l'on veut admettre une circulation importante à l'intérieur des *zones d'environnement,* en respectant leur qualité, les travaux nécessaires seront très vraisemblablement onéreux.

Toute zone urbaine possède une capacité de circulation, qu'il faut déterminer si l'on veut conserver la qualité de l'environnement : tel est un des principes fondamentaux de notre méthode.• Les plans d'une maison sont faits pour accommoder un nombre déterminé d'habitants : si on augmente ce chiffre, l'entassement transforme cette maison en taudis. La capacité n'offre qu'une faible marge d'élasticité. Il en est exactement de même dans le cas d'une *zone d'environnement,* par rapport au trafic qu'elle peut normalement contenir.•

La « capacité automobile » d'une *zone d'environnement,* dépend, en grande partie, de la disposition des édifices et des voies d'accès. • Si on prend l'exemple d'une rue commerçante classique, avec des vitrines des deux côtés de la rue, on s'aperçoit que cette disposition vaut uniquement dans le cas d'un faible trafic. Un remodèlement permettrait un trafic automobile beaucoup plus intense : il faudrait, par exemple, réserver aux piétons l'espace sur lequel donnent les vitrines, reportant la circulation automobile à l'arrière des édifices.•

Il faut abandonner l'idée que les quartiers urbains se composent d'édifices disposés le long de voies de communications et comportent deux types de planification, l'un concernant les bâtiments et l'autre les rues. Ce n'est là qu'une convention. Si les édifices et les voies d'accès sont *conçus ensemble,* dans une même démarche qui en fait conjointement la substance élémentaire de nos villes, ils pourront alors être intégrés selon des structures diverses, dont un grand nombre se révèleront beaucoup plus avantageuses que la rue classique. Cette approche du problème peut être appelée « architecture de la circulation ».

# Conclusion

La méthode adoptée au cours de cette étude se distingue des précédentes enquêtes sur le trafic par trois points principaux :

1° Dans la plupart des autres études, le problème envisagé était essentiellement celui de la circulation des véhicules. En conséquence, ces études se sont essentiellement préoccupées du contournement des villes : dans une perspective centripète, elles appliquaient le principe du contournement pour faciliter la circulation des véhicules autour des centres commerciaux et des goulets d'étranglement. Cette concentration de l'attention sur la seule circulation des véhicules a conduit, selon nous, à déformer et obscurcir les objectifs fondamentaux de l'urbanisme en matière d'environnement. Fondée sur la recherche des valeurs de base, notre méthode nous a conduits à adopter une perspective opposée, *centrifuge*. Nous nous occupons, en premier lieu, de l'environnement : nous délimitons les zones où s'accomplissent les principales activités de l'existence. Peu à peu, cette démarche *centrifuge* fait apparaître une structure cellulaire pour l'ensemble de la ville, pendant que, par l'effet d'un processus complémentaire, la trame du réseau se dégage d'elle-même. Tel est, pensons-nous, l'ordre dans lequel il faut aborder les problèmes : ainsi, l'automobile et les questions de circulation restent à leur juste place, au simple service des immeubles et des activités qui s'y déroulent.

2° Notre méthode permet d'aborder objectivement et de chiffrer des problèmes jusqu'ici surtout livrés à l'intuition.

3° La circulation devient alors partie intégrante du problème global de l'urbanisme. •

## II. APPLICATION A UN CAS PARTICULIER[1]

### Le secteur choisi

(Il se trouve) dans la partie centrale de Londres; c'est la zone comprise dans le quart Sud-Ouest de l'intersection de Euston Road et Tottenham Court Road. Il s'agit là d'un secteur à vocations multiples.•

Nous n'avons pas défini avec rigidité, les limites Sud et Ouest de notre secteur de travail, parce que nous désirions voir où nous mèneraient les considérations de *zones d'environnement ;* mais nous nous étions mentalement fixé comme limites Great Portland Street à l'Ouest, et Oxford Street au Sud, afin d'intégrer dans notre étude les difficiles problèmes posés par cette dernière voie.•

### Principales activités

*Vêtement et alimentation*

Le secteur étudié a 148 acres d'étendue. 9 000 personnes y habitent et 50 000 personnes y travaillent. Il contient une partie de la grande rue commerçante qu'est Oxford Street. La plus grande partie de son activité est liée au commerce du vêtement (lui-même en relation avec les boutiques et magasins vestimentaires d'Oxford Street), qui nécessite un vaste espace pour le stockage et la montre. Il y a dans le secteur, un certain nombre de boutiques spécialisées, y compris les restaurants et magasins d'alimentation de Charlotte Street et Percy Street, les halls d'exposition de voitures et leurs annexes de Warrent Street et Great Portland Street; les centres commerçants les plus actifs se situent à Great Titchield Street, Goodge Street et Cleveland Street. Il y a cinq stations de métro

---

1. **Les autres cas étudiés sont :** une petite ville, Newbury; une grande ville industrielle, Leeds; une ville historique, Norwich.

localisées dans les rues qui entourent le secteur, une à chaque angle
et la dernière au milieu, du côté Est; les lignes d'autobus se situent
sur toutes les voies principales qui circonscrivent le secteur.•

## Difficultés actuelles relatives à la circulation

Les principales difficultés proviennent de :

1° Une mauvaise disposition, avec beaucoup d'intersections et
des rues étroites.

2° La polyvalence des rues, qui servent à des usages multiples :
différents types de trafic, parking et déchargement. (Ce dernier
caractère est particulièrement accentué dans le secteur spécialisé
dans le vêtement, sur les bords d'Oxford Street; les camions
qui se garent des deux côtés et qui manœuvrent obstruent le chemin
pour les autres véhicules).

3° Des parkings insuffisants dont les dimensions sont impropres
pour les véhicules de service.•

4° La congestion par le trafic de transit. Nous avons estimé à
un tiers, aux heures de pointe, avec un courant de 3 000 véhicules,
l'importance du trafic de transit, qui n'a pas de rapport direct avec le
secteur.•

## Conflit entre le trafic et l'environnement

Ce conflit est au maximum dans les rues qui présentent la plus
grande activité pédestre (telle Oxford Street), et là où un trafic très
dense coupe des voies très fréquentées par les piétons (accès aux
stations de métro ou arrêts d'autobus) ou présente une intersection
avec elles.

*La rue contre le piéton*

La plupart des accidents de piétons se produisent sur les voies de
communication les plus actives qui circonscrivent le secteur, ou à
des carrefours.

Le bruit de la circulation a des effets particulièrement fâcheux
aux alentours de l'hôpital et dans Oxford Street, où la conversation

est rendue difficile. Et c'est également Oxford Street qui souffre le plus de l'intrusion visuelle des véhicules automobiles, dont le flot ininterrompu, en marche ou à l'arrêt, empêche ceux qui font leurs courses de voir de l'autre côté de la rue.•

### Première proposition : remodèlement complet

#### *Niveaux*

La densité du développement et la surface exigée pour les rues, parkings et services étaient telles que nous pouvions être sûrs qu'un plan sur plusieurs niveaux s'imposerait. C'est pourquoi nous entreprîmes de considérer cette hypothèse dans son ensemble pour déterminer sur quels principes elle reposait.

#### *Voies primaires en sous-sol*

Tout d'abord, nous pûmes voir qu'il y avait grand avantage à garder les voies primaires de distribution [1] automobile au niveau le plus bas, et de préférence *au-dessous du niveau du sol,* dans des passages à ciel ouvert. Les expériences faites à l'étranger montrent que c'est la solution la plus souhaitable du point de vue de la réduction des accidents, du bruit et de la gêne visuelle. En outre, si les voies primaires se trouvent à un niveau inférieur à celui des voies de distribution locale, l'aménagement des « bretelles » est très facilité• et les pentes des rampes d'accès ou de sortie favorisent l'accélération ou la décélération.•

#### *Sol artificiel pour le piéton*

En ce qui concerne, à présent, la relation entre les voies de distribution locale et les bâtiments eux-mêmes, les solutions possibles

---

1. Les auteurs appellent « voie de distribution » les voies destinées à distribuer avec le maximum d'efficacité, les véhicules aux zones d'environnement. Le « réseau de distribution » comprend un système de voies reliées entre elles de façon continue. Le « réseau de distribution primaire » donne accès et circule entre les principales zones de développement. Il y a ainsi toute une hiérarchie de voies de distribution (nationales, régionales, primaires, de district, locales). Le « réseau de distribution locale » est inclus à l'intérieur de la zone d'environnement.

se présentent schématiquement dans une alternative entre garder les piétons en bas et les véhicules en haut, ou vice versa. La première présente l'avantage de libérer tout le sol à l'usage des piétons ; on a un parc urbain avec accès direct aux rez-de-chaussée des édifices. En outre, placer l'accès des véhicules aux bâtiments à un niveau intermédiaire peut s'avérer pratique si les fonctions sont divisées verticalement (ainsi, la circulation peut desservir à la fois les boutiques du niveau inférieur et les bureaux des niveaux supérieurs). Davantage, des routes surélevées se prêtent à de très belles perspectives urbaines. Néanmoins, de graves désavantages proviennent de la contrainte et de la rigidité que les routes surélevées imposent aux édifices : espace occupé par les rampes d'accès, problèmes structurels, enfin, prix de revient. Après une étude approfondie de ces diverses incidences, il nous est apparu théoriquement préférable, pour les zones de forte densité, de conserver la circulation au niveau du sol et de surélever, au contraire, les piétons. Cette solution permet une beaucoup plus grande flexibilité dans la planification des édifices.

Nos conclusions relatives aux niveaux consistaient donc à situer les voies de distribution primaires à environ 20 pieds au-dessous du sol et à conserver au niveau du sol les voies hexagonales de distribution locale.

## Les diverses solutions de parking

L'espace requis pour le parking est environ le double de celui requis pour tout autre usage du sol ; il est à peu près aussi vaste que l'ensemble du secteur étudié. Schématiquement, nous nous trouvions devant une alternative : concentrer cet espace de parking dans des garages à étages multiples ou le disperser à la fois dans des garages souterrains, sous les édifices, et à l'intérieur des édifices eux-mêmes.

### Garages à étages multiples : problématiques

Les garages à étages multiples sont directement liés au problème du trafic aux heures de pointe. S'ils ont un accès direct sur une voie de distribution locale, ils représentent un risque d'engorgement; s'ils sont situés sur une voie de distribution primaire, ils risquent d'être peu pratiques et trop éloignés des édifices. Peut-être est-ce parce que leur « structure » n'a pas fait l'objet d'une attention suffisante, toujours est-il qu'on trouve dans notre pays bien peu de garages à étages multiples qui ne soient pas un outrage au paysage urbain, — et cet aspect du problème est très important dans les zones centrales. Les garages à étages multiples ne sont, en outre, pas adaptés aux exigences du parking de brève durée; or, dans le cas présent, à peu près 50 % des espaces de parking sont destinés aux personnes qui font leurs courses et à ceux qui utilisent leur voiture pour des raisons professionnelles : ces deux catégories nécessitent des parkings de petite durée, proches des destinations. Il n'y a, en revanche, aucune raison pour ne pas concentrer dans des garages situés en des points stratégiques les voitures des banlieusards *(commuters)* qui, à en juger par les marches qu'on leur voit faire depuis l'arrivée des principales lignes de banlieue à Londres, ne seraient sûrement pas opposés à parcourir à pied, dans un cadre plaisant, des distances pouvant s'élever jusqu'à un demi mile.

### *Parking en sous-sol*

Dans le cadre de la présente étude, nous avons conclu que la solution la plus avantageuse consistait à disperser les espaces de parking en sous-sol, plutôt qu'à les concentrer dans des garages à étages multiples. Cette conclusion n'est probablement valable que dans un contexte impliquant : une grande densité de population, une zone centrale de valeur très élevée, une zone faisant l'objet d'un remodèlement global. Nous reconnaissons les avantages du garage à étages multiples dans le cas de centres urbains dont le remodèlement complet n'est pas envisagé.

### Plan général

### *Structure « en dentelle »*

La décision de laisser au niveau du sol les voies de circulation locales et les voies de district à gros trafic, l'espace considérable nécessaire pour le parking, le garage et les véhicules de service, la décision de disséminer le parking plutôt que de le concentrer, la nécessité d'éviter une excavation trop générale du site pour les parkings, enfin, le désir de créer un cadre favorable pour les piétons, toutes ces considérations nous ont conduits à un modèle situant le système de circulation des piétons au-dessus de celui des véhicules automobiles. On obtiendrait ainsi un nouveau sol pour la vie de la cité, véritable plate-forme sur laquelle s'élèveraient les édifices. Les parkings et les zones pour véhicules de service se situeraient sous les édifices même — c'est-à-dire avec accès au niveau du sol originel. Néanmoins, le modèle élaboré ne présente rien de comparable à un pont ou à une plate-forme continue. Le « nouveau sol » offre une structure complexe, en dentelle, à l'image d'une feuille de métal qui aurait été emboutie ; c'est un enchevêtrement d'édifices et de voies pour piétons, avec de fréquentes ouvertures destinées à introduire la lumière, l'air et les perspectives dans le niveau inférieur, cependant que le réseau des piétons descend en de nombreux points jusque dans les espaces à air libre du sol originel. •

## Conclusion

Si la réalisation d'un pareil modèle implique une approche quasi révolutionnaire des questions de propriété foncière et de promotion, nous sommes néanmoins satisfaits de constater que le modèle lui-même ne présente aucun caractère de fantaisie.

*Une architecture de la circulation*

Il illustre de façon frappante, la peu confortable réalité, déjà mentionnée plus haut, selon laquelle le véhicule automobile exige réellement une nouvelle forme urbaine. Nous pensons que notre projet esquisse une solution et montre qu'il serait possible de créer un cadre à la fois dense, varié, intéressant, vital et intensément urbain, tout en conservant nombre des avantages du trafic automobile. Mais pareil projet ne pourra être mis en œuvre que dans le cadre d'une nouvelle approche des problèmes : il ne s'agit plus de projeter des routes ou de projeter des bâtiments, mais de projeter les deux ensemble, à l'intérieur d'une seule et même démarche. Et c'est ce que nous entendons par « traffic-architecture » : architecture de la circulation.

*Traffic in Towns, a Study of the Long Term Problems of Traffic in Urban Areas*, Londres, 1963. Extraits traduits par autorisation du Controller of Her Britannic Majesty's Stationery Office. (Paragraphes 100-102, 113-118, 136, 291-292, 295, 297-298, 324, 326-331, 335. Notre traduction.)
*Traffic in Towns* vient d'être édité en français par l'Imprimerie Nationale sous le titre : *L'automobile dans la ville.*

# Iannis Xenakis

## né en 1922

*Ingénieur, architecte et musicien, il fit ses études à Athènes avant d'émigrer à Paris où il fut l'élève d'Olivier Messiaen.*

*Pendant douze ans, il fut le collaborateur de Le Corbusier, participant à la conception du monastère de la Tourette et des édifices de Chandigarh. Pour l'exposition de Bruxelles, en 1958, il créa personnellement l'architecture du Pavillon Philips (surfaces gauches en béton, entièrement préfabriquées au sol) dont l'aspect fantastique était pour une part le reflet d'exigences acoustiques.*

*Depuis 1960, il se consacre entièrement à la musique. Du point de vue théorique, il a été le promoteur de la musique stochastique qui intègre le calcul des probabilités dans la conception musicale (cf. son ouvrage : Musiques formelles, 1963). Parmi ses œuvres instrumentales, on peut citer Metastasis (1953-1954) ; et, parmi ses œuvres électroniques : Diamorphose (1957) et Bohor (1962).*

*La nostalgie du métier d'architecte et une conception audacieuse de la technique, que les habitudes traditionalistes de notre société ont, dans la pratique, récusée, lui ont inspiré les pages inédites qui suivent. La ville y est objectivée dans un modèle très pur : le réalisme et la connaissance technologique sont ici subordonnés à une vision utopiste.*

## LA VILLE COSMIQUE

Il est nécessaire, devant le drame de l'urbanisme et de l'architecture contemporaine, de jeter des bases axiomatiques et de tenter une formalisation de ces deux « sciences ». La première question est celle de la décentralisation urbaine.

*Le mythe de la décentralisation*

Il est bien vu, depuis plusieurs années, de parler de décentralisation des grands centres urbains, de dispersion des centres industriels sur tout le territoire national, autant que possible. Cette tendance s'est transformée en politique des gouvernements favorisant économiquement les transferts d'industries et la construction d'habitats; le transfert non seulement des industries grandes ou petites, mais également des administrations et des centres universitaires. La hantise de la décentralisation est, on peut l'affirmer, universelle; on la voit en France aussi bien qu'au Japon, aux U. S. A., etc. c'est-à-dire dans tous les pays où les concentrations urbaines sont importantes. Au reste, dans quelques générations, la « poussée démographique » rendra la situation des villes futures impossible, mortelle, si les urbanistes et les États ne changent pas d'optique et n'échappent pas à une mentalité traditionaliste, figée dans le passé, inefficace désormais. La solution donnée à la question de la décentralisation déterminera les cadres de tout urbanisme aussi bien que ceux de l'architecture.

*Faut-il donc opter* pour *la décentralisation ou bien, au contraire, admettre la* centralisation ?

*Tendance naturelle à la concentration*

D'abord, si nous nous plaçons en observateurs de l'histoire contemporaine, nous assistons au développement d'une force puissante, aveugle, irréversible, qui crée des concentrations urbaines en dépit de tous les freinages concertés des gouvernements; force qui augmente la densité et l'étendue des villes. Il semble même qu'une loi simple mais terrible peut être dégagée de cette observation : les grands centres augmentent plus que les petits, selon une courbe logarithmique.

Ensuite, si nous nous plaçons sur le plan socio-culturel aussi bien que sur celui de la technique et de l'économie, les grands centres favorisent les expansions et les « progrès » de toute nature. C'est une constatation historique, faite depuis des millénaires mais constamment oubliée et dont on pourrait trouver l'équivalent en d'autres domaines, par exemple dans celui des cultures biologiques complexes, ou tout simplement dans ces phénomènes de masses qui, en conformité avec la loi des grands nombres, rendent pos-

sible l'apparition d'événements exceptionnels, hautement impro-
bables (= impossibles) dans des populations plus petites.

En revanche, la décentralisation conduit à un éparpillement des
centres, à une augmentation de la longueur des voies et de la
durée des échanges, à une spécialisation étanche des collectivités
et à un marasme socio-culturel. Les cités universitaires le prouvent,
aussi bien que les cités ouvrières et toutes les espèces de « cités »
à l'intérieur d'un pays : par là sont mises en déroute, les théories des
*cités linéaires* et autres naïvetés.

Ces raisonnements et constatations sont dans l'air, et simples à
faire même pour ceux qui n'ont pas le loisir de consulter ou ne
savent pas lire les statistiques des services spécialisés.

Mais, pourquoi décentraliser ?

En réalité, cette politique à contresens tient à deux directions
maîtresses :

*a)* l'asphyxie des villes actuelles sous la masse des communications anarchiques et la mauvaise répartition des activités sur le territoire national ;

*b)* une tradition mentale de géométrisation et de planification
des ensembles urbains qui, ressurgie avec une nouvelle vigueur au
XIXe siècle, s'est fixée et figée pendant les années 1920, sous l'influence du cubisme et du constructivisme. Une tradition qui a une
véritable force d'inhibition.

*Mythe de l'orthogonisme*

Cette deuxième direction a déjà montré qu'elle était impuissante
à résoudre des problèmes plus simples, tels que la construction de
villes neuves, même lorsque les urbanistes ont tout l'appui des
gouvernements, comme c'est le cas pour Le Havre, Brasilia, Chandigarh, qui sont pour l'instant des villes mort-nées. Il est, en effet,
impossible dans l'état actuel de formation des urbanistes et des
architectes (formation conservatrice et simpliste) que des individus
puissent résoudre, a priori, sur le papier, les problèmes de la naissance, de la constitution et du développement d'une ville, problèmes
qui sont mille fois plus complexes que ceux d'un logis ou d'une
unité d'habitation, eux-mêmes résolus tant bien que mal. Cette
carence fait que les solutions urbanistiques sur le papier ne sont
que des combinaisons pauvres de lignes droites et de rectangles,

accommodés d'espaces incongrûment courbes (= espaces verts).

C'est cette même carence qui fait que ceux qui ont la responsabilité de l'aménagement du territoire sont obnubilés par la complexité biologique d'une ville sortie des siècles, comme l'est Paris ; et, qu'empoisonnés par les vapeurs d'essence ou les longues attentes dans toutes sortes de files, ils prônent l'explosion de cette complexité vivante, au lieu de s'attaquer, par exemple, au vrai problème de l'industrie automobile ; sans parler des solutions données par des architectes-urbanistes dits d'avant-garde, qui, en fait, ne sont que des naïvetés à courte vue et rampantes : car, pour ceux-là, prôner l'impossible décentralisation-panacée-à-tous-les-maux-urbains n'a pas été un cas de conscience.

Donc, sous la tyrannie de ces deux lignes de force, l'une réelle, l'autre mentale, on décentralise à tour de crayon en créant des villes-satellites (= villes-taudis modernes), villes-dortoirs ou villes spécialisées nanties d'une architecture cubique absurde (boîtes à chaussures = clapiers), standardisées, avec parfois une coquetterie décorative, grotesque, exemple Stockholm, ou sans coquetterie, exemple Paris ou Berlin.

Il est vrai aussi que l'algorithme du plan, de l'angle droit et de la ligne droite, venu du fond des millénaires et qui est la base de l'architecture et de l'urbanisme contemporains, a été fortement renforcé par les matériaux « nouveaux » : le béton (à cause du coffrage en planches), l'acier et le verre aussi bien que par la théorie relativement simple des éléments plans et surtout linéaires.

Seulement voilà ! Si la concentration est une nécessité vitale pour l'humanité, il faut changer complètement les idées actuelles sur l'urbanisme et l'architecture et les remplacer par d'autres.

### La ville cosmique verticale

Nous allons esquisser un faisceau d'idées qui conduiront à la conception de la « Ville Cosmique verticale ».

Voici une liste des propositions axiomatiques s'impliquant les unes les autres, qui aideront à dégager son visage et à formaliser sa structure :

1) Nécessité absolue de rechercher les grandes concentrations de population, pour des raisons générales énumérées plus haut.

2) Une haute concentration et l'énorme effort technique qu'elle

entraîne, impliquent une indépendance totale par rapport à la surface du sol et du paysage. Cela conduit à la conception de la ville verticale, à la ville pouvant atteindre des altitudes de plusieurs milliers de mètres. L'indépendance conduit en même temps vers une géante standardisation : la formalisation des conceptions théoriques et de la mise en œuvre sera nécessairement et seule efficace.

3) La forme que recevra la ville devra éliminer, dans sa structure, les efforts de flexion et de torsion anti-économiques.

4) La lumière devra pénétrer partout et la vue être directe de et sur les espaces. D'où une épaisseur relativement faible de la ville verticale.

5) Puisque la ville sera verticale, son occupation du sol sera minime [1]. La libération du sol et l'essor technique d'une telle ville entraîneront la récupération de vastes étendues, une culture du sol automatique et scientifique, utilisant des ensembles électroniques de gestion et de décision : car le paysan classique, avec son travail manuel, devra disparaître.

6) La répartition des collectivités devra constituer, au départ, un mélange statistiquement parfait, contrairement à toute la conception actuelle de l'urbanisme. Il n'y aura pas de sous-cité spécialisée d'aucune sorte. Le brassage devra être total et calculé stochastiquement par les bureaux spécialisés de la population. L'ouvrier, les jeunes vivront dans le même secteur que le ministre ou le vieillard, pour l'avantage de toutes les catégories. L'hétérogénéisation de la ville viendra par la suite d'elle-même, d'une façon vivante.

7) En conséquence, l'architecture intérieure de la Ville Cosmique devra s'orienter vers la conception de locaux interchangeables (cf. l'architecture traditionnelle japonaise), s'adaptant aux utilisations les plus diverses : le nomadisme interne (mouvements des populations) tend à s'amplifier à partir d'un certain palier de progrès. L'architecture mobile sera donc la caractéristique fondamentale de notre ville.

8) Puisque cette ville sera façonnée par la technique universelle, elle sera également apte à loger les populations du Grand Nord (ou

1. Pour une densité de 500 habitants à l'hectare, une ville comme Paris, de 5 000 000 d'habitants, couvre en gros 10 000 hectares. La ville que nous proposons couvrira au sol 8 hectares environ, soit moins d'un millième.

Sud) et celles des Tropiques ou des déserts. Des conditionnements climatiques devront donc la munir en certaines de ses parties, de façon à rendre indépendants des contingences climatiques et météorologiques des centaines de millions d'humains, qui pourront accéder à des conditions de vie et de travail tempérées sous toutes les latitudes. Ainsi, la technique, entièrement industrialisée et formalisée, transformera la ville en un véritable *vêtement collectif, réceptable et outil* biologiques de la population.

9) La communication se fera suivant des coordonnées cylindriques, avec l'avantage des grandes vitesses à la verticale, 100 à 200 km/heure.

10) Les communications par transport de matières (hommes ou choses) devront être assurées par des techniques nouvelles (exemple trottoirs ou rues roulantes à petites, moyennes ou grandes vitesses, déplacements pneumatiques-express pour passagers dans le sens horizontal aussi bien que vertical, etc.). Donc, suppression de tout moyen de locomotion individuel sur roues [1].

11) Les transports à trois dimensions (aériens) seront favorisés par les pistes au sommet des Villes Cosmiques (économie considérable de carburant). Les temps morts entre villes et aérodromes seront réduits à néant.

12) La grande altitude de la Ville, outre la densité très élevée qu'elle permettra de réaliser (2 500 à 3 000 habitants par hectare), aura l'avantage de dépasser les nuages les plus fréquents, qui roulent entre 0 et 2-3000 mètres, et de mettre les populations en contact avec les vastes espaces du ciel et des étoiles : l'ère planétaire et cosmique est commencée, et la ville devra être tournée vers le cosmos et ses colonies humaines, au lieu de rester rampante.

13) La transformation des déchets industriels et domestiques en circuit fermé prendra une ampleur très grande, au bénéfice de la santé et de l'économie.

14) La Ville Cosmique, par définition, ne craindra pas les dévastations de la guerre, car le désarmement sera gagné sur terre et les débouchés et autres expansions seront recherchés dans l'espace

1. Plaie infligée aux villes modernes par les industries multiples des voitures automobiles. C'est un exemple de cancérisation sociale et économique vaine, difficilement enrayable en pays de libre concurrence.

cosmique, les États actuels s'étant transformés en provinces d'un État géant Mondial.

*Solutions techniques*

Rapides données techniques de la Ville Cosmique :

Les quatorze points précédents entraînent certaines solutions techniques : utilisation des structures de coques, et notamment des surfaces gauches, telles que les paraboloïdes hyperboliques (P. H.) ou les hyperboloïdes de révolution, qui évitent les efforts de flexion et de torsion et n'admettent (sauf aux rives) que des efforts de traction, de compression et tranchants.

La forme et la structure de la ville seront donc une coque creuse à double paroi en treillis, en raison des surfaces réglées utilisées, ce qui, de plus, aura l'avantage d'employer des éléments linéaires, toujours meilleur marché.

Pour fixer les idées, supposons que la forme adoptée soit un hyperboloïde de révolution (H. R.), d'une altitude de 5 000 mètres et devant contenir dans sa coque creuse, large de 50 mètres en moyenne une ville de 5 000 000 d'habitants.

Les 5 000 mètres d'altitude sont à la limite de la pression et de l'oxygénation normales que peut supporter un homme de la rue sans aucun appareil spécial et sans adaptation préalable. Ce qui revient à dire que la Ville Cosmique peut « sauter » cette barrière et s'élever à plus de 5 000 mètres à condition de prévoir la pressurisation, l'humidification et l'oxygénation artificielles.

Si nous admettons un diamètre à la base égal à 5 km, la surface de la coque sera d'environ 60 km². Ce calcul approché est fait sur un cône tronqué d'une hauteur de 5 km et de bases 5 et 2,5 km. Puisque l'épaisseur de la coque portant la Ville est de 50 mètres, le volume de la coque sera de 3 km³ environ. Or, une ville complète comme Paris (qui nous sert de modèle) d'une densité de 500 habitants par hectare, forme une couche d'une épaisseur de 22 mètres, et 5 000 000 d'habitants occupent en moyenne, avec leurs maisons, leurs bâtiments publics, leurs industries et leurs espaces verts ou de circulation, un volume de 2,2 km³ sur un développement de 10 000 hectares.

Soit, maintenant une charge moyenne de 400 kg par mètre carré de plancher (= matériaux ultra-légers, plastiques ou métaux, de volume très faible grâce aux industries spatiales qui trouveront ainsi des débouchés terrestres); 7 étages. 400 kg/m² pour les 3/4 d'hectare de la ville, le dernier quart étant formé par les voies et les espaces libres. Par conséquent, le poids total de la ville sera de : (3/4). 10 000 h 2 800 kg/m² = 210 000 000 tonnes à répartir sur un anneau circulaire au sol de 16 km de périmètre, sur 250 mètres de largeur pour une pression au sol de 5 kg/cm².

Berlin, janvier 1964.

# VIII
# ANTHROPOPOLIS

# Patrick Geddes

## 1854-1932

*Biologiste écossais, élève de T. H. Huxley, il fut d'abord professeur de botanique ( Dundee 1883 ) et auteur de travaux sur L'évolution du sexe ( 1900 ) ; puis il étudia, toujours d'un point de vue évolutionniste, le devenir des communautés humaines.*

*Dans ce dernier domaine, dont l'horizon lui fut notamment ouvert par les travaux des géographes français et la sociologie de Le Play, il s'intéressa essentiellement à l'urbanisme, pour lequel il montra la nécessité du recours à une enquête globale préalable.*

*Patrick Geddes entreprit lui-même un certain nombre de ces enquêtes* [1] *dans une série de villes, en Europe ( Edimbourg), en Palestine et en Inde.*

*On lui doit également des concepts urbanistiques ou critiques devenus classiques :* conurbation, *ères* paléotechnique *et* néotechnique [2].

*Il a exercé une influence importante lors de la réalisation des premières* garden-cities. *Il a été le maître de Lewis Mumford. Ses deux ouvrages principaux, en matière d'urbanisme, sont :*

— City Development *( 1904 ) ;*
— Cities in Evolution *( 1915 ).*

---

1. Cf. P. Geddes, *City Development* in *A Report to the Carnegie Dumferline Trust,* Edimbourg, 1904.

2. « En substituant simplement la terminaison « technique » à la terminaison « lithique », nous obtenons des termes qui nous permettent de caractériser les premières manifestations élémentaires de l'âge industriel comme paléotechniques et les suivantes, celles qui sont même en cours de gestation, comme néotechniques. Au premier ordre appartiennent les cités minières, ° la machine à vapeur, la plupart de nos fabriques, ° les chemins de fer, ° et, par dessus tout, les villes industrielles, surpeuplées et monotones auxquelles tout cela a donné naissance. » *Cities in Evolution,* éd. citée, p. 63-64.

# L'ÉVOLUTION CRÉATRICE DES VILLES

## I. LA SCIENCE DES VILLES [1]

*Polistique*

En tant que science, la polistique [2] est la branche de la sociologie qui a trait aux cités, à leurs origines, à leur répartition; à leur développement et à leur structure; à leur fonctionnement interne et externe, matériel et mental; à leur évolution, particulière et générale. Du point de vue pratique, en tant que science appliquée, la polistique doit se développer par l'expérimentation, et devenir ainsi un art toujours plus efficace, susceptible d'améliorer la vie de la cité et de contribuer à son évolution. •

Dans la mesure même où je me suis essentiellement consacré à l'étude de la nature vivante en évolution, j'ai tout naturellement été conduit à envisager la ville dans une perspective géographique et historique, en tenant compte des divers changements intervenus dans l'environnement ou les fonctions urbaines; de là, il n'y avait qu'un pas à faire pour arriver aux interprétations abstraites de l'économiste et du politicien, ou même du philosophe et du moraliste. Dans le travail quotidien de coordination des graphiques illustrant de telles enquêtes proprement sociologiques et des plans détaillés pour la construction d'espaces verts et d'édifices, je n'ai pas rencontré les dangers que l'on pouvait prévoir du fait de la division du travail. Les premières difficultés une fois surmontées, on s'aperçoit que la distance devient pratiquement inexistante entre des théoriciens et des praticiens qui sont encore aujourd'hui, particulièrement dans notre pays, entièrement coupés les uns des autres. •

1. Titre de Geddes.
2. Par ce néologisme nous traduisons l'anglais *Civics*, employé par Geddes dans un sens inhabituel. Nous pensons garder, grâce au terme grec, la résonance politique de tout ce qui concerne la « polis ».

*Valeur du concret*

Comprendre les facteurs géographiques et historiques de la vie de nos cités est le premier stade de la compréhension du présent; c'est une étape indispensable pour toute tentative de prévision scientifique du futur, pour qu'elle évite les dangers de l'utopisme.*

Chaque cité, si petite soit-elle, possède une abondante littérature relative à sa topographie et à son histoire.*

Après cette enquête générale et préliminaire concernant l'environnement géographique et historique, nous voyons apparaître la matière d'une littérature complémentaire avec l'enquête sociologique proprement dite. La substance statistique en sera recherchée dans les rapports parlementaires et municipaux, les journaux économiques.* Mais des recherches de première main, détaillées, seront nécessaires.

Il faut un rapport complet et bien ordonné sur la situation présente de la population, faisant état de ses occupations, salaires réels, budgets familiaux, niveau culturel, etc.

Une fois en possession de tels éléments,* ne serions-nous pas en mesure de prévoir* et d'organiser leur possible développement ? Davantage, une telle planification, limitée au premier abord à l'avenir immédiat, ne peut-elle et ne doit-elle pas s'assigner les perspectives plus lointaines et plus élevées qu'implique la vie indéfinie d'une cité ?* Une telle littérature différerait grandement de la traditionnelle et contemporaine « littérature d'utopie » : elle serait régionale, localisée, au lieu de ne s'appliquer à aucun lieu; par conséquent, elle serait réalisable.*

*Eutopia et outopia*

Ainsi, nous apparaîtraient les vrais choix qui se posent à nous, mais aussi les moyens de les trancher, et de définir* les lignes de développement de la légitime *Eutopia,* particulière à chaque cité considérée : réalité bien différente de la vague *Outopia* qui n'est concrètement réalisable nulle part[1]. A celle-ci appartiennent les descriptions de la cité idéale, d'Augustin à Morris en passant par

---

[1]. Cette distinction entre *Eutopia* et *Outopia* a été reprise par Lewis Mumford dans sa *Story of Utopias,* ouvrage directement inspiré par la lecture de Geddes. Cf. notre introduction.

More, Campanella ou Bacon; à travers le temps, elles ont été consolatrices et même inspiratrices; mais une utopie est une chose et un plan d'aménagement une autre.•

*Une méthode*

L'adaptation de l'enquête sociologique au véritable service social que représente la *polistique* en tant que science appliquée, n'est pas une idée abstraite, mais une méthode précise et concrètement applicable.• Ainsi sommes-nous arrivés à l'idée d'une *Encyclopédie civique*, à quoi chaque cité devrait contribuer par une information exhaustive concernant la trilogie passé, présent, avenir.• Nous pouvons déjà prévoir que le développement de la polistique conduira à un éveil de la conscience [1] urbaine, à une renaissance civique. [¹]

## II. L'ENQUÊTE PRÉALABLE AU PLAN D'AMÉNAGEMENT

Préalablement à l'établissement de tout projet urbain, une enquête « polistique » complète est donc nécessaire.•

*Ignorance des responsables*

Que se passe-t-il dans une communauté où les autorités n'ont pas pleinement reconnu la nécessité de cette enquête préalable ?• Le conseil municipal ou les comités responsables confient simplement à l'architecte de la ville — si celle-ci en a un — ou, habituellement, à l'ingénieur local du génie civil, la tâche d'établir le plan de la ville.

Trop peu parmi ces personnalités municipales connaissent le mouvement du *Town Planning* et ses publications; beaucoup moins encore ont une expérience directe de ce qui a été entrepris (succès ou échecs) dans d'autres villes. La plupart du temps, elles ne possèdent pas la formation polyvalente — géographique, économique, artistique, etc. — nécessaire pour résoudre des problèmes architecturaux complexes, aux innombrables implications sociologiques.

1. Geddes joue ici sur les mots *conscience* et *consciousness* mettant en jeu à la fois la connaissance et l'éthique : les citoyens seront plus conscients, mais aussi plus préoccupés de leurs devoirs.

Pour des raisons financières, on a le plus souvent renoncé à employer un architecte venu de l'extérieur. Peu importe d'ailleurs, car à quelques rares exceptions près, l'architecte le plus chevronné, si compétent soit-il dans la conception d'édifices isolés, se révèle aussi peu expert en matière d'aménagement urbain *(Town-Plannig)* que les autorités municipales.·

### Une exposition « politique »

L'ensemble des matériaux réunis lors de l'enquête préparatoire doit permettre d'organiser une exposition « politique » ou civique, donnant une image du passé et du présent de la ville; une section particulière serait consacrée à l'avenir et comprendrait : *a)* de bons exemples de planification réalisés ailleurs; *b)* les projets relatifs à la ville même. Ces derniers pourraient avoir des provenances diverses : personnalités invitées par la municipalité et auteurs indépendants.

Une telle exposition· informerait la municipalité et le public des grandes lignes de l'enquête préliminaire et de sa nécessité; elle contribuerait utilement à l'éducation et à la formation du public comme de ses représentants. Dans cette tâche, les exemples empruntés à d'autres villes, comparables par leurs caractères généraux, seraient particulièrement précieux.

Après l'exposition et son cortège de discussions publiques, journalistiques, pratiques et techniques, la municipalité et ses représentants, comme le public, seraient beaucoup mieux informés et davantage concernés par la situation, par l'avenir de leur ville, qu'ils ne le sont à l'heure actuelle.·

La sélection des meilleurs projets serait un stimulant considérable pour l'information individuelle et l'invention : elle pourrait également conduire à une précieuse émulation politique.·

Il est impossible d'établir dans le détail un schéma d'enquête applicable à toutes les villes. Il faut cependant une unité de méthode· qui permette la comparaison. Après l'étude soigneuse d'une série de documents d'information préparés pour des villes particulières, on a élaboré un schéma général applicable à l'individualité propre de chaque cité.

*Situation, topographie et avantages naturels.*

    *a)* Géologie, climat, ressources.
    *b)* Sols, avec végétations, vie animale, etc.
    *c)* Faune aquatique de rivière ou de mer.
    *d)* Accès à la nature (côtes, etc.).

*Moyens de communication par terre et eau.*

    *a)* Naturels et historiques.
    *b)* Actuels.
    *c)* Développement futur envisagé.

*Industries, fabriques et commerce.*

    *a)* Industries locales.
    *b)* Fabriques.
    *c)* Commerce, etc.
    *d)* Développement futur envisagé.

*Population.*

    *a)* Mouvement.
    *b)* Occupations.
    *c)* Santé.
    *d)* Densité.
    *e)* Distribution du bien-être *(well-being)* (conditions de vie familiales).
    *f)* Institutions éducatives et culturelles.
    *g)* Besoins éventuels dans l'avenir.

*Aménagement urbain passé et présent.*

    *a)* Développement, phase par phase, depuis les origines.
    *b)* Développement récent.
    *c)* Zones d'administration locale.
    *d)* État actuel : plans existants,
                        rues et boulevards,
                        espaces verts,

communications intérieures,
eau, égouts, éclairage, électricité,
logements et hygiène,
activités existant pour l'amélioration de la cité
(municipales et privées).

*Aménagement urbain futur : suggestions et plans.*

A) Exemples empruntés à d'autres villes et cités, anglaises ou
étrangères.
B) Propositions concernant les divers secteurs de la ville :
*a )* Les expansions suburbaines.
*b )* Possibilités d'amélioration et de développement de la ville.
*c )* Solutions proposées (dans le détail).•

III. CRÉATION ET INTUITION

Une fois notre enquête réalisée• avons-nous fait tout le nécessaire ? Oui et non. •
Tout ce que nous avons accumulé, ce ne sont que des matériaux
de notre histoire, des études pour notre peinture, les esquisses de
notre dessin.•
Le réaliste dira qu'il ne peut attendre davantage, et il aura raison.
Mais, tandis que les travaux s'amorcent, la recherche doit continuer.•

*Contact vital avec le passé*

Nous devons ainsi nous représenter notre ville depuis ses plus
humbles origines, dans son cadre géographique proche et plus lointain.•
Et ce que nous aurons fait avec la géographie, nous devons le
refaire avec l'histoire. Scène par scène il nous faudra reconstituer ce
défilé du temps. Aucune minutie d'archéologue ne devra, pour cela,
être épargnée.• Pour chaque période, il nous faut reconstituer l'essentiel de la vie locale.
De la même façon que l'insolente prospérité des villes anglaises
et américaines de l'ère industrielle nous a fait oublier le passé et
ne nous les représenter plus qu'en termes de constructions indus-

trielles et ferroviaires, nous en sommes venus à penser que ce type de ville était définitif, et non pas lui-même soumis au devenir perpétuel.

C'est une méconnaissance de la perspective historique• qui retarde ainsi la prise de conscience du changement « polistique ».•

*Urbanisme et bergsonisme*

Ainsi que l'enseigne Bergson, les idées ne sont que des segments arbitrairement prélevés dans la vie : le mouvement est l'essence de celle-ci. Le mouvement vital de la cité se perpétue en modifian le rythme qu'a donné le génie du lieu, et qu'a repris l'esprit du temps.•

Notre enquête, donc, est un moyen pour nous replonger dans l'histoire vitale de notre communauté. Cette vie-là, avec sa dimension historique, n'est ni passée, ni achevée; elle est incorporée dans les activités et caractères actuels de notre ville. Tous ceux-ci et de nouveaux facteurs éventuels, détermineront son avenir.• Notre enquête ne doit pas seulement nous servir à préparer un rapport économique et structurel, elle doit être pour nous le moyen d'évoquer la personnalité sociale de la ville, personnalité qui change avec les générations et cependant s'exprime dans et à travers elles.

Tel est, en fait, l'objectif le plus élevé de nos enquêtes. Ce n'est pas un authentique urbaniste, mais au mieux un ingénieur simpliste même si son travail technique est parfait, celui qui ne recherche que les points d'identité des villes, leur réseau commun de rues et de communications. Celui• qui veut faire un travail durable et profond• doit connaître véritablement la ville, être entré dans son âme — comme Scott et Stevenson connaissaient et aimaient Edimbourg, par exemple.•

*Urbanisme et biologie*

Il nous faut scruter la vie de la cité et de ses habitants, les liens qui les unissent — aussi intensément que le biologiste scrute les rapports de l'individu et de la race en évolution. C'est seulement ainsi que nous pourrons nous attaquer aux problèmes de pathologie sociale et que nous pourrons former l'espoir de vraies cités nouvelles.•

C'est en réintégrant notre ville dans un courant vital que nous découvrirons comment la faire sortir de ses maux paléotechniques.•

Tout urbaniste s'engage, plus ou moins, dans cette direction; aucun n'admettra d'être un simple• constructeur de parallélogrammes, un simple dessinateur de perspectives; mais il nous faudra un labeur long et ardu avant que nous ne soyons en mesure d'exprimer, comme le faisaient les anciens constructeurs, l'esprit de nos villes. [2]

[1] *Civics as Applied Sociology,* conférence prononcée devant la *Sociological Society,* à l'Universiré de Londres, le 18 Juillet 1904 et publiée dans les *Sociological Papers,* Macmillan & Co, Londres 1905. (Pages 111, 115-118. Notre traduction.)

[2] *Cities in Evolution,* Williams and Norgate, Londres, 1915. (Pages 248, 253-257, 359-365. Notre traduction.)

# Marcel Poète
## 1866-1950

*Marcel Poète fut avant tout l'historien de Paris. Professeur d' « Histoire de Paris » à la Bibliothèque de la Ville de Paris (1903), puis à l'École des Hautes Études, il consacra à ce sujet deux ouvrages monumentaux :*

— Une vie de cité, (1924-1931) ;
— Paris et son évolution créatrice (1938).

*Son approche vitaliste de la ville le conduisit à fonder l'urbanisme sur une enquête sociologique et une observation scientifique ; en cela, sa démarche était très proche de celle de Patrick Geddes.*

*« J'admire la hardiesse des techniciens actuels de l'urbanisme qui, dans l'application de cette science à une ville, considèrent avant tout le dehors des choses, comme si la considération des habitants qui forment la ville ne s'imposait pas au préalable. C'est à travers ceux-ci qu'il faut regarder la ville, au lieu de l'observer simplement du point de vue des pleins et des vides qu'elle découpe sur le sol. Pour comprendre une cité, il importe d'en connaître la population ; • une ville est un fait d'âmes[1]. »*

*Ces thèmes sont développés dans une* Introduction à l'urbanisme *(1929) qui n'a malheureusement pas eu de retentissement pratique en France, où le rôle de Marcel Poète est demeuré académique : il fut le créateur de l'Institut d'Histoire, de Géographie et d'Économie urbaines (1916) et participa à la fondation de l'Institut d'urbanisme de l'Université de Paris (1924).*

*Le texte qu'on va lire est caractéristique : l'évolutionnisme du sociologue est marqué par le culturalisme cher à l'historien de Paris.*

---

1. *Une vie de cité*, Avertissement, p. 1.

# UN POINT DE VUE ORGANICISTE

## I. MÉTHODE GÉNÉRALE

*Qu'est-ce que l'urbanisme ?*

Les lois du 14 mars 1919 et du 19 juillet 1924 ont prescrit aux villes françaises de dresser un plan d'aménagement et d'extension.[*] On peut s'étonner que notre législation soit venue si tard consacrer ce qui paraît être pourtant un principe essentiel de méthode. De fait, on pourrait citer, pour Paris, des exemples de plans de cette sorte, depuis le règne de Henri II jusqu'à celui de Napoléon III. Quoi qu'il en soit, l'établissement de tels plans nécessite la connaissance de l'organisme urbain et rentre dans ce qu'on est convenu d'appeler *l'urbanisme,* à la fois science et art, car si la technique de l'architecte ou de l'ingénieur doit intervenir, c'est seulement sur la base de données proprement scientifiques, relevant de disciplines diverses : économique, géographique, historique et autres.[*]

Limiter l'urbanisme à l'art du traceur de plans serait livrer le destin des villes à de purs concepts linéaires qui exigent qu'ici, le *civic-center* soit dessiné et le *zoning* mette l'ordre des localisations, qu'ailleurs s'allongent les espaces de verdure du *park-system,* etc. De tels concepts sont cause que le principal effort du technicien urbaniste porte trop souvent sur des quartiers somptueux, alors qu'il devrait être dirigé vers des localisations populaires où, selon les leçons que nous tirerons de l'étude du passé, est l'avenir de la cité.[*]

*La ville comme organisme vivant*

C'est un être toujours vivant que nous avons à étudier dans son passé de façon à pouvoir en discerner le degré d'évolution, un être qui vit sur la terre et de la terre, ce qui signifie qu'aux données géographiques, il faut joindre les données historiques, géologiques et économiques. Et qu'on ne dise pas que la connaissance du passé n'a point d'utilité pratique. La simple étude des conditions et manifestations actuelles d'existence de la cité est insuffisante car, faute de points comparatifs de repère dans le passé, on ne peut s'orienter vers l'avenir. Tout tient à tout. La physionomie d'une ville en exprime le caractère. Et, dans celui-ci, les traits économiques servent à expliquer les traits sociaux, de même qu'à ces derniers sont liés les traits politiques ou administratifs.•

Je traiterai de la science des villes. Celle-ci porte sur les conditions et les manifestations d'existence et de développement des cités. Elle est une science d'observation. Elle repose sur des faits bien constatés, que l'on compare les uns aux autres, afin de les classer, puis d'en dégager sinon des lois — le mot est trop fort, appliqué à des phénomènes humains — au moins des données générales. Le fait à observer est ce que j'appellerai le fait urbain, c'est-à-dire le fait révélateur de l'état de l'organisme urbain. Et l'observation doit être aussi directe que possible. La statistique constitue un mode direct d'observation, mais qu'on ne peut guère utiliser qu'à partir du XIXᵉ siècle. En ce qui concerne le passé, la règle qui vient d'être énoncée exige qu'on se reporte d'abord à ce qui peut subsister de la ville ancienne, puis à ce qui nous fait connaître cette dernière, c'est-à-dire les documents épigraphiques, les pièces d'archives, les plans,• les chroniques,• les récits.•

## II. L'ÉTUDE DU SITE

L'étude du site d'une ville est complexe. Elle est non seulement d'ordre topographique, mais encore d'ordre géologique et doit viser à la reconstruction de l'état originel des lieux.• Mais comment retrouver l'aspect primitif ?

A celui-ci, la nature et les hommes ont fait subir des changements, depuis le temps où il a reçu ses premiers habitants. Même sans l'intervention directe de l'homme, le site se modifie, du simple fait de l'habitat.•

*Reconstituer l'état primitif*

Sous l'effet de la double action de l'homme et de la nature, le paysage change.• C'est à travers l'histoire et l'œuvre des hommes qu'il faut rechercher l'aspect primitif de l'Ile de la Cité, berceau de Paris.• La reconstruction du pont Notre-Dame, au début du XVIᵉ siècle, eut pour effet de relever le sol de l'Ile de la Cité.• Le pavage que l'on a pratiqué à Paris, depuis le règne de Philippe-

Auguste, est une cause de surélévation du sol.• Le lit de la Seine s'est également élevé, par suite de la ruine ou de la démolition, au cours des âges, des habitations riveraines, ou encore à cause de la chute des ponts et des maisons les bordant, sans parler des effets dus à des dépôts naturels.•

C'est tout cela qu'il faut avoir présent à l'esprit pour essayer d'atteindre, à travers la physionomie actuelle d'un site urbain, les lointains du passé.•

Ainsi, les traits originels du site d'une ville se discernent, les courbes de niveau auxquelles s'est adaptée la croissance urbaine sont reconstituées, et l'harmonie préétablie entre le sol et la ville se dégage.•

*Intuition et connaissance concrète*

A la connaissance topographique, il faut joindre, dans l'étude du site, l'examen des ressources qu'offre le sol, et cet examen doit reposer sur la géologie. La carte géologique doit être rapprochée de celle du relief du sol.•

L'assiette topographique et géographique d'une ville doit être nettement établie et demeurer présente à l'esprit. Il ne faut jamais cesser de se mouvoir sur le sol et de respirer l'air de vie. Autrement, on s'exposerait à suivre dans son destin une abstraction, à commettre l'erreur de ceux qui étudient la géographie dans le passé et rien qu'avec des textes, comme si la terre n'existait plus. Trop souvent aussi, on s'occupe de l'histoire d'une ville comme si cette dernière, pourtant toujours vivante, n'était plus qu'une momie enfermée dans quelque musée.

Assise sur le site, dans le cadre géographique, la ville vit; elle évolue. Du point de vue économique, c'est un organisme de plus en plus évolué, dont les organes remplissent leurs fonctions propres. A discerner ces organes et à en observer le jeu, l'attention doit être portée. Les organes sont localisés par le corps urbain, d'où l'examen des phénomènes de localisation qui sont liés à l'usage du site par l'homme.•

La vie d'une cité est, comme celle de l'homme, un combat perpétuel.

*Introduction à l'urbanisme,* Boivin, Paris, 1929. (Pages 1-3, 84, 88, 90-92.)

# Lewis Mumford

## né en 1895

*Lewis Mumford est né aux États-Unis ; il a fait ses études à l'Université de Columbia. Historien de la civilisation, spécialiste de l'ère machiniste*[1], *il est le disciple et le continuateur de Patrick Geddes.*

*Comme Geddes, il voit dans la ville le lieu névralgique de notre temps : il donne au problème de l'urbanisme toutes ses dimensions culturelles et historiques, et refuse de l'enfermer dans un cadre seulement technique.*

*Cette approche globale et synthétique des problèmes morphologiques lui a inspiré* Sticks and Stones *( 1924 ) et* The Brown Decades *( 1931 ), plus spécialement axés sur l'architecture, avant qu'il ne publie, en 1938, son œuvre magistrale* The Culture of Cities [2] *dont* The City in History, *traduit en français en 1964* [3], *constitue l'achèvement et la systématisation.*

*Loin d'être un pur théoricien, Lewis Mumford a constamment nourri et étayé son œuvre par un contact direct, une connaissance approfondie de la réalité urbaine contemporaine, ainsi que par une triple activité pratique. De fait, il a participé à divers mouvements de planification urbaine : il fut notamment membre fondateur du* Regional Planning Number *avec Henry Wright et Clarence Stein, enquêteur pour* The New York Housing and Regional Planning Commission, *secrétaire de la* Community Planning Commission *de l'*American Institute of Architecture. *Il a été en outre professeur de* town-planning *à l'Université de Pennsylvania de 1951 à 1956 et* visiting professor *au* M. I. T. *Mais c'est peut-être par son activité polémique de journaliste que Lewis Mumford a exercé la plus profonde influence aux États-Unis et dans les pays anglo-saxons. Critique d'ar-*

---

1. En France, son nom est essentiellement attaché à *Technique et civilisation,* Editions du Seuil, Paris, 1950.
2. Aucun de ces ouvrages n'a été traduit en français.
3. Sous le titre *La cité à travers l'histoire,* par Guy et Gérard Durand, Editions du Seuil, Paris, 1964.

*chitecture et d'urbanisme du* New Yorker *depuis de longues années, il a collaboré depuis les années 20 à une série de revues plus ou moins spécialisées :* Journal of the American Institute of Architecture, Architectural Record, Architecture, Landscape, Sociological Review, *entre autres.*

*Nous avons précisément choisi de publier ici, presque in-extenso, l'un de ses articles, inédit en français, et originellement publié en 1960 dans la revue* Landscape.

# PAYSAGE NATUREL ET PAYSAGE URBAIN [1]

*Fonction biologique et sociale des espaces libres*

Au cours de la dernière génération, un changement a eu lieu dans notre conception des espaces libres et de leur relation avec l'environnement urbain et régional. Le XIXe siècle fut avant tout conscient de la fonction hygiénique et sanitaire des espaces libres. Même Camillo Sitte, qui fut un des promoteurs d'une vision esthétique de la ville, appelait les parcs urbains « espaces verts sanitaires ». Pour combattre la congestion et le désordre croissant de la ville, de grands parcs paysagers furent aménagés, plus ou moins dans le style des domaines ruraux de l'aristocratie. La valeur récréative de ces parcs paysagers était incontestable; de plus, ils servaient de barrière contre un développement continu de la cité. Mais, sauf pour les classes privilégiées, ces parcs n'étaient utilisés que le dimanche et en périodes de fêtes. En outre, aucun effort analogue ne fut fait pour créer dans chaque quartier des espaces libres plus intimes, où les jeunes pussent jouer à leur aise, et les adultes venir se détendre régulièrement, au cours de la semaine, sans avoir à accomplir tout un périple.

Étant donnée la densité de l'habitat dans les grandes villes, il était certes naturel que l'on soulignât la nécessité biologique des espaces libres.• Le parc était traité, non comme une partie intégrante de l'environnement urbain, mais comme un lieu de refuge

1. Titre de l'auteur.

dont la valeur essentielle venait du contraste avec la bruyante et poussiéreuse ruche urbaine. La plupart des cités, sauf lorsqu'elles avaient reçu des siècles passés l'héritage de parcs aristocratiques, de squares résidentiels spacieux ou de terrains de jeux, étaient si pauvres en espaces libres que ceux-ci en vinrent à être considérés comme si leur valeur était directement proportionnelle à leur surface, sans trop d'égard pour leur accessibilité, la fréquence de leur utilisation possible ou leur incidence sur la texture même de la vie urbaine. Ceux qui ne supportaient pas la privation des jardins et des parcs• déménagèrent, quand ils en avaient les moyens, vers les banlieues verdoyantes et spacieuses; et cette solution simpliste eut pour résultat de congestionner toujours davantage la cité proprement dite et de repousser la pleine campagne toujours plus loin de son centre.

Nous nous devons d'accorder davantage à la fonction biologique des espaces libres, aujourd'hui que la ville est menacée par la pollution radio-active et que, dans le périmètre des centres urbains, l'air même fourmille de substances cancérigènes. Mais ce n'est pas tout : nous avons appris que les espaces libres ont également un rôle social, trop souvent négligé au profit de leur seule fonction hygiénique.

*Une civilisation du jardin à l'horizon*

Pour comprendre toute l'importance de ce fait, nous devons nous reporter aux grands bouleversements du siècle passé. D'abord, les transformations de l'établissement humain, dues aux transports rapides et aux moyens de communication instantanés. Grâce à ceux-ci, l'entassement dans un espace réduit cessait d'être le seul moyen de permettre le contact et la coopération d'un très grand nombre d'individus à la fois. Cette situation même a provoqué à son tour un autre changement, partout où le terrain était accessible à des prix raisonnables.• L'aspect• entier de la cité en a été transformé : dans les banlieues *(suburbs)* qui se sont développées si rapidement autour des grands centres, les édifices sont librement disposés comme dans un parc paysager. Mais, trop souvent, arbres et jardins disparaissent sous la pression démographique, tandis que demeure et prolifère la construction individualiste dont la dispersion et l'anarchie tendent à revêtir un caractère anti-social. Le troisième grand changement consiste dans la réduction générale des heures de travail, ainsi que dans le transfert croissant, à l'intérieur du travail même, du secteur industriel vers le secteur tertiaire ou les professions libérales. Ce n'est plus une classe minoritaire, mais une population entière qui dispose aujourd'hui de loisirs et à qui il s'agit de fournir des moyens de récréation. Pour que cette émancipation ne devienne pas une malédiction, il nous faut pourvoir au remplacement des solutions sédatives et anesthésiantes actuellement en usage; particulièrement en ce qui concerne l'anesthésie par la vitesse toujours croissante des moyens de transport. Devant cette menace, nous pouvons évoquer l'expérience des anciennes aristocraties qui, lorsqu'elles n'étaient pas occupées à des besognes de violence ou de destruction inutiles, consacraient une part importante de leur énergie à la transformation audacieuse de l'ensemble du paysage. La création d'un environnement assez riche en ressources humaines pour que personne ne songe à l'abandonner volontairement, même pour une croisière astronautique, serait un objectif qui permettrait de modifier le schéma complet de l'établissement humain. Le rêve des cités-jardins d'Ebenezer Howard s'élargit dans la perspective d'une civilisation du jardin.

*Incompréhension et difficultés actuelles*

Mais bien peu, parmi les projets ou les réalisations de l'urbanisme de la dernière génération, ont tenu compte de cette situation. Davantage, l'essentiel de ce qui a été accompli en matière d'extension urbaine et de construction d'autoroutes, traduit une curieuse tendance à privilégier les exigences de la machine au détriment des aspirations humaines. Si de nouvelles conceptions ne sont pas mises en pratique, le développement continu des régions suburbaines à texture lâche détruira nos cités historiques et défigurera le paysage naturel. Nous nous trouverons devant l'immense masse d'un tissu urbain indifférencié et médiocre qui, pour pouvoir accomplir ses fonctions les plus élémentaires, devra faire intervenir un maximum de véhicules privés et, par contrecoup, repoussera la campagne toujours plus loin.

Ce type d'espace ouvert à faible densité démographique traduit la désintégration sociale et civique que l'on trouve dans des villes comme Los Angeles. En même temps, les grands parcs paysagers qui existent au cœur de nos anciennes cités, sont trop souvent négligés au profit de destinations bien moins plaisantes et nécessitant de longs trajets en automobile. Parallèlement, les zones touristiques plus lointaines, bois, rivages lacustres ou marins, subissent, au cours des week-end, un envahissement qui leur retire leur valeur récréative : la voiture y transporte non pas les habitants d'une seule ville, mais les populations d'une région entière.·

*La « matrice verte »*

Pour retrouver la possession de nous-mêmes, sans doute devrons-nous commencer par reprendre possession du paysage et par le restructurer dans son ensemble.·

Le moment est venu, donc, d'inventer des solutions de remplacement aux clichés classiques et romantiques du passé, et aux clichés encore plus stériles des « dévoreurs d'espace » qui anéantiraient toutes les ressources esthétiques du paysage sous prétexte de permettre à des dizaines de milliers de personnes de se concentrer simultanément en un même point : lieu où les touristes du week-end n'accéderont que pour retrouver la congestion et les distractions banales qu'ils ont fuies au prix d'un effort désespéré. Ce n'est pas une simple augmentation quantitative des parcs disponibles, mais un changement qualitatif de toute notre structure de vie qui nous permettra de vraiment mettre en œuvre la fonction sociale des espaces libres.

Tout d'abord, il faut concevoir un espace de loisirs ouvert, hors des aires urbaines existantes. Celui-ci ne doit plus être envisagé sous forme de quelques parcs paysagers ou réserves sauvages, quelle qu'en soit l'importance : il ne faut rien moins qu'une région entière (dont la plus grande partie se présente à l'état naturel, sous forme de cultures utiles) pour satisfaire à ces loisirs d'un nouveau style, dont bénéficie la plus grande partie de la population. La tâche publique la plus importante, autour et au-delà de chaque centre urbain en cours de développement, est de réserver des zones libres définitives, susceptibles d'être affectées à l'agriculture, à l'horticulture, et reliées aux industries rurales. Ces zones doivent être déterminées de façon à empêcher la coalescence des unités urbaines entre elles. Telle a été la performance réalisée, à l'intérieur de son territoire métropolitain, par Stockholm, et à un degré non négligeable, aux Pays-Bas : voyez la fascination qu'exercent les champs de tulipes au moment de leur floraison printanière.

Bien que la prévision de ceintures vertes satisfasse en partie à nos nouvelles exigences, nous devons maintenant penser, en plus, à une matrice verte permanente, consacrée aux usages ruraux, qu'elle soit du ressort de l'administration publique ou demeure entre des mains privées. Ainsi, pour les loisirs du week-end, c'est l'ensemble du paysage régional qui joue le rôle de parc paysager. Cette surface de verdure serait bien trop vaste pour être uniquement destinée à la création de parcs : son entretien, par les seuls moyens de l'État ou des municipalités, grèverait les plus importants budgets. Mais une législation rigoureuse devrait permettre de réserver ce territoire à un usage rural; ainsi, on en préserverait la valeur récréative, à condition que le système de routes et autoroutes et les services récréatifs soient conçus en vue de disperser la population des visiteurs transitoires.

La nouvelle tâche de l'architecte-paysagiste consiste à structurer l'ensemble du paysage de façon à en intégrer tous les éléments dans un programme de loisirs. Une fois les autorités publiques convaincues de conserver la vocation des terrains agricoles par un règlement de zoning et un abattement d'impôts appropriés, la tâche de l'architecte-paysagiste consistera à concevoir des pistes pour piétons, des terrains de pique-nique, à aménager, pour les piétons, les berges des rivières, les bords de mer et les clairières, de façon à permettre l'accès du public à l'intérieur de chaque partie du paysage rural, sans en perturber le fonctionnement et l'économie quotidiens. On doit imaginer des bandes continues de terrains publics, serpentant à travers l'ensemble du paysage et le rendant accessible à la fois aux riverains et aux touristes. La disposition des pistes cyclables aux Pays-Bas amorce ce processus qui consiste à utiliser, pour la fonction des loisirs, l'ensemble du paysage.•

Le même type de planification devrait également être appliqué aux routes pour automobiles : leur destination ne serait plus de permettre la vitesse maxima, mais d'offrir le maximum de détente et de jouissance esthétique, dans des parcours à vitesse limitée, mettant le pays en valeur.•

La transformation générale du paysage régional en un parc collectif, doté de services récréatifs disséminés et facilement accessibles, dépendra de la façon dont les autorités publiques sauront embellir les zones déshéritées et sélectionnées pour les loisirs publics, le nombre de petits terrains suffisant pour éviter tout point de congestion.•

Dans ce programme régional relatif aux espaces libres, je ne vois aucune espèce de différence entre les besoins de la métropole la plus embouteillée et ceux de la ville provinciale ou même de la banlieue.•

Si nous prenons les mesures politiques nécessaires pour établir cette matrice verte, la tendance à fuir la ville congestionnée au profit d'une banlieue en apparence plus rurale sera en grande partie abolie, puisque les valeurs rurales que la banlieue cherchait à s'assurer par des moyens strictement privés — et ne pouvait véritablement réaliser que pour une fraction économiquement privilégiée de la population — deviendront caractère intégrant de chaque communauté urbaine.

### Restructuration parallèle des banlieues et des centres urbains

Deux mouvements complémentaires s'avèrent maintenant nécessaires et possibles. L'un consiste à resserrer la structure lâche et dispersée de la banlieue : le dortoir doit être transformé en communauté équilibrée, tendant vers la véritable cité-jardin par sa variété et son autonomie partielle, avec une population plus variée, une industrie et un commerce locaux assez importants pour la faire vivre. L'autre mouvement consiste à diminuer corrélativement la congestion de la métropole, en la vidant d'une partie de sa population et en introduisant des parcs, des terrains de jeux, des promenades ombragées et des jardins privés dans des zones que nous avons laissées devenir outrageusement congestionnées, dépourvues de beauté et souvent même impropres à la vie. Ici aussi, nous devons songer à une nouvelle forme de la cité, qui présentera les avantages biologiques de la banlieue, les avantages sociaux de la cité, et procurera de nouvelles jouissances esthétiques satisfaisant à ces deux modes de vie.

La fonction fondamentale de la cité consiste à donner une forme collective à ce que Martin Buber a justement appelé la relation en Moi et Tu : à permettre — et même à favoriser — le plus grand nombre de réunions, de rencontres, de compétitions entre des personnes et des groupes variés, de façon que le drame de la vie sociale puisse y être joué, acteurs et spectateurs échangeant tour à tour leur rôle. La fonction sociale des espaces libres dans la ville est de permettre le rassemblement des individus. Comme Raymond Unwin l'a montré à Hampstead Gardens, Henry Wright et Clarence Stein encore plus décisivement à Radburn, ces contacts ont lieu dans les conditions les plus favorables, lorsque les espaces privés et publics sont conçus simultanément dans une même démarche de planification. Malheureusement, la congestion de la cité a fait surévaluer l'espace libre sous son aspect purement quantitatif.• D'un point de vue social, trop d'espace libre peut s'avérer une charge plus qu'un bienfait. C'est la qualité d'un espace libre — son charme, son accessibilité — qui compte, plus que sa dimension brute.

Aujourd'hui, le problème de la banlieue est d'échanger une partie de son excédent en espace biologique (jardins) contre un espace social (lieux de rencontre) : celui de la ville congestionnée est, au contraire, d'introduire dans ses quartiers « surconstruits » la lumière du soleil, l'air pur, des jardins privés, des squares publics et des promenades pour piétons qui, tout en remplissant des fonctions strictement urbaines, feraient de la ville un lieu aussi satisfaisant que les anciennes banlieues, pour y demeurer et élever des enfants. La première mesure, pour rendre nos anciennes villes habitables, consisterait à en réduire les densités résidentielles ; on remplacerait les quartiers délabrés — dont les densités atteignent actuellement 200 à 500 habitants à l'acre — par une nouvelle structure intégrant l'habitat dans des parcs et des jardins dont la densité ne dépasserait pas 100 habitants ou, au maximum, dans les zones comportant une large proportion de gens sans enfants, 125 à 150 habitants à l'acre. Ne nous laissons pas abuser par l'espace ouvert que l'on semble pouvoir obtenir en entassant un grand nombre de familles dans des immeubles de quinze étages. Un espace libre, visuel et abstrait, n'est nullement l'équivalent d'un espace libre fonctionnel qui peut être utilisé pour des terrains de jeux et des jardins privés.•

Les rangées de grandes barres ou de tours, même si elles sont assez isolées entre elles pour ne pas projeter d'ombre les unes sur les autres, créent un environnement dépourvu d'attrait : car elles lui dérobent du soleil et détruisent l'échelle humaine dont l'intimité et la familiarité sont vitales pour le jeune enfant et si plaisantes pour l'adulte.

Dans le remodèlement ou la création complète de nouveaux espaces libres urbains, il y a place pour toute une expérimentation nouvelle et pour des plans audacieux, qui diffèrent à la fois des modèles traditionnels et de ceux qui sont devenus les clichés à la mode du style contemporain. Dans ce domaine, chaque cité se doit d'apporter une réponse différente : ce qui convient à Amsterdam, avec ses grands plans d'eau, ne sera pas applicable à Madrid. Nous n'avons pas seulement besoin de plans globaux pour les secteurs entièrement neufs, récupérés sur les anciens quartiers insalubres. Nous avons aussi besoin de solutions partielles, applicables sur une petite échelle, et qui, au fil des ans et des occasions, s'intègrent dans une transformation radicale de notre environnement.

*Landscape and Townscape,* article originellement paru dans la revue *Landscape* en 1960 et réédité dans le recueil *The Highway and the City,* Secker & Warburg, Londres, 1964. (Notre traduction.)

# Jane Jacobs

*Critique d'architecture et d'urbanisme, attachée, jusqu'à la disparition de celle-ci, à la rédaction de la revue* Architectural Forum. *Son livre* The Death and Life of Great American Cities ( 1961 ) *a eu, aux États-Unis où il a été presque immédiatement publié en livre de poche, un succès considérable.*

*William H. Whyte estime qu'il s'agit là « d'un des livres les plus remarquables qui aient jamais été écrits sur la ville\* , une admirable étude des acteurs qui créent la vie et l'esprit des villes ».*

*Jane Jacobs est un partisan convaincu du mode d'existence authentiquement urbain, un apologiste de la* mégalopolis, *au détriment des* suburbs *et des petites villes provinciales. Son enquête, quoique menée dans un esprit passionnel, repose sur une information sociologique approfondie. Les idées de* The Death and Life *ont contribué aux États-Unis à la création d'un nouveau courant pro-urbain et inspiré, en partie, le remodèlement du centre de grandes villes comme Boston et Philadelphie.*

## PLAIDOYER POUR LA GRANDE VILLE

### I. APOLOGIE DE LA RUE

Pour attirer les passants et constituer en soi un facteur de sécurité,\* la rue urbaine doit posséder trois qualités principales :

*Les yeux de la rue*

Premièrement, elle doit constituer une nette démarcation entre l'espace public et l'espace privé. Espace public et espace privé ne doivent nullement se fondre l'un dans l'autre, comme c'est le cas dans les réalisations et ensembles suburbains.

Deuxièmement, il faut des yeux pour surveiller la rue, les yeux de ceux qu'on peut appeler ses propriétaires naturels. Aussi les édifices qui bordent la rue doivent-ils être orientés vers elle. Ils ne doivent ni lui tourner le dos, ni lui présenter leur façade aveugle.

Troisièmement, le trottoir doit être utilisé pratiquement sans arrêt : c'est le seul moyen d'augmenter le nombre d'yeux présents dans la rue et d'attirer les regards de qui se trouve à l'intérieur des édifices. Personne n'aime regarder par une fenêtre qui donne sur une rue vide. Au contraire, nombre de gens peuvent se distraire à longueur de journée en observant une rue pleine d'activité.•

Il est vain de chercher à parer à l'insécurité des rues en s'attachant à la sécurité d'autres éléments urbains, comme les cours intérieures et des terrains de jeux abrités.

*Attrait et efficacité*

Mais on ne peut pas forcer les gens à utiliser la rue sans raison.• Il faut qu'elle offre l'attrait de quantité de magasins et lieux publics le long des trottoirs; certains de ces lieux doivent également être ouverts le soir et la nuit. Magasins, bars et restaurants• contribuent donc en fait à assurer la sécurité du trottoir.

Tout d'abord, ils offrent aux passants — résidants du quartier ou étrangers — des raisons concrètes d'utiliser les trottoirs sur lesquels ils donnent.

Deuxièmement, ils attirent du trafic en des endroits qui n'ont pas d'attrait en eux-mêmes, mais deviennent ainsi des lieux de passage vivants, peuplés. Mais le rayonnement de ces entreprises étant relativement peu étendu, il faut donc qu'elles soient, dans chaque quartier, aussi nombreuses et variées que possible, si l'on veut qu'elles assurent une circulation permanente et intense.

Troisièmement, les commerçants et les propriétaires de petites entreprises sont les meilleurs agents de la sécurité. Ils détestent les vitrines brisées et les hold-up; ils veulent que leurs clients se sentent en sécurité. Ils sont les premiers à observer la rue et deviennent ses gardiens dès qu'ils sont assez nombreux.

Quatrièmement, l'activité de tous ceux qui font leurs courses ou sont simplement en quête d'un endroit pour boire ou manger constitue déjà de soi un moyen d'attirer d'autres personnes.

### L'homme cherche l'homme

L'attraction exercée sur les humains par la vue des humains est un fait étrangement méconnu par les urbanistes et les architectes. Ceux-ci partent, au contraire, de cette idée a priori que les habitants des villes recherchent la vue du vide, l'ordre et le calme. Rien n'est moins vrai. Une rue vivante possède toujours à la fois des usagers et des observateurs.•

Un de mes amis habite une rue où un centre paroissial qui donne des soirées dansantes et d'autres réunions le soir, joue le même rôle que le White Horse Bar dans la nôtre[1]. L'urbanisme orthodoxe est encombré de conceptions puritaines et utopiques sur la façon dont les gens doivent utiliser leurs loisirs.•

### Le contact dans la rue et la conscience collective

Les moralistes ont, depuis longtemps, observé que les citadins flânent dans les endroits les plus actifs, s'attardent dans les bars et les pâtisseries, boivent des sodas dans les cafeterias; et cette constatation les afflige. Ils pensent que si les mêmes citadins avaient des logements convenables et disposaient d'espaces verts plus abondants, on ne les trouverait pas dans la rue.

Ce jugement exprime un contresens radical sur la nature des villes. Personne ne peut tenir maison ouverte dans une grande ville, et personne ne le désire. Mais, que les contacts intéressants, utiles et significatifs entre citadins se réduisent aux relations privées, et la cité se sclérosera. Les villes sont pleines de gens avec lesquels, de votre point de vue ou du mien,• un certain type de contact est utile et agréable; vous ne voulez pas, pour autant, qu'ils vous encombrent. Eux non plus, d'ailleurs. J'ai indiqué plus haut que le bon fonctionnement de la rue était lié à l'existence, chez les passants, d'un certain sentiment inconscient de solidarité.

Un mot désigne ce sentiment : la confiance. Dans une rue, la confiance s'établit à travers une série de très nombreux et très petits

---

1. J. Jacobs habite à New York le quartier animé de Greenwich Village où elle a puisé une partie de son expérience urbaine.

contacts dont le trottoir est le théâtre. Elle naît du fait que les uns et les autres s'arrêtent pour prendre une bière au bar, demandent son avis à l'épicier, au vendeur de journaux, échangent leurs opinions avec d'autres clients chez le boulanger, saluent deux garçons en train de boire leur coca-cola,• réprimandent des enfants,• empruntent un dollar au droguiste, admirent les nouveaux bébés.• Les habitudes varient : dans certains quartiers les gens s'entretiennent de leurs chiens, ailleurs de leurs propriétaires.

La plupart de ces actes et de ces propos sont manifestement triviaux; mais leur somme, elle, ne l'est pas. Au niveau du quartier, c'est la somme des contacts fortuits et publics, généralement spontanés• qui crée chez les habitants le sentiment de la personnalité collective et finit par instaurer ce climat de respect et de confiance dont l'absence est catastrophique pour une rue, mais dont la recherche ne saurait être institutionnalisée.•

*La rue : protection de la vie privée*

Dans les petites agglomérations, tout le monde connaît vos affaires. Dans la grande ville, seuls ceux à qui vous avez décidé de vous confier les connaissent. C'est là, pour la majorité de ses habitants, une des plus précieuses caractéristiques de la grande ville.•

La littérature architecturale et urbanistique envisage la protection de l'existence privée en termes de fenêtres, de mitoyenneté et de perspectives : personne ne doit pouvoir, de l'extérieur, s'introduire du regard dans votre logement, dans votre intimité. C'est là une analyse bien simpliste. La discrétion d'une fenêtre est la chose au monde la plus facile à obtenir : il suffit de baisser les stores ou de tirer les volets. La véritable protection — le pouvoir de ne dévoiler ses problèmes personnels qu'en connaissance de cause et d'échapper aux importuns — cette protection-là est autrement difficile à obtenir et n'a rien à voir avec l'orientation des fenêtres.•

Lorsqu'un quartier est privé de rues vivantes, ses habitants, s'ils veulent avoir un semblant de contact avec leurs voisins, doivent agrandir le cercle de leur vie privée. Ils doivent être prêts à affronter une forme de participation et de rapports avec autrui qui les engage bien davantage que la vie de la rue. Sinon, il leur faut assumer une absence totale de contact.•

Le désir d'une communication intime avec autrui exige une

discrimination méticuleuse dans le choix des voisins ou des personnes avec qui s'établit le moindre contact.•

*Promiscuité et urbanisme*

L'urbanisme résidentiel, qui subordonne les contacts entre voisins à un engagement personnel de cette sorte,• est souvent d'une réelle efficacité sociale,• *mais uniquement dans le cas des classes favorisées et lorsqu'il y a eu cooptation des habitants.* Mes observations personnelles montrent que ce type de solution échoue totalement pour *toute autre espèce de population.*•

Si un simple contact avec vos voisins risque de vous lier à leur vie privée ou de les lier à la vôtre, et si vous n'avez pas la possibilité de choisir vos voisins comme peuvent le faire les gens de la classe favorisée, alors la solution logique est d'éviter toute espèce de relations amicales ou toute autre forme d'entraide spontanée.•

L'efficacité sociale des entreprises qui assurent la vie de la rue croît en raison inverse de leur taille. On peut en voir un exemple dans le nouveau magasin de la Housing Cooperative de Corlears Hook, à New York. Il remplace à peu près quarante magasins vendant les mêmes articles, qui ont été littéralement balayés,• par le plan d'urbanisation du quartier. Le nouveau magasin est une usine.• Il serait condamné à un échec économique s'il devait affronter la compétition. Et, si le monopole assure effectivement le succès financier, sur le plan social il aboutit à un échec absolu.•

*Les parcs favorisent la délinquance juvénile*

Les techniciens de l'urbanisme et du logement ont une conception parfaitement fantaisiste des conditions de vie dont ont besoin les enfants. Ils déplorent qu'une population d'enfants soit condamnée à jouer dans les rues des villes qui constituent, à les en croire, le cadre le plus néfaste, du point de vue de l'hygiène comme du point de vue de la morale, une source de maladie et de corruption. Il faudrait transporter ces malheureux enfants dans des parcs et des terrains de jeux où ils trouveraient un équipement pour les exercices physiques, de l'espace où s'ébattre et de la verdure où retremper leurs âmes!•

Les bandes d'enfants délinquants accomplissent leurs méfaits essentiellement dans les parcs et terrains de jeux. L'analyse du

*New York Times* de septembre 1959 révèle que tous les crimes commis par des bandes d'adolescents à New York, au cours de la dernière décade, ont été accomplis dans des parcs. Mieux : de plus en plus fréquemment, pas seulement à New York mais dans les autres villes, on découvre que les enfants qui ont participé à ces forfaits habitaient ces grands ensembles où, précisément, leurs jeux quotidiens ont été bannis de la rue, d'ailleurs souvent elle-même supprimée. Le plus haut taux de délinquance dans l'East Side de New York,• appartient aux ensembles traités en parcs. Les deux plus importants gangs de Brooklyn sont également établis dans deux des plus anciens ensembles de ce type.•

Dans la vie courante, que signifie pratiquement faire quitter à des enfants l'animation d'une rue pour le parc ou les terrains de jeux des nouveaux ensembles ?

On les soustrait à la surveillance vigilante de nombreux adultes pour les transplanter dans des lieux où le nombre des adultes est très faible ou même souvent nul. Penser que ce changement représente une amélioration pour l'éducation de l'enfant citadin est pure fantaisie.•

### Les jardins intérieurs ne conviennent qu'aux très jeunes enfants

Les urbanistes de la garden-city, avec leur haine de la rue, ont pensé que, pour compenser la surveillance de la rue, il suffisait de construire à l'intention des enfants, des enclaves intérieures, au centre des ensembles résidentiels. Cette politique a été adoptée ensuite par les tenants de la cité radieuse. Un trop grand nombre de nouveaux ensembles d'habitation sont aujourd'hui conçus de la sorte.

L'inconvénient de cette solution, partout où elle a été appliquée,• est que, passé l'âge de six ans, aucun enfant ayant un peu de caractère n'accepte de son plein gré de rester dans un endroit aussi ennuyeux. La plupart désirent s'en évader encore plus tôt. En pratique, ces univers douillets et communautaires s'avèrent convenir jusqu'à l'âge de trois ou quatre ans. Aussi bien les adultes ne souhaitent pas que des enfants plus âgés viennent jouer dans ces cours bien protégées.• Les petits marmots sont décoratifs et relativement dociles; mais les enfants plus âgés sont bruyants et agités, ils agissent sur leur environnement au lieu de le laisser agir sur eux, ce qui est inadmissible dès lors que cet environnement est déjà « parfait ». D'autre part,• ce type de plan demande des édifices orientés vers l'enclave intérieure; sinon l'attrait de celle-ci n'est pas exploité, elle demeure sans surveillance ni accès facile. Mais, lorsque c'est l'arrière, relativement mort, des édifices, ou même des façades aveugles, qui bordent la rue, on se trouve avoir échangé la sécurité d'un trottoir non spécialisé contre une forme spécialisée de sécurité, destinée à une partie spécialisée de la population, pour quelques années de sa vie.•

### Asphalte et éducation

Au vrai, des rues vivantes présentent elles aussi des aspects positifs pour le jeu des petits citadins et ces jeux sont au moins aussi importants que la sécurité ou la protection.

Les enfants des villes ont besoin d'une grande variété d'endroits pour jouer et apprendre. Il leur faut, pour le sport et l'exercice, des lieux spécialisés plus nombreux et accessibles que ceux dont ils disposent dans la plupart des cas. Mais ils ont également besoin d'un espace non spécialisé, hors de la maison, où jouer, traîner et construire leur image du monde.•

En pratique, c'est seulement par le contact avec les adultes régulièrement rencontrés sur les trottoirs de la cité, que les enfants découvrent les principes fondamentaux de la vie urbaine.•

### Le matriarcat des ensembles résidentiels

Jouer sur des trottoirs animés diffère pratiquement de tous les autres jeux offerts aujourd'hui aux enfants américains. C'est un jeu qui n'a pas lieu dans le cadre d'un matriarcat. La plupart des urbanistes sont des hommes. Paradoxalement, leurs plans et leurs projets excluent l'homme de la vie diurne. En organisant la vie des quartiers résidentiels, ils considèrent seulement les besoins présumés de ménagères incroyablement oisives et de marmots d'âge pré-scolaire. En gros, ils font leurs plans pour des sociétés strictement matriarcales.•

Localiser le travail et le commerce *près* des résidences, mais en les isolant conformément aux théories de la garden-city, est une solution de caractère tout aussi matriarcal que si les résidences étaient situées à des kilomètres des lieux de travail et des hommes. Les hommes ne sont pas une abstraction. Ou bien ils figurent dans le circuit, en personne, ou bien ils n'y figurent pas. Résidences, lieux de travail et commerces doivent être intimement intégrés les uns aux autres si on veut que les hommes· puissent participer à la vie quotidienne des petits citadins.·

Des trottoirs de trente ou trente-cinq pieds de large seraient suffisants pour accueillir à la fois les activités des enfants, les arbres nécessaires, la circulation des piétons et la vie publique des adultes. Peu de trottoirs possèdent une largeur pareille. Celle-ci est invariablement sacrifiée à la circulation des véhicules; on considère généralement que les trottoirs sont uniquement destinés à la circulation des piétons, sans reconnaître ni respecter en eux les organes vitaux et irremplaçables de la sécurité urbaine, de la vie publique et de l'éducation des enfants.·

La suppression des rues, avec pour conséquence la suppression de leur rôle social et économique, est l'idée la plus funeste et la plus destructive de l'urbanisme orthodoxe.·


## II. PARCS ET SQUARES

On a coutume de considérer les jardins publics et les espaces verts comme des bienfaits conférés aux populations carencées des villes. Il faut plutôt renverser cette proposition et considérer les parcs des villes comme des endroits carencés, auxquels les bienfaits de l'animation doivent être conférés artificiellement.·

### *Les parcs destructeurs du tissu urbain*

A quelles fins réclame-t-on plus d'espaces libres ? Pour constituer de sinistres vides entre les édifices ou bien pour l'usage et l'agrément des populations ? Mais celles-ci n'utilisent pas l'espace libre simplement parce qu'il est là, ou que tel est le vœu des urbanistes.·

Il est absurde de créer des parcs aux points de concentration maxima de la population, si pour aménager ces espaces verts, on doit précisément détruire les *raisons* qui l'attiraient là.· Les parcs des ensembles résidentiels ne peuvent jamais remplacer une structure urbaine diversifiée. Les parcs urbains qui fonctionnent avec succès ne constituent jamais une solution de continuité dans l'activité de la cité. Ils servent au contraire à lier entre elles, par l'usage d'un agrément commun, diverses fonctions avoisinantes, et par là même, contribuent encore à la diversité de l'environnement.*

*Fonction et localisation des parcs*

Les parcs peuvent être et sont effectivement un grand attrait supplémentaire dans les quartiers que le public trouve déjà attrayants à cause d'une grande variété d'autres usages. En revanche, ils ne font que rendre plus déprimants les quartiers dépourvus de séduction : ils en accentuent l'ennui, l'insécurité et le vide. Plus une ville réussit à mélanger dans ses rues de fonctions diverses et quotidiennes, plus elle augmente ses chances de pouvoir, tout naturellement et à peu de frais, animer et entretenir des parcs bien localisés : réciproquement, ceux-ci se révèlent alors pour leur voisinage une source de plaisir et d'agrément, ils cessent d'être des lieux vides et ennuyeux. *

### III. FONCTIONS URBAINES

Les projets de centres culturels ou civiques exercent des effets catastrophiques sur les cités. Ils isolent certaines fonctions et usages — trop souvent nocturnes, d'ailleurs — des secteurs de la ville qui en ont cependant un besoin vital.

*Contre le « zoning »*

Boston a été la première ville américaine à faire le projet d'un district culturel « décontaminé ». En 1839, un comité spécial réclamait la création d'une « Conservation culturelle » consacrée « exclusivement aux institutions d'un caractère artistique, scientifique et éducatif ». Cette décision a coïncidé avec le début du long et lent déclin de Boston comme leader culturel des cités américaines. Peut-être n'y a-t-il pas là relation de cause à effet, et peut-être la localisation des institutions culturelles hors de la ville et leur divorce d'avec la vie quotidienne n'ont-ils été que le symptôme et le sceau d'une décadence déjà rendue inévitable pour d'autres causes. Une chose est sûre : le centre *(downtown)* de Boston a terriblement souffert de ne pas comporter un mélange

375

suffisant de fonctions primaires, et, en particulier, d'être privé de fonctions nocturnes et de fonctions culturelles vivantes (non muséologiques).•

Une forte densité résidentielle, en même temps qu'un tissu urbain serré sont nécessaires pour assurer la diversité et le plein fonctionnement de la ville.• Les choses ont bien changé depuis le temps où Ebenezer Howard, étudiant les taudis de Londres, concluait que, pour sauver leurs habitants, il fallait abandonner la vie urbaine. Les progrès accomplis dans divers domaines — médecine, hygiène, épidémiologie, diététique, législation du travail — ont révolutionnairement transformé des conditions dangereuses et dégradantes, qui furent un temps l'inévitable accompagnement de la vie dans les grandes villes.•

### Les « satellites », fausse solution

La solution ne consiste pas à disperser de nouvelles villes autonomes dans les régions métropolitaines. Celles-ci sont déjà saturées de lieux amorphes et désintégrés qui, *autrefois,* étaient des villes ou de petites cités relativement autonomes et intégrées. Du jour où elles sont entraînées dans l'économie complexe d'une région métropolitaine, avec tous les choix que comporte cette dernière en matière de travail, récréation, shopping, elles perdent leur individualité sociale, économique et culturelle. Nous ne pouvons pas jouer sur les deux tableaux et associer l'économie métropolitaine du xxᵉ siècle avec le style de vie des petites cités du xixᵉ siècle.

### La « ville-campagne » : fausse solution

Dans la mesure même où existent les grandes villes,• nous avons le devoir de chercher à développer intelligemment une authentique vie citadine et d'accroître la force économique de la cité. Il est stupide de nier le fait que nous, Américains, sommes un peuple citadin, vivant dans une économie citadine : dans la mesure où nous le nions, nous nous exposons effectivement à sacrifier toute la campagne authentique qui entoure les métropoles, comme nous l'avons fait allégrement au rythme de 3.000 acres par jour, pendant les dix dernières années.•

Les principes directeurs de l'urbanisme actuel et des réformes concernant le logement ont pour base une résistance purement affective* à admettre que la concentration urbaine soit désirable : ce refus passionnel a contribué à tuer intellectuellement l'urbanisme.*

### Conserver l'automobile

La vie attire la vie. La séparation du piéton d'avec les voitures perd ses avantages théoriques si elle freine ou supprime en même temps trop de formes de vie et d'activité essentielles.

Penser les problèmes de la circulation urbaine en termes simplistes, piétons contre automobiles, et se donner pour but la complète ségrégation des deux catégories, c'est poser le problème à l'envers. Car le sort des piétons dans les villes ne peut se dissocier de la diversité, de la vitalité et de la concentration des fonctions urbaines.*

### Ordre esthétique et cadre vital

Les villes incarnent la vie sous sa forme la plus complexe et la la plus intense.* C'est pourquoi une ville ne peut être traitée comme une œuvre d'art. L'art est nécessaire dans l'aménagement de nos villes, comme dans les autres domaines de notre activité; mais si l'art et la vie interfèrent constamment, on ne peut pour autant les confondre. La confusion entre eux est une des raisons pour lesquelles les efforts de l'urbanisme sont si décevants.*

L'art a ses propres formes d'ordre, et elles sont rigoureuses. Les artistes, quelle que soit leur discipline, *opèrent des sélections* à partir d'un abondant matériel fourni par la vie.* Leur activité est essentiellement sélective et discriminatoire. A l'encontre des processus vitaux, l'art est arbitraire, symbolique et abstrait.*

Envisager une ville ou un quartier urbain comme s'il s'agissait simplement d'un problème architectural plus vaste, vouloir leur conférer l'ordre d'une œuvre d'art, c'est tenter fallacieusement de substituer l'art à la vie.*

Les urbanistes devraient plutôt s'attacher à une stratégie qui intègre l'un à l'autre, l'art et la vie, en éclairant, clarifiant et explicitant l'ordre des cités.

On veut nous faire croire que la répétition représente l'ordre.* Malheureusement, une régularité élémentaire et militaire et des systèmes signifiants d'ordre fonctionnel coïncident rarement en ce monde.*

*Plan et structure*

Lorsque les urbanistes et les planificateurs essaient de trouver un plan susceptible de faire apparaître clairement le « squelette » d'une ville (les autoroutes et promenades sont généralement élues à cet effet), ils font fausse route. Une cité ne se fait pas de pièces et de morceaux, comme un édifice à ossature métallique — ou même, une ruche ou un corail. La structure d'une ville se résoud en un mélange de fonctions, et nous ne nous approchons jamais plus près de ses secrets structurels que lorsque nous nous occupons des conditions qui engendrent sa diversité.

*The Death and Life of Great American Cities,* Random House, New York, 1961 ; édité dans la collection Vintage Books, en livre de poche, en 1963. (Pages 35-37, 41, 55-56, 58-59, 62-63, 65, 71, 74, 76-77, 79-84, 87, 90, 101, 111, 168-169, 218-221, 348, 372-373, 375-376. Notre traduction.)

# Leonard Duhl

## né en 1926

*Psychiatre attaché au* National Institute of Mental Health *de Bethesda, et professeur-assistant de psychiatrie à l'Université George Washington, Leonard Duhl s'est d'abord occupé des programmes américains concernant l'aliénation mentale et l'alcoolisme. Il s'est alors révélé le champion d'une psychiatrie « écologique », c'est-à-dire intégrant l'étude des divers aspects de l'environnement* [1] *susceptibles de retentir sur le comportement.*

*L'écologie devait naturellement orienter Leonard Duhl vers les problèmes soulevés par l'urbanification dans la société industrielle. Depuis plusieurs années, il milite pour une approche globale, synthétique, de la planification urbaine, faisant simultanément appel à des équipes de fonctionnaires, sociologues, économistes, psychologues et psychiatres.*

*C'est dans cette perspective, qu'outre de nombreux articles, il a publié* The Urban Condition *(1963), ouvrage auquel ont contribué trente-deux auteurs venus de secteurs différents.*

---

1. L'environnement doit être entendu dans un sens très large. « L'environnement lui-même est toujours davantage la création de l'homme, mais à son tour, il réagit sur l'individu humain et l'affecte d'innombrables façons... L'homme n'est pas seulement, comme l'animal, un élément d'un système écologique, il modifie ce système, en crée de vastes secteurs et, par contrecoup, est à son tour modifié par lui. Dans l'écologie de l'homme, l'individu humain isolé, les groupes humains, les créations de l'homme, leurs sous-produits et leurs déchets, deviennent des variables d'une importance considérable », in *The Urban Condition*, Basic Books, New York, Londres, 1963. (Pages 61-62, notre traduction.)

# LE POINT DE VUE D'UN PSYCHIATRE

*Structure et besoins*

L'apparente contingence qui préside au développement de nos communautés urbaines recouvre, en réalité, une logique historique. Dès les origines, des agglomérations se sont constituées pour répondre aux besoins matériels et psychologiques des individus, des familles, des groupes sociaux. La morphologie physique de chaque type de communauté exprimait les besoins psychologiques et les systèmes de valeurs de ses membres. Quand la tendance prédominante est l'auto-défense, l'agglomération est entourée d'un rempart ou d'un fossé protecteur. La rareté du terrain bâtissable entraîne une implantation dense. Les centres marchands ont exploité les intersections des routes de terre et d'eau, se sont établis autour de places de marché vastes et ouvertes. Bref, la forme de la communauté urbaine était déterminée par les besoins sociaux et par les moyens dont on disposait pour leur donner satisfaction.

*Espace, revenu et culture*

Le monde américain présente aujourd'hui de nombreuses formes d'établissement urbain. Les groupes de population à revenu élevé, qui recherchent l'espace, ont les moyens financiers de quitter le centre de la cité pour s'installer à l'extérieur, en un lieu de leur choix. Du terrain se trouve ainsi disponible soit au centre même, soit dans des zones impropres à l'habitat·, pour recevoir le continuel et nécessaire afflux des nouveaux immigrés. La productivité toujours croissante du travail, le développement des industries de consommation et du bien-être, permettent aux membres de la classe laborieuse d'élever leur niveau de vie et de s'évader des quartiers de taudis. Cependant, le fait que les groupes de population à revenu faible souhaitent· vivre de façon plus confortable, n'implique pas nécessairement, de leur part, le désir de changer de forme d'existence, de style de vie. L'agglomération d'individus

# LEONARD DUHL

dont les conceptions religieuses, les valeurs, les distractions et les
structures familiales sont les mêmes, engendre pour eux tous un
sentiment de sécurité. Les ghettos sont l'œuvre des oppresseurs,
mais aussi des opprimés eux-mêmes.

### Étiologie du bidonville

Les terrains vagues, mis à la disposition des travailleurs non
spécialisés ou semi-spécialisés, sont occupés par des travailleurs
venant des régions agricoles du Sud, des hauts plateaux apalachiens,
ou de Porto-Rico. Comme le confort mental et le sentiment de
sécurité sont pour eux liés à la présence d'individus qu'ils connaissent, ils créent dans ces bidonvilles des versions urbaines de
leurs villages ; et ces agglomérations deviennent des communautés
étroitement unies, d'une autre valeur sociale pour eux que les
stériles ensembles d'habitation neufs qui ne correspondraient à
aucun de leurs besoins, même si on les y admettait. Le petit nombre
d'entre eux qui peuvent déménager se révèle habituellement incapable de s'adapter à un nouvel environnement.·

### Variété des écologies

De nombreux critiques de la mégalopolis soulignent le désordre
et l'anarchie de nos quartiers urbains ; ils affirment que les besoins
humains de base ne peuvent y être satisfaits. C'est pourquoi certains ont proposé de créer des « garden-cities » aux dimensions
réduites qui répondraient à tous les besoins de leurs habitants.
Mais les hommes ne salueront pas tous une « garden-city » comme
un hâvre de paix, qui leur permet d'échapper au chaos de la grande
ville. Pour beaucoup de gens, le plan d'une cité hygiénique flam-
bant neuve peut ne pas signifier paix et sécurité, mais ennui et
regret de la couleur, de la vie, qui abondaient dans le chaos des
villes anciennes. La couleur et la vie ne sont pas obligatoirement
condamnées à disparaître des nouvelles agglomérations, pour peu
que nous tentions honnêtement de les intégrer dans nos plans.

### De la planète au bidonville

Le monde écologique de certains individus ne se borne pas aux
limites physiques ou géographiques d'une agglomération : l'environnement physique est pour eux une ressource, tandis que pour

381

les membres des groupes les moins favorisés sur le plan économique et social, il est une partie d'eux-mêmes. Pour les couches
supérieures de la société, en fait, la communauté écologique c'est le
monde. Chaque fois que nous élaborons un projet pour un groupe
d'individus donnés, les dispositions envisagées pour l'aménagement de l'espace doivent dépendre à la fois des besoins communs
propres à ce groupe et de sa relation à l'ensemble du monde. Les
moyens de transport et de communication sont devenus fort
importants pour les groupes dont le monde écologique a pris une
telle extension. Pour d'autres, le monde demeure peu étendu, et
c'est le plus souvent un monde de bidonvilles ou de quartiers à
taudis. Même Brasilia possède ses bidonvilles. Et c'est dans ces
misérables et cahotiques agglomérations que se déroule la vie des
pauvres. Le concept classique de « garden-city » ne correspond pas
à leurs besoins. •

*Sens de la proximité*

Par rapport aux couches supérieures, les couches économiquement faibles sont défavorisées sur le plan de la mobilité. Bien qu'il
leur arrive de travailler dans les meilleurs quartiers, les travailleurs
manuels tendent à habiter plus près des membres de leur famille
que les employés de bureau ou les représentants des professions
libérales. Les liens de parenté ont pour eux plus de signification
et, compte tenu de leur situation financière, la distance représente
pour eux un handicap plus grand.

La géographie urbaine est plus importante pour eux. L'étroite
proximité des maisons, la grégarité, l'absence apparente d'isolement possible, le bruit, ne constituent qu'une partie des besoins
de ce type de population. L'environnement physique est un élément de sa personnalité même. Se voir imposer les boîtes à sardines
stérilisées des nouveaux ensembles d'habitation, être contraint de
quitter leur univers à eux pour un monde menaçant et lointain est
pour eux un trop grand traumatisme. Ils préféreront vraisemblablement un autre bidonville ou un autre îlot insalubre aux nouveaux
ensembles ou aux nouvelles cités-jardins qui sont tout ce que nous
avons à leur offrir.

*Un urbanisme satisfaisant pour tous*

Les bidonvilles et autres agglomérations de ce type offrent, pour de nombreux groupes de population, des attraits dont aucun urbaniste n'a, à ce jour, trouvé d'équivalent. Ce n'est point à dire qu'il faille conserver les bidonvilles et les îlots insalubres des grandes villes, mais simplement qu'il faut trouver les moyens pour que les villes nouvelles puissent satisfaire les aspirations de toutes les couches de leur population. Certes, l'amélioration du confort et du bien-être peut transformer le mode de vie et elle possède son attrait; mais un changement de vie involontaire peut coûter très cher à certaines personnalités. Toute une variété d'affections mentales, en apparence dénuées de lien entre elles, peuvent être attribuées par une analyse attentive, au traumatisme que constitue un changement forcé de style de vie. C'est sur les groupes économiquement et socialement défavorisés que retentit le plus lourdement la façon dont les urbanistes traitent notre espace physique. Le droit de ces classes à satisfaire leurs aspirations et leurs besoins exige qu'on donne une nouvelle dimension à la planification matérielle [1] de l'aménagement urbain.

*The Human Measure : Man and Family in Megalopolis,* essai tiré du recueil *Cities and Space : the Future Use of Urban Land* publié par L. Wingo Jr, The Johns Hopkins Press, Baltimore, 1963. (Pages 136-139. Notre traduction.)

1. Le concept de *physical planning* a été opposé dans les pays anglo-saxons à celui de *social planning*. Il concerne la morphologie physique des agglomérations.

# Kevin Lynch

## né en 1918

*Professeur de* city-planning *au M.I.T. (Massachussets Inftitute of Technology), il a été formé à des disciplines diverses. Il a appris l'archi-tecture avec F. L. Wright, poursuivi des études de psychologie et d'anthro-pologie qui l'ont conduit à une approche nouvelle du problème urbain.*

*Il s'eft, en fait, essentiellement attaché au point de vue de la conscience percevante. Se limitant volontairement au domaine visuel, il a étudié les bases de la perception spécifique de la ville, et cherché à en dégager les conftantes, que devrait intégrer toute proposition d'aménagement.*

*Co-directeur d'une enquête sur « la forme perceptive de la cité » financée par la Fondation Rockefeller, K. Lynch a pris pour terrain d'expérience Los Angeles, Bofton et Jersey-City. Il a participé, en qualité de conseiller, à l'élaboration de plusieurs projets d'aménagement aux U.S.A., en parti-culier au projet actuel de remodèlement de Bofton.*

*Ses principales publications sont :*
— The Image of the City, *1960 ;*
— Site Planning, *1964 ;*
— The View from the Road, *en collaboration avec D. Appleyard et R. Myer, 1964.*

*Des extraits qui suivent, nous avons éliminé les analyses concrètes qui se rapportaient au cas particulier des villes américaines.*

KEVIN LYNCH

# STRUCTURE DE LA PERCEPTION URBAINE

*L'urbanisme, art diachronique*

Le spectacle des villes peut donner un plaisir spécial, quelle que soit la banalité de la vue offerte. Tel un morceau d'architecture, la cité est une construction dans l'espace, mais une construction à vaste échelle, un objet perceptible seulement à travers de longues séquences temporelles. C'est pourquoi l'urbanisme [1] est un art diachronique; mais un art diachronique qui peut rarement utiliser les séquences définies et limitées des autres arts temporels, comme la musique. Selon les occasions et les individus qui les perçoivent, les séquences sont inversées, interrompues, abandonnées, coupées. En outre, la ville est vue sous toutes les lumières et par tous les temps.

*La ville jamais totalisable...*

A chaque instant, elle comprend plus que l'œil ne peut voir, plus que l'oreille ne peut entendre — des dispositions et des perspectives qui attendent d'être explorées. Aucun élément n'est vécu par lui-même; il se révèle toujours lié à son environnement, à la séquence d'événements qui y ont conduit, au souvenir d'expériences passées.• Chaque habitant a eu des rapports avec des parties définies de sa ville, et l'image qu'il en a est baignée de souvenirs et de significations.

*... ni achevée*

Les éléments mobiles de la cité — particulièrement ses habitants, pris dans leurs occupations — sont aussi importants que ses éléments fixes. Car nous ne sommes pas simplement les observateurs de ce spectacle, nous y participons nous-mêmes, sur la scène, avec les autres acteurs.•

1. Nous traduisons ainsi *city-design*, faute d'une expression française plus précise.

La cité n'est pas seulement un objet de perception (et parfois même de plaisir) pour des millions de personnes, de classe et de caractère très différents, elle est aussi le produit de l'activité de nombreux constructeurs qui en modifient constamment la structure.• Alors qu'elle peut demeurer stable, pendant un certain temps, dans son aspect général, sans cesse, elle change dans son détail. Seul un contrôle partiel peut être exercé sur sa croissance et sa forme. Il n'y a pas de résultat final : seulement une succession de phases. Il n'est donc pas étonnant que l'art de donner une forme aux villes• soit bien différent de l'architecture, de la musique ou de la littérature.

## I. L'IMAGE DE LA VILLE

*Lisibilité*

Nous envisagerons la ville américaine sous son aspect visuel, en étudiant l'image mentale qu'en possèdent ses habitants. Nous nous attacherons surtout à une qualité visuelle particulière : la clarté apparente ou « lisibilité » du paysage urbain. Nous voulons désigner par là la facilité avec laquelle ses parties peuvent être reconnues et organisées selon un schéma *(pattern)* cohérent.

Exactement comme cette page imprimée, si elle est lisible, peut être visuellement appréhendée comme un ensemble bien lié de symboles reconnaissables, de même une cité lisible est celle dont les quartiers, ou les monuments, ou les voies de circulation, sont facilement identifiables, et aisément intégrables dans un schéma *(pattern)* global.

Nous affirmons que la lisibilité est cruciale pour la disposition de la ville; nous en analysons les éléments et tentons de montrer comment pareil concept peut être utilisé pour la reconstruction de nos villes.•

*La ville ne peut être...*

Bien que la clarté et la lisibilité ne soient certes pas le seul caractère important d'une belle ville, elles prennent une importance particulière au regard de l'échelle urbaine, des dimensions, du temps et de la complexité de l'environnement. Pour situer correctement celui-ci, nous ne devons pas considérer la ville simplement comme une chose en soi, mais bien telle que ses habitants la perçoivent.

### ... séparée de son image mentale

Le don de structurer et d'identifier l'environnement est une faculté commune à tous les animaux mobiles. Sont utilisées pour cela : les sensations visuelles de couleur, de forme, de mouvement ou de polarisation de la lumière, aussi bien que les données des autres sens, odorat, ouïe, toucher, kinesthésie, sens de la pesanteur et, peut-être, celui des champs électriques ou magnétiques. Ces techniques d'orientation, depuis celles qui guident la migration des hirondelles jusqu'à celles qui dirigent le cheminement d'une patelle sur la microtopographie d'un rocher, ont été décrites et leur importance soulignée dans une abondante littérature. Les psychologues ont étudié ces mêmes facultés chez l'homme, mais assez rapidement et de façon limitée, en laboratoire. Malgré la persistance de quelques inconnues, l'existence d'un « instinct » de l'orientation demeure actuellement invraisemblable. On opte plutôt pour un processus d'organisation et de sélection des données sensorielles diverses, recueillies dans l'environnement. Cette faculté d'organisation est fondamentale pour l'efficacité et même la survie des espèces douées de mouvement autonome. •

### Image mentale de la ville et orientation

Dans l'opération qui consiste à trouver son chemin, le chaînon stratégique est l'image de l'environnement. • Cette image est le produit, tout à la fois de la sensation immédiate et de l'expérience passée recueillie par la mémoire : c'est elle qui permet d'interpréter l'information et de diriger l'action. La nécessité de reconnaître notre environnement et le pouvoir de lui donner une forme sont d'une telle importance et plongent des racines tellement profondes dans le passé, que cette image revêt pour l'individu une importance pratique et affective considérable.

### Image de la ville et développement de l'individu

Une image précise facilite évidemment l'aisance et la rapidité de nos déplacements•, mais elle fait même davantage : elle peut servir de cadre de référence plus vaste, être un moyen d'organiser l'activité, les croyances ou le savoir. A partir d'une appréhension structurelle de Manhattan, par exemple, on peut classer une grande quantité d'informations concernant le monde dans lequel nous vivons. Et, comme tout bon cadre de référence, une telle structure fournit à l'individu un éventail de choix et de bases pour l'acquisition d'une plus ample information. Une image claire et précise de l'environnement constitue donc un facteur positif de développement personnel.

Un cadre physique vivant et bien intégré, susceptible de procurer une image solide, joue également un rôle social. Il peut fournir la matière première des symboles et des souvenirs collectifs, utilisés dans la communication entre goupes.•

Une bonne image de son environnement donne à celui qui la possède un sentiment profond de sécurité affective. Dès lors, il peut établir une relation harmonieuse avec le monde extérieur.•

Davantage, un environnement bien individualisé et lisible n'offre pas seulement une sécurité : il augmente la profondeur et l'intensité potentielles de l'expérience humaine.•

Contre cette importance attribuée à la « lisibilité » on peut objecter que l'esprit humain est merveilleusement adaptable, et qu'avec de l'expérience on peut apprendre à trouver son chemin dans le milieu le moins ordonné et le moins organisé.•

Certes, chacun (ou preque) peut, avec de l'attention, apprendre à naviguer dans Jersey City, mais au prix d'efforts et de difficultés considérables. Bien plus, cette agglomération est privée des avantages d'un environnement lisible : satisfactions affectives, cadre de communication et d'organisation conceptuelle, nouvelles dimensions que ce cadre est susceptible d'apporter à la vie quotidienne.•

Sans nul doute, la mystification, l'impression labyrinthique, l'effet de surprise, peuvent avoir leur valeur. Nombre d'entre nous aiment le Palais des Miroirs, et les rues tortueuses de Boston ont un charme certain. Mais il n'en est ainsi qu'à deux conditions. Tout d'abord, que nous ne risquions pas de perdre notre schéma général d'orientation, de nous perdre vraiment. La surprise ne peut avoir lieu qu'à l'intérieur d'un cadre général de référence; la confusion doit se limiter à des zones restreintes à l'intérieur d'une totalité bien perceptible. En outre, l'élément labyrinthique ou surprenant doit lui-même avoir une forme propre que le temps permette d'explorer puis d'appréhender.•

*Pour une image ouverte*

L'observateur doit d'ailleurs jouer un rôle actif dans l'organisation de son monde, jouer un rôle créateur dans la construction de son image. Il doit pouvoir modifier cette image à mesure qu'évoluent ses propres besoins. Un environnement organisé jusque dans le moindre détail peut inhiber toute possibilité de nouvelles structurations. Un paysage dont chaque pierre raconte une histoire peut rendre difficile la création de nouvelles histoires. Bien que nous n'en soyons pas menacés dans le présent chaos urbain, ces observations montrent que ce que nous recherchons n'est nullement un ordre définitif, mais un ordre ouvert, susceptible de développement indéfini.•

Dans l'image de l'environnement, l'analyse peut distinguer trois composantes : l'identité, la structure et la signification. S'il est utile de les distinguer pour des raisons méthodologiques, elles sont cependant, dans la réalité, indissolublement liées. Une image doit, pour être utilisable, pouvoir être identifiée, liée à un objet, c'est-à-dire distinguée de ce qui l'entoure, et reconnue en tant qu'entité séparée.• En second lieu, l'image doit impliquer une relation spatiale, formelle, de l'objet avec l'observateur et d'autres objets. Enfin, l'objet doit avoir pour l'observateur une signification pratique ou affective. La signification est, elle aussi, une relation, mais différente de la relation spatiale ou formelle.•

*Image et significations*

La question de signification dans la cité est complexe.• Si nous cherchons à construire des villes pour la satisfaction d'un grand nombre d'individus provenant de milieux extrêmement différents — et si nous voulons, en outre, qu'elles puissent satisfaire également aux besoins imprévisibles de l'avenir — nous gagnerons à concentrer nos efforts sur la clarté physique de l'image, et à laisser les significations se développer librement sans notre intervention directe. L'image de Manhattan peut être interprétée en termes de vitalité, puissance, décadence, mystère, congestion, grandeur*, et dans chaque cas, cette image puissante fait cristalliser et renforce la signification.*

Pour faciliter l'orientation dans l'espace de comportement, l'image doit posséder plusieurs qualités. Elle doit être suffisante, exacte du point de vue pragmatique, permettant à l'individu d'agir à sa guise dans le champ de son environnement. La carte, exacte ou non, doit permettre de rentrer chez soi. Elle doit être assez claire et bien intégrée pour épargner les efforts mentaux.*

Elle doit assurer un minimum de sécurité, avec un nombre suffisant de repères pour permettre le choix.* L'image doit être ouverte, adaptable au changement, permettant à l'individu de continuer à explorer et organiser la réalité.* Enfin, elle doit, dans une certaine mesure, être communicable à d'autres. L'importance relative de ces divers critères varie selon les individus et les situations.*

*L'environnement lisible*

Ce qu'on pourrait appeler « imagibilité », cette qualité qui confère à un objet physique un fort pouvoir d'évoquer une image vive chez n'importe quel observateur *, on peut également l'appeler *lisibilité* ou peut-être *visibilité* au sens fort.*

Dans la mesure où la constitution de l'image est un processus dialectique qui implique l'observateur et l'observé, il est possible de renforcer l'image, soit par l'usage d'instruments symboliques (cartes et pancartes), soit par l'entraînement de l'observateur, soit encore par le remodèlement de l'environnement.*

L'homme primitif était forcé d'améliorer l'image de son environnement en adaptant sa perception à un paysage donné. Il pouvait effectuer de petits changements dans son environnement à l'aide de cairns, de signaux ou de feux; mais les modifications visuelles significatives se limitaient à la disposition des maisons et des enceintes sacrées. Seules les civilisations puissantes peuvent commencer à agir sur l'ensemble de l'environnement, à une échelle significative. Le remodèlement conscient d'un environnement physique de vastes dimensions n'a été rendu possible que récemment; c'est pourquoi le problème de l'imagibilité de l'environnement est nouveau.*

*L'image de la métropole*

Nous sommes en train d'édifier une nouvelle unité fonctionnelle, la région métropolitaine; et nous devons encore comprendre que cette unité, elle aussi, doit posséder une image qui lui corresponde.

Il semble qu'il y ait, de toute cité donnée, une image publique qui soit la résultante de nombreuses images individuelles.• Chaque image individuelle est unique, avec un contenu qui est rarement ou jamais communiqué; et cependant, elle recoupe l'image publique qui, selon les cas, est plus ou moins contraignante, plus ou moins compréhensive.

Notre analyse se limitera aux effets des objets physiquement perceptibles. (Nous négligerons les facteurs de l'imagibilité comme la signification sociale d'un quartier, ses fonctions, son histoire et même son nom.)•

*Éléments de l'image*

Le contenu des images de la ville étudiées jusqu'ici [1] peut être pratiquement classé en cinq types d'éléments: les chemins *(paths)*, les limites *(edges)*, les quartiers *(districts)*, les nœuds *(nods)*, et les points de repère *(landmarks)*.•

## I. Les chemins

*Rues, trottoirs, promenades, canaux*

Ce sont les chenaux le long desquels l'observateur circule de façon habituelle, occasionnelle ou potentielle. Ce peuvent être des rues, des trottoirs, ou des promenades, des lignes de transit, des canaux ou des voies de chemin de fer. Pour beaucoup d'individus, ce sont les éléments prédominants de leur image de la ville : ils observent la cité pendant qu'ils circulent et organisent ou relient les autres éléments de l'environnement aux chemins.

---

1. Le chapitre 2 se réfère à l'analyse concrète de trois cités, Boston, Los Angeles et Jersey-City étudiées à la fois du point de vue d'un observateur extérieur et du point de vue des habitants, auprès desquels il était procédé à des enquêtes systématiques.

## II. Les limites

*Rivages, murs, lotissements*

Ce sont les éléments linéaires qui ne servent pas ou ne sont pas considérés comme des chemins par l'observateur. Ce sont les frontières entre deux phases, les solutions de continuité : rivages, tranchées de chemin de fer, bordures de lotissements, murs. Elles constituent des points de référence latéraux, plutôt que des axes de coordination.• Ces limites bien que n'ayant pas le rôle prédominant des chemins, constituent pour beaucoup de citadins un important facteur d'organisation, et servent notamment à maintenir la cohésion de zones entières.•

## III. Quartiers

*Personnalité des quartiers*

Ce sont des fragments de la ville, plus ou moins vastes — conçus comme s'étendant sur deux dimensions — à l'intérieur desquels l'observateur a le sentiment de pénétrer et qui sont reconnaissables par leur forte identité. Toujours identifiables de l'intérieur, ils peuvent aussi servir de référence extérieure, s'ils sont visibles du dehors.• La plupart des citadins structurent leur ville en partie de cette façon, la prédominance des chemins ou des quartiers variant selon les personnes. Ce mode de structuration semble dépendre non seulement des individus, mais aussi des cités.

## IV. Nœuds

*Embranchements, croisements, abris*

Ce sont les points stratégiques de la ville où l'observateur peut pénétrer, les foyers d'activité autour desquels l'observateur gravite. Ce sont principalement des embranchements, des points d'arrêt dans le système des transports ; des croisements ou points de convergence de chemins; les lieux de passage d'une structure à une autre. Mais les nœuds peuvent aussi tirer leur importance du simple fait qu'ils concentrent une somme de fonctions ou de caractères physiques : par exemple le bar du coin ou tel square fermé. Certains de ces nœuds de concentration sont le foyer et comme le résumé d'un quartier, sur lequel leur influence rayonne et dont ils constituent le symbole. On peut les appeler des noyaux.• Le concept de noyau est lié au concept de chemin, puisque les embranchements sont précisément constitués par la convergence d'une série de chemins.• Il est de même lié au concept de quartier dans la mesure où les noyaux sont les foyers d'activité des quartiers, leurs centres de polarisation. Certains points nodaux se retrouvent dans presque toute image de la ville; dans certains cas, ils en constituent l'élément dominant.

## V. Points de repère

*Édifice, signe graphique, accident géographique*

Ils constituent un autre type de référence ponctuelle; mais l'observateur ne peut y pénétrer, ils lui demeurent extérieurs. Ce sont habituellement des objets physiques définissables très simplement : bâtiment, signe, magasin, montagne. Leur utilisation suppose le choix d'un élément entre une multitude d'autres possibles. Certains points de repère sont éloignés : ce sont ceux que l'on voit de façon caractéristique sous des angles et à des distances variées, du sommet d'éléments moins élevés, et qui servent de points de référence radiaux. Ils peuvent aussi se trouver à l'intérieur de la cité, ou à une distance telle que, dans tous les cas pratiques, ils symbolisent une direction constante. Ainsi en est-il des tours isolées, dômes, collines.• D'autres repères sont au contraire, locaux, visibles seulement dans un contexte limité et selon certains angles. C'est le cas des innombrables signes, devantures de boutiques, arbres, marteaux de portes, et autres détails urbains qui emplissent l'image de la plupart des observateurs. Ces types de repères sont fréquemment utilisés pour l'identification et même la structuration des villes; ils servent toujours davantage à mesure qu'un itinéraire devient plus familier.

*Interconnexion des éléments*

Ces divers éléments ne constituent que la matière première à partir de laquelle l'image de l'environnement est élaborée à l'échelle de la cité[1]. Pour fournir une forme satisfaisante, ils doivent être intégrés dans une structure commune. Après avoir analysé le fonctionnement de groupes semblables (réseaux de chemins, grappes de repères, mosaïques de régions) la logique commande d'étudier l'interaction de paires d'éléments hétérogènes.

*Conflits ou contrastes*

Les éléments de telles paires peuvent se renforcer, résonner de façon à accroître leur puissance réciproque; ils peuvent au contraire entrer en conflit et se détruire mutuellement. Un point de repère gigantesque peut rapetisser la petite région qui est située à sa base et lui faire perdre son échelle. Bien situé, un autre repère peut contribuer à mettre en place, tonifier un noyau; placé hors du centre, il peut simplement induire en erreur, comme c'est le cas du John Hancock building par rapport à Copley Square, à Boston. Une grande rue avec son caractère ambivalent de limite et de chemin, peut traverser un secteur entier et l'exposer à la vue, en même temps qu'elle en perturbe la continuité. Un repère peut être si hétérogène par rapport à l'ensemble d'un quartier qu'il peut en détruire la continuité, à moins qu'au contraire, cette continuité ne soit accusée par un effet de contraste.·

## II. APPLICATIONS POUR L'URBANISME

*Milieu adapté à l'homme plutôt qu'homme adapté au milieu*

La ville devrait être un monde artificiel au meilleur sens du terme : fait avec art, modelé en vue d'objectifs humains. Nous avons conservé l'habitude ancestrale de nous adapter à notre environnement, de classer et d'organiser perpétuellement tout ce

[1]. K. Lynch a étudié dans le chapitre II, les caractères requis pour le bon fonctionnement de ces divers éléments, en s'aidant d'analyses concrètes.

qui se présente à nos sens*, mais peut-être arrivons-nous maintenant à une nouvelle phase,* peut-être pouvons-nous commencer à adapter l'environnement lui-même aux structures perceptives et aux processus symboliques qui caractérisent l'individu humain.

## La création *(designing)* des chemins

Intensifier l' « imagibilité » de l'environnement humain, c'est faciliter son identification et sa structuration visuelle. Les éléments isolés plus haut — chemins, limites, repères, nœuds et régions — sont les matériaux qui permettent d'établir des structures solides et différenciées à l'échelle urbaine.*

### Caractères spécifiques des chemins

Les chemins, le réseau des lignes de déplacement habituelles ou potentielles à travers le contexte urbain, constituent le moyen le plus puissant pour mettre l'ensemble en place. Les lignes de mouvement principales doivent pouvoir être distinguées des chenaux environnants par quelque qualité propre : la concentration sur leurs rives de certaines fonctions ou activités, une qualité spatiale propre, une texture particulière du sol ou des façades, un mode spécial d'éclairage, un ensemble spécifique d'odeurs ou de sons, un détail ou un mode particulier de plantation.*

Ces caractères doivent être utilisés de façon à donner au chemin une continuité. Si une ou plusieurs de ces qualités se retrouvent régulièrement sur tout son parcours, alors le chemin peut devenir pour la représentation un élément continu et doté d'unité.*

### Pente, asymétrie, flèches

La ligne de déplacement doit être clairement orientée.* Aux yeux des observateurs, les chemins semblent posséder des directions irréversibles, et les rues sont caractérisées par leurs points d'aboutissement. En fait, une rue est toujours orientée, perçue comme allant quelque part. Le chemin renforcera cette impression perceptive par le caractère remarquable de ses extrémités et par une différenciation des directions qui donne un sentiment de progression.* La pente est souvent un moyen utilisé à cette fin, mais il y en a beaucoup d'autres. L'augmentation progressive des signes, boutiques ou passants, peut indiquer l'approche d'un nœud commercial; il peut aussi y avoir une gradation de la couleur ou de la densité des frondaisons.• On peut aussi se servir de l'asymétrie.• Des flèches peuvent également être utilisées ou encore toutes les surfaces identiquement orientées peuvent être traitées selon une couleur-code. Tels sont les moyens de conférer aux chemins une orientation qui serve de référence aux autres éléments du paysage urbain.•

*L'image mélodique*

Un dernier mode d'organisation des chemins ou ensembles de chemins prendra une importance croissante dans un monde aux grandes distances et aux vitesses élevées : on peut le nommer, par analogie, *mélodique*. Les événements et les traits caractéristiques échelonnés le long du chemin — repères, changements spaciaux, sensations dynamiques — sont organisés comme une ligne mélodique, perçus et imaginés comme une forme dont on fait l'expérience au cours d'un laps de temps important. Or, dans la mesure où cette image est celle d'une mélodie globale plutôt que celle d'une série de points séparés, la dite image peut être tout à la fois plus riche et moins exigeante. Sa forme peut consister dans la séquence classique : introduction, développement, culmen, conclusion, ou prendre des aspects plus subtils comme ceux qui évitent les conclusions formelles.•

*Repères*

La caractéristique essentielle d'un repère valable• est sa singularité, la façon dont il contraste avec son contexte; une tour parmi des toits peu élevés, des fleurs le long d'un mur de pierre, une surface brillante dans une rue grise, une église parmi des magasins, une saillie dans une façade continue.• Le contrôle des repères et de leur contexte est alors nécessaire : limitation des signes à des surfaces déterminées, hauteurs limites pour tous les édifices, à l'exception d'un seul.•

Le repère n'est pas nécessairement important par la taille; ce peut être un marteau de porte aussi bien qu'un dôme; en revanche, sa localisation est cruciale.•

*Venise*

Des repères isolés, sauf lorsqu'ils dominent complètement, constituent généralement en eux-mêmes de faibles références. Il faut, pour les reconnaître, une attention soutenue. S'ils sont groupés, ils se renforcent de façon plus qu'additive. Les habitués se créent des grappes de repères à partir des éléments les plus anodins et s'appuient sur des ensembles intégrés de signes, dont chacun, individuellement, serait trop faible pour être enregistré. Les rues trompeuses de Venise deviennent reconnaissables au bout d'une ou deux fois parce qu'elles sont riches en détails distinctifs qui s'organisent rapidement en séquences.*

Les nœuds sont les points d'ancrage conceptuels de nos cités. Aux États-Unis, mise à part une certaine concentration des activités, ils possèdent rarement une forme propre à favoriser cette attention.*

Les nœuds sont perçus comme tels seulement si l'on parvient à les individualiser par la médiation d'une qualité spécifique commune aux murs, sols, éclairage, végétation, topographie, qui en constituent les éléments. L'essence du nœud est d'être *un lieu* distinct et inoubliable, que l'on ne puisse confondre avec aucun autre.*

*Diversité perceptive d'une même ville*

La cité n'est pas construite pour une seule personne, mais pour un grand nombre d'usagers appartenant aux milieux, tempéraments, occupations, et classes sociales les plus variées. Nos analyses font apparaître des variations substantielles dans la façon dont les différentes personnes organisent leur ville.*

C'est pourquoi l'urbaniste doit chercher à créer une ville qui soit aussi abondamment pourvue que possible en chemins, limites, repères, nœuds et quartiers, une ville qui n'utilise pas simplement une ou deux des qualités de forme mais leur ensemble. De la sorte, les différents observateurs trouveront respectivement toutes les données perceptives propres à leur vision du monde particulière. Alors que l'un reconnaîtra une rue à son pavage de briques, l'autre s'en souviendra grâce à un tournant accusé et un troisième aura identifié la série de repères mineurs qui s'échelonnent sur l'ensemble de sa longueur.

*Contre la rigidité structurelle*

Toute forme qui s'offre à la vue sous un aspect trop particularisé s'avère dangereuse : l'environnement perceptif réclame une certaine plasticité. Dans les cas où l'on ne trouve qu'un seul chemin dominant pour se rendre dans une direction, ou seulement quelques points sacro-saints, ou un ensemble de quartiers rigoureusement séparés, il n'y a, à moins d'un effort considérable, qu'un seul moyen de se former une image de la cité. Et cette image risque, non seulement de ne pas répondre aux besoins de tous, mais davantage de ne pas suffire pour une même personnalité qui varie avec le temps.•

Nous avons pris comme symboles d'une bonne organisation les parties de Boston dans lesquelles les chemins choisis par les habitants interrogés leur paraissent s'offrir à eux librement. Dans ce cas, l'habitant dispose d'un large choix de chemins pour se rendre à ses destinations, et tous sont clairement structurés et identifiés. Les mêmes avantages se retrouvent dans un réseau de limites qui se chevauchent de façon à ce que des secteurs grands ou petits puissent être formés, selon les goûts et les besoins de chacun.•

Il est important de conserver un certain nombre de grandes formes communes : nœuds intenses, chemins-clé, ou unités locales assez étendues. Mais, à l'intérieur de ce vaste cadre, on doit trouver une certaine plasticité, une richesse de structures suffisante pour que chaque individu puisse construire sa propre image.•

On change aujourd'hui, comme jamais auparavant, de lieu de résidence, quittant une région pour une autre, une ville pour une autre ville. La bonne « imagibilité » de l'environnement doit permettre de se sentir chez soi rapidement.•

Les dimensions croissantes de nos régions métropolitaines et la vitesse avec laquelle nous les traversons, soulèvent de nombreux problèmes nouveaux pour la perception. La région métropolitaine est la nouvelle unité fonctionnelle de notre environnement et il est désirable que cette unité fonctionnelle puisse être convenablement individualisée et structurée par ses habitants.•

*Remodèlement et structures latentes*

Toute agglomération urbaine qui existe et fonctionne possède, à un degré quelconque, une structure et une identité. Jersey-City est bien loin d'être un pur chaos. Mais, si elle en était un, elle serait inhabitable. Presque toujours, une image puissante est latente dans l'environnement : tel est le cas de Jersey-City, avec ses palissades, sa forme de péninsule et la façon dont elle est rattachée à Manhattan. Un problème qui se pose fréquemment à l'urbaniste est celui de remodeler avec sensibilité un environnement déjà existant. Il faut alors découvrir et préserver les images fortes, résoudre en conséquence les difficultés perceptives, et par dessus tout, faire apparaître, rendre manifestes, les structures et l'individualité latentes au milieu de la confusion.

### La création ex nihilo et ses contraintes

Dans d'autres cas, l'urbaniste se trouve devant la nécessité de créer une nouvelle image.• Le problème se pose en particulier dans les extensions suburbaines de nos régions métropolitaines.• Les éléments naturels du paysage ne sont pas un guide suffisant, étant données l'étendue et l'importance des zones à construire. Au rythme actuel de la construction, on n'a plus le temps de permettre le lent ajustement de la forme à des séries de petits facteurs individuels. C'est pourquoi nous devons faire appel, bien plus qu'auparavant à une planification consciente : la manipulation délibérée du monde à des fins perceptives. Bien que nous disposions d'un riche capital d'exemples antérieurs d'aménagement urbain, le problème se pose maintenant en des termes d'étendue et de délais d'une toute autre échelle.

### Le plan « visuel »

Les nouveaux modèlements ou remodèlements devraient être inspirés par ce qu'on pourrait appeler un « plan visuel » de la ville ou de la région métropolitaine : un ensemble de recommandations et de mesures de contrôle relatives à la forme visuelle envisagée du point de vue de l'habitant. La préparation d'un tel plan devrait commencer par une analyse de la forme existante et de l'image publique de la zone en cause.• Cette analyse s'achèverait par une série de diagrammes et de rapports mettant en évidence des images publiques significatives, les principaux problèmes et possibilités visuels, ainsi que les éléments critiques de l'image et leurs relations.•

A l'aide de ces éléments analytiques, mais sans s'y limiter, l'urbaniste pourrait commencer à élaborer un plan visuel à l'échelle de la cité, qui aurait pour objet de renforcer l'image publique.*

L'objectif final d'un tel plan n'est pas la forme physique en soi, mais la qualité de l'image mentale qu'elle suscite chez les habitants. C'est pourquoi il sera également utile de former l'observateur par un apprentissage, en lui apprenant à *regarder* sa ville, à observer la diversité et l'intrication de ses formes.*

*The Image of the City,* The Technology Press & Harvard University Press, Cambridge, Massachussets, 1960. (Pages 1-6, 8, 9, 11-13, 46-8, 83-4, 95-96, 99-102, 110-12, 115. Notre traduction.)

IX

# PHILOSOPHIE DE LA VILLE

# Victor Hugo

## 1802-1885

*Comme en témoigne son œuvre graphique, Victor Hugo fut obsédé par le thème de la ville. Passionné d'architecture, « cet art roi [1] », promoteur comme Mérimée et Viollet-le-Duc d'une politique de sauvegarde des monuments anciens, il était captivé par les villes médiévales dont il ressentait l'unité avec une intuition remarquable. L' « organicité » médiévale était à ses yeux un idéal qui lui inspira, dans Notre Dame de Paris, le chapitre « Paris à vol d'oiseau [2] ».*

*Or, dans un chapitre souvent omis des éditions courantes (et qui parut pour la première fois dans la 8e édition, de décembre 1832), le chapitre « Ceci tuera Cela », Victor Hugo alla plus loin et développa une véritable philosophie de l'architecture. Les quelques pages où il compare cet art à une écriture et à un langage prennent aujourd'hui valeur d'avertissement. A l'époque de leur publication, elles suscitèrent l'indignation du progressiste Considérant [3].*

*Plus tard, elles devaient enchanter F. L. Wright, pour la jeunesse duquel Notre-Dame de Paris fut un livre de chevet. Wright déclare, dans son Testament (1957), que « Victor Hugo écrivit l'essai le plus éclairant, à ce jour, sur l'architecture ». Il ajoute : « J'avais quatorze ans lorsque ce chapitre, habituellement absent des éditions de Notre-Dame, atteignit profondément ma sensibilité et l'image que je me formais de l'art auquel la vie allait me destiner : l'architecture. Cette histoire du déclin tragique du grand art originel n'a jamais quitté mon esprit. »*

---

1. *Notre-Dame de Paris*, note de l'édition de 1832.
2. « Ce n'était pas alors seulement une belle ville; c'était une ville homogène, un produit architectural et historique du Moyen Age, une chronique de pierre. »
3. « Monsieur Hugo le poète, qui, parce qu'il fait de la poésie avec une plume, s'est allé fourrer en tête que l'humanité ne pouvait plus faire de la poésie qu'avec les plumes! M. Hugo qui prétend parquer l'humanité dans les dimensions de sa

# LA VILLE EST UN LIVRE

Nos lectrices nous pardonneront de nous arrêter un moment pour chercher quelle pouvait être la pensée qui se dérobait sous ces paroles énigmatiques de l'archidiacre : *Ceci tuera cela. Le livre tuera l'édifice.*

A notre sens, cette pensée avait deux faces. C'était d'abord une pensée de prêtre. C'était l'effroi du sacerdoce devant un agent nouveau, l'imprimerie.•

*Livre de pierre et livre de papier*

Mais sous cette pensée, la première et la plus simple sans doute, il y en avait à notre avis une autre, plus neuve.• C'était le pressentiment que la pensée humaine en changeant de forme allait changer de mode d'expression, que l'idée capitale de chaque génération ne s'écrirait plus avec la même matière et de la même façon, que le livre de pierre, si solide et si durable, allait faire place au livre de papier, plus solide et plus durable encore. Sous ce rapport, la vague formule de l'archidiacre avait un second sens; elle signifiait qu'un art allait détrôner un autre art. Elle voulait dire : l'imprimerie tuera l'architecture.

En effet, depuis l'origine des choses jusqu'au quinzième siècle de l'ère chrétienne, inclusivement, l'architecture est le grand livre de l'humanité, l'expression principale de l'homme à ses divers états de développement soit comme force, soit comme intelligence.•

---

sphère à lui; qui donne pour champ à l'humanité et pour limite à l'avenir l'étendue de sa spécialité; M. Hugo enfin qui, voulant à toute force faire ici le philosophe au lieu de rester ce qu'il est, un grand poète, a pris à cœur de gâter son bel œuvre de la *Notre-Dame* en y introduisant cette sublime niaiserie, résumée par ces mots : *ceci* — le livre, — *tuera cela*, — le monument !• Il siérait que M. Hugo retranchât de son ouvrage cette malencontreuse ajoutée cousue à ses dernières éditions; car son beau livre est destiné à vivre dans l'avenir, et des chapitres pareils ne feraient pas honneur à son intelligence. » *Description du Phalanstère*, p. 90.

Les premiers monuments furent de simples quartiers de roche *que le fer n'avait pas touchés,* dit Moïse. L'architecture commença comme toute écriture. Elle fut d'abord alphabet. On plantait une pierre debout [1], et c'était une lettre, et chaque lettre était un hiéroglyphe, et sur chaque hiéroglyphe reposait un groupe d'idées comme le chapiteau sur la colonne [2]. Ainsi firent les premières races, partout, au même moment, sur la surface du monde entier. On retrouve la *pierre levée* des Celtes dans la Sibérie d'Asie, dans les pampas d'Amérique.

Plus tard on fit des mots. On superposa la pierre à la pierre, on accoupla ces syllabes de granit, le verbe essaya quelques combinaisons. Le dolmen et le cromlech celtes, le tumulus étrusque, le galgal hébreu, sont des mots. Quelques uns, le tumulus surtout, sont des noms propres. Quelquefois même, quand on avait beaucoup de pierre et une vaste plage, on écrivait une phrase. L'immense entassement de Karnac est déjà une formule tout entière.

Enfin on fit des livres. Les traditions avaient enfanté des symboles, sous lesquels elles disparaissaient comme le tronc de l'arbre sous son feuillage; tous ces symboles, auxquels l'humanité avait foi, allaient croissant, se multipliant, se croisant, se compliquant de plus en plus; les premiers monuments ne suffisaient plus à les contenir; ils en étaient débordés de toutes parts; à peine ces monuments exprimaient-ils encore la tradition primitive, comme eux, simple, nue et gisante sur le sol. Le symbole avait besoin de s'épanouir dans l'édifice. L'architecture alors se développa avec la pensée humaine; elle devint géante à mille têtes et mille bras, et fixa sous une forme éternelle, visible, palpable, tout ce symbolisme flottant. Tandis que Dédale, qui est la force, mesurait, tandis qu'Orphée, qui est l'intelligence, chantait, le pilier qui est une lettre, l'arcade qui est une syllabe, la pyramide qui est un mot, mis en mouvement à la fois par une loi de géométrie et par une loi de poésie, se groupaient, se combinaient, s'amalgamaient, descendaient, montaient, se juxtaposaient sur le sol, s'étageaient

1. Cf. *Exode,* XX, 25 : « Si tu m'élèves un autel de pierre, tu ne le construiras point en pierres taillées, car, en levant ton ciseau sur la pierre, tu la rendrais profane. » *(Note de V. Hugo).*
2. Cf. aussi *Genèse,* XXXI, 45 : « Jacob prit une pierre et la dressa pour monument. » *(Note de V. Hugo.)*

dans le ciel, jusqu'à ce qu'ils eussent écrit, sous la dictée de l'idée générale d'une époque, ces livres merveilleux qui étaient aussi de merveilleux édifices : la pagode d'Eklinga, le Rhamseïon [1] d'Égypte, le temple de Salomon.

*Sens et architecture*

L'idée mère, le verbe, n'était pas seulement au fond de tous ces édifices, mais encore dans la forme. Le temple de Salomon, par exemple, n'était point simplement la reliure du livre saint, il était le livre saint lui-même.• Et non seulement la forme des édifices mais encore l'emplacement qu'ils se choisissaient révélait la pensée qu'ils représentaient.•

La pensée alors n'était libre que de cette façon, aussi ne s'écrivait-elle tout entière que sur ces livres qu'on appelait édifices.• Ainsi, jusqu'à Gutenberg, l'architecture est l'écriture principale (on peut distinguer deux formes historiques dans la première écriture universelle, l'architecture de caste, théocratique et l'architecture « de peuple », plus riche et moins sainte).•

*Architecture populaire*

Les caractères généraux des maçonneries populaires sont la variété, le progrès, l'originalité, l'opulence, le mouvement perpétuel. Elles sont déjà assez détachées de la religion pour songer à leur beauté, pour la soigner, pour corriger sans relâche leur parure de statues ou d'arabesques. Elles sont du siècle. Elles ont quelque chose d'humain qu'elles mêlent sans cesse au symbole divin sous lequel elles se produisent encore. De là des édifices pénétrables à toute âme, à toute intelligence, à toute imagination, symboliques encore, mais faciles à comprendre comme la nature. Entre l'architecture théocratique et celle-ci, il y a la différence d'une langue sacrée à une langue vulgaire.•

*L'imprimerie*

Au quinzième siècle tout change.

La pensée humaine découvre un moyen de se perpétuer non seulement plus durable que l'architecture et plus résistant, mais

1. Temple funéraire de Rhamsès II à Thèbes, en Haute-Égypte. (*Note de V. Hugo.*)

encore plus simple et plus facile. L'architecture est détrônée. Aux lettres de pierre d'Orphée vont succéder les lettres de plomb de Gutenberg.•

*Le livre va tuer l'édifice*

L'invention de l'imprimerie est le plus grand événement de l'histoire. C'est la révolution mère. C'est le mode d'expression de l'humanité qui se renouvelle totalement, c'est la pensée humaine qui dépouille une forme et en revêt une autre.•

Aussi voyez comme à partir de la découverte de l'imprimerie l'architecture se déssèche peu à peu, s'atrophie et se dénude.• C'est cette décadence qu'on appelle renaissance. Décadence magnifique pourtant, car le vieux génie gothique, ce soleil qui se couche derrière la gigantesque presse de Mayence, pénètre encore quelque temps de ses derniers rayons tout cet entassement hybride d'arcades latines et de colonnades corinthiennes.

C'est ce soleil couchant que nous prenons pour une aurore.

*Déclin*

Cependant, du moment où l'architecture n'est plus qu'un art comme un autre, dès qu'elle n'est plus l'art total, l'art souverain, l'art tyran, elle n'a plus la force de retenir les autres arts. Ils s'émancipent donc, brisent le joug de l'architecte, et s'en vont chacun de leur côté. Chacun d'eux gagne à ce divorce. L'isolement grandit tout. La sculpture devient statuaire, l'imagerie devient peinture, le canon devient musique.•

Cependant, quand le soleil du Moyen Age est tout à fait couché• l'architecture n'exprime plus rien, pas même le souvenir de l'art d'un autre temps.•

*Paris*

Au xve siècle,• Paris n'était pas• seulement une belle ville; c'était une ville homogène, un produit architectural et historique du Moyen Age, une chronique de pierre.• Depuis, la ville a été se déformant de jour en jour. Le Paris gothique sous lequel s'effaçait le Paris roman s'est effacé à son tour. Mais peut-on dire quel Paris l'a remplacé ?

Le Paris actuel n'a• aucune physionomie générale. C'est une

collection d'échantillons.• La capitale ne s'accroît qu'en maisons, et quelles maisons!• Aussi la signification• de son architecture s'efface-t-elle tous les jours.•

Qu'on ne s'y trompe pas, l'architecture est morte, morte sans retour, tuée par le livre imprimé, tuée parce qu'elle coûte plus cher.• Qu'on se représente maintenant quelle mise de fonds il faudrait pour récrire le livre architectural; pour faire fourmiller de nouveau sur le sol des milliers d'édifices.•

Le grand accident d'un architecte de génie pourra survenir au vingtième siècle.• Le grand poème, le grand édifice, le grand œuvre de l'humanité ne se bâtira plus, il s'imprimera.

*Notre-Dame de Paris,* livre V, chap. 2 : *Ceci tuera cela,* rajouté dans la 8e édition (de 1832), au texte de l'édition originale (1831). (V. Hugo, *Romans,* Coll. l'Intégrale, éd. du Seuil, t. I, p. 300-304.) Le texte final sur *Paris* est complété par un extrait du livre III, chap. 2 : *Paris à vol d'oiseau* (ibid. p. 286-7).

# Georg Simmel
## 1858-1918

*Philosophe et sociologue allemand qui, à partir de 1914, occupa une chaire de philosophie à Strasbourg. Sa théorie de la méthode en sociologie a exercé une influence considérable en Allemagne et dans les pays anglo-saxons.*

*Dans un esprit assez kantien, il a tenté une étude analytique des modes d'interaction sociale; parmi les contenus-types d'activités comme la politique, l'économie, l'esthétique, il a cherché à isoler des « régularités récurrentes » des formes générales et universelles.*

*Son étude sur* Les grandes villes et la vie de l'esprit *est un corollaire de son ouvrage majeur (non traduit),* La Philosophie de l'Argent (1900), *dans lequel il souligne le double rôle de l'économie d'argent : stimulant chez l'homme la tendance à l'abstraction, elle favorise le développement des facultés intellectuelles au détriment de l'affectivité, en même temps qu'elle provoque une dépersonnalisation des relations humaines.*

*Ces analyses ont été reprises et développées par W. Sombart. O. Spengler les a largement utilisées, sans mentionner leur origine.*

## LES GRANDES VILLES
## ET LA VIE DE L'ESPRIT[1]

*Culture et autonomie*

Les problèmes les plus fondamentaux de la vie moderne proviennent de ce que l'individu désire à tout prix, vis à vis des forces écrasantes de la société, de l'héritage historique, de la civilisation et des techniques, préserver l'autonomie et l'originalité de son existence : dernier avatar du combat contre la nature que le primitif doit livrer pour assurer sa survie *physique*. Le XVIIIᵉ siècle a pu

1. Titre de Simmel.

appeler l'homme à se libérer de tous les liens traditionnels (dans l'État et la Religion, la Morale et l'Économie) pour que se développe sans entraves, sa nature, originellement bonne et identique chez tous; le XIXᵉ siècle a pu, à son tour, proclamer, à côté de la liberté, le caractère unique de chaque homme et de ses activités, par la division du travail qui rend un individu irréductible aux autres et dans la mesure du possible irremplaçable, mais qui le fait, simultanément, dépendre de ses semblables; Nietzsche enfin, a pu voir dans la lutte la plus effrénée de chacun contre tous — ou le socialisme, voir dans la suppression de toute concurrence — la condition du développement complet de la personne; dans tous ces efforts se manifeste le même thème fondamental : la résistance du sujet, qui se sent menacé d'être nivelé et usé par un mécanisme à la fois social et technique. Lorsqu'on interroge les produits spécifiques de la vie moderne pour découvrir ce qu'ils recouvrent, lorsqu'on demande en quelque sorte au corps de la civilisation de nous dévoiler son âme — tâche qui m'incombe aujourd'hui pour ce qui est de nos grandes villes — on doit rechercher l'équation qui s'établit entre les contenus individuels et supra-individuels de la vie, les moyens qu'emploie la personnalité pour s'adapter aux puissances qui lui sont étrangères.

*La grande ville éprouve l'affectivité*

Le fondement psychologique sur lequel repose le type du citadin[1] est l'*intensification de la vie nerveuse*, qui provient d'une suite rapide et ininterrompue d'impressions, aussi bien externes qu'internes. L'homme est un être « différentiel » : sa conscience est excitée par la différence entre l'impression présente et celle qui l'a précédée; des impressions prolongées, le peu d'opposition entre elles, la régularité de leur alternance et de leurs contrastes, consomment en quelque sorte moins de conscience que la rapidité et la concentration d'images variées, la diversité brutale des objets qu'on peut embrasser d'un seul regard, le caractère inattendu d'impressions toutes puissantes. En créant précisément ces condi-

1. Dans la suite de cet article, nous emploierons les mots *urbain* et *citadin*, dans le sens de *grossstädtisch, Grossstadter* (relatif à la grande ville, habitant la grande ville), par opposition à *kleinstädtisch, Kleinstadter*. (*Note du traducteur.*)

tions psychologiques-ci — sensibles à chaque pas qu'on fait dans la rue, provoquées par le rythme rapide, la diversité de la vie économique, professionnelle et sociale — la grande ville introduit aux fondements sensitifs mêmes de notre vie morale, par la quantité de conscience qu'elle réclame, une différence profonde d'avec la petite ville et la campagne dont la vie, aussi bien sensitive qu'intellectuelle, s'écoule sur un rythme plus lent, plus coutumier, plus régulier. Cela nous fait comprendre d'abord pourquoi, dans une grande ville, la vie est plus intellectuelle que dans une petite ville où l'existence est plutôt fondée sur les sentiments et les liens affectifs, lesquels prennent racine dans les couches les moins conscientes de notre âme et croissent de préférence dans la calme régularité des habitudes.•

Le type du citadin — qui se manifeste naturellement en une multitude de formes individuelles — se crée à lui même un organe de protection contre le déracinement dont le menacent la fluidité et les contrastes du milieu ambiant; il y réagit non avec ses sentiments, mais avec sa raison, à quoi l'exaltation de la conscience — et pour les raisons mêmes qui lui ont donné naissance — confère la primauté; ainsi, la réaction aux phénomènes nouveaux se trouve transférée vers l'organe psychique le moins sensible, le plus éloigné des profondeurs de la personnalité.

*Le citadin réagit par l'abstraction*

Ce caractère rationnel, en quoi nous venons de reconnaître le bouclier de notre vie subjective contre le viol dont nous menace la grande ville, se ramifie en nombreux phénomènes particuliers. Les grandes villes ont été depuis toujours le siège de l'économie monétaire, parce que la diversité et la concentration des échanges ont conféré •à ce qui en est l'instrument une importance que n'auraient jamais entraînée les rares échanges auxquels donnait lieu l'économie rurale. Or, économie monétaire et prédominance de l'intellect sont intimement liées. Elles ont en commun la manière purement objective dont elles abordent hommes et choses, et où une justice formelle s'allie souvent à une dureté impitoyable. L'homme purement rationnel est indifférent à toute réalité individuelle : cette dernière crée des relations et des réactions qu'on ne peut appréhender avec la seule raison — exactement comme le principe de l'argent demeure fermé à toute individualité des phénomènes. Car l'argent ne s'intéresse qu'à ce qui est commun, à savoir la valeur d'échange qui nivelle toute qualité, toute particularité, en posant la question de la seule quantité. Si les relations affectives entre personnes se fondent sur leur individualité, les relations rationnelles font des hommes des éléments de calcul, indifférents en eux-mêmes et n'ayant d'intérêt que par leur rendement, grandeur objective : le citadin fait de ses fournisseurs et de ses clients, de ses domestiques et trop souvent des personnes avec qui la société l'oblige à frayer, des éléments de calcul, tandis que dans un milieu plus restreint la connaissance inévitable que l'on a des individus entraine, de façon tout aussi inévitable, une coloration plus sentimentale du comportement et fait que l'on dépasse l'évaluation purement objective de ce qu'on donne et de ce qu'on reçoit. Pour parler en termes de psychologie économique, l'essentiel est que dans un cadre plus primitif les marchandises sont directement produites pour le client qui les commande, de sorte que producteur et consommateur se connaissent l'un l'autre. La grande ville moderne, en revanche, se nourrit presque exclusivement de la production destinée au marché, c'est-à-dire à des clients totalement inconnus du producteur proprement dit. Cela confère à l'intérêt des deux parties une objectivité impitoyable et leur égoïsme économique, se livrant à des calculs rationnels, n'a pas à craindre d'être détourné de ses fins par l'impondérable des relations individuelles. Selon le mot du plus grand des historiens anglais des constitutions, Londres ne s'est jamais comporté comme le cœur de l'Angleterre, mais souvent comme sa raison et toujours comme sa bourse.

*Le symbole de la montre*

Un trait en apparence fort secondaire fait confluer de façon caractéristique les mêmes tendances profondes. L'esprit moderne s'est fait de plus en plus calculateur; à l'idéal de la science, qui est de transformer le monde en une série de formules algébriques, correspond l'exactitude de la vie pratique telle que l'a façonnée l'économie monétaire; elle seule fait que tant d'hommes passent leurs journées à peser, à évaluer, à calculer, à chiffrer, à réduire des valeurs qualitatives en valeurs quantitatives. L'essence de l'argent qui est calcul, a introduit dans les relations entre éléments de l'existence une précision, une sécurité dans la détermination de ce qui est équivalent et de ce qui ne l'est pas, une certitude dans les conventions et les arrangements des hommes entre eux dont la diffusion universelle des montres peut être prise pour la manifestation objective et le symbole. Or, ce sont les conditions d'existence dans les grandes villes qui sont à la fois la cause et la conséquence du phénomène. Les relations, les affaires du citadin sont à ce point multiples et compliquées et avant tout, par suite de l'entassement de tant d'hommes aux préoccupations si diverses, leurs rapports et leurs activités s'enchevêtrent en un réseau à ce point complexe, que sans la ponctualité la plus absolue dans le respect des engagements pris, l'ensemble s'écroulerait en un chaos inextricable. Si, brusquement, toutes les montres de Berlin se mettaient à avancer ou à retarder de façon discordante, fut-ce d'une heure au plus, toute la vie économique et sociale serait complètement déréglée pour longtemps. A cela s'ajoute, phénomène apparemment plus superficiel, la grandeur des distances qui fait que toute attente, tout déplacement inutile, provoquent une perte de temps qu'il est impossible de subir. Ainsi, on ne peut absolument plus imaginer la technique de la vie urbaine sans que toutes les activités, toutes les relations soient enserrées de la façon la plus précise dans un schéma rigide et impersonnel. ·

Même si des existences autonomes ne sont pas le moins du monde impossibles dans une grande ville, elles sont pourtant opposées au type qu'elle crée; ainsi s'explique la haine passionnée que des natures comme Ruskin et Nietzsche vouaient aux grandes cités : pour ces natures la valeur de la vie est uniquement faite de particularités, de diversité, d'individualité, et chez elles, la haine de la ville s'alimente à la même source que la haine de l'économie monétaire et de l'intellectualisme.

### Le « blasé », produit-type de la grande ville

Les mêmes facteurs qui, par suite de l'exactitude, la précision rigoureuse des modes d'existences, se sont ainsi pétrifiés pour former un édifice hautement impersonnel, agissent d'autre part sur un trait des plus personnels qui soient. Il n'est pas de phénomène plus exclusivement propre à la grande ville que l'homme blasé.• Tout comme une vie de plaisirs immodérés peut blaser, parce qu'elle exige des nerfs les réactions les plus vives jusqu'à n'en plus provoquer du tout, des impressions pourtant moins brutales arrachent au système nerveux, par la rapidité et la violence de leur alternance, des réponses à ce point violentes, les soumettent à des chocs tels, qu'il use ses dernières forces et n'a pas le temps de les reconstituer. C'est précisément de cette incapacité de réagir à de nouvelles excitations avec une énergie de même intensité que découle la lassitude de l'homme blasé; même les enfants des grandes villes présentent ce trait, si on les compare à des enfants issus d'un milieu plus calme et moins riche en sollicitations.

A cette première source physiologique s'en joint une autre, qui tient à l'économie monétaire. Ce qui définit l'homme blasé, c'est qu'il est devenu insensible aux différences entre les choses, non qu'il ne les perçoive pas, non qu'il soit stupide, mais parce que la signification et la valeur de ces différences, et donc des choses mêmes, est ressentie par lui comme négligeable. Les objets lui apparaissent dans une tonalité uniformément fade et grise, aucun d'eux n'est jugé digne de préférence. Cette attitude est le reflet subjectif de l'économie monétaire à son apogée; l'argent, en composant uniformément la diversité des choses, en exprimant les différences de qualité par des différences quantitatives, en s'arrogeant, malgré son caractère exsangue, le rôle de dénominateur commun de toutes les valeurs, devient le plus effroyable de tous les égalisateurs et ronge irrémédiablement le cœur des choses, leur individualité, leur valeur spécifique, leur originalité. Elles nagent toutes avec le même poids spécifique dans son flot sans cesse mobile, se trouvent toutes sur le même plan et ne se distinguent que par les surfaces qu'elles en recouvrent.•

### La « réserve »

Son instinct de conservation vis-à-vis de la grande ville force l'individu à adopter une position non moins négative envers le milieu social. L'attitude des citadins en face de leurs semblables peut, d'un point de vue formel, être qualifiée de réserve. Si aux contacts incessants avec d'innombrables individus devaient répondre autant de réactions intérieures, comme il arrive dans les petites villes où l'on connaît presque tous ceux que l'on rencontre et où l'on entretient avec eux des rapports positifs, on finirait par s'atomiser complètement et par se trouver dans un état psychologique inimaginable. C'est en fonction de ces conditions psychologiques et de la méfiance que nous sommes en droit de ressentir devant les éléments disparates, fugitifs, de la vie urbaine, que nous sommes contraints à cette réserve qui fait que nous ne connaissons même pas de vue des voisins habitant depuis des années notre immeuble et qui nous rend froids ou durs aux yeux de l'habitant des petites villes. Bien plus, il y a, si je ne me trompe, derrière cette réserve visible une légère aversion, un sentiment d'étrangeté et de répulsion vis à vis d'autrui, qui à l'instant d'un contact plus étroit — pour quelque raison qu'il s'établisse — se changerait immédiatement en hostilité et en haine. Toute l'organisation psychologique d'une vie de communications sociales aussi étendue et aussi complexe repose sur une pyramide extrêmement variée de sympathies, d'indifférences et d'aversion, brèves ou longues, la sphère de l'indifférence étant plus restreinte qu'il ne paraît à première vue.*

En fait, l'indifférence nous serait aussi peu naturelle que nous serait insupportable la confusion de suggestions reçues pêle-mêle; et c'est de ces deux dangers caractéristiques de la civilisation urbaine que nous protège l'antipathie, stade préparatoire et latent de l'antagonisme pratique; c'est elle qui crée les distances que nous prenons vis-à-vis des autres, notre besoin de nous détourner d'eux, sans quoi notre existence ne saurait être vécue : c'est son intensité, l'association de ses différentes variantes, le rythme qui règle sa naissance et sa disparition, les manières de lui donner satisfaction qui créent, avec les motifs plus étroitement associatifs, le tout indissoluble de la vie urbaine : ce qui, au premier abord, y semble relever de la dissociation, n'est au fond qu'une des formes élémentaires qu'y prend la socialisation.

*Liberté offerte par la grande ville*

Cette réserve qui culmine parfois en aversion cachée, tient à un autre facteur bien plus général : les grandes villes accordent à l'individu une forme et un degré de liberté dont il n'est pas d'exemple ailleurs.*

*Contrainte des petites villes*

La vie dans la petite ville, aussi bien dans l'Antiquité qu'au Moyen Age, impose à l'individu une limitation de ses mouvements et de ses relations avec l'extérieur, de son indépendance et de sa différenciation, à l'intérieur du groupe, qui rendraient à l'homme moderne l'existence insupportable : de nos jours encore le citadin, transplanté dans une petite ville de province, a une impression d'étouffement analogue. Plus le cercle que forme notre milieu est restreint, plus les relations extérieures pouvant le rompre sont limitées, et plus le groupe auquel nous appartenons veille jalousement sur le travail, la vie, les opinions de l'individu, plus grands sont les risques de voir les particularismes quantitatifs et qualitatifs rompre l'unité de l'ensemble. La cité antique semble, à ce point de vue, avoir possédé tous les caractères d'une petite ville.• Si la vie à Athènes a été a ce point variée et frénétique, si elle a connu une telle richesse de colorations, c'est peut-être parce qu'un peuple au caractère extraordinairement individualiste a lutté contre la pression constante, aussi bien interne qu'externe, d'une petite ville hostile à toute vie personnelle.• De même qu'à l'époque féodale, l'homme libre était celui qui ne relevait que de la justice du prince, c'est-à-dire de la plus vaste entité sociale, alors que celui qui ne l'était pas se trouvait dépendre de son suzerain direct dans le cadre étroit de la féodalité — de même le citadin de notre temps est « libre » en un sens plus intellectuel et plus subtil, par opposition aux mesquineries et aux contraintes de toute espèce qui enserrent l'habitant d'une petite ville. Car la réserve, l'indifférence des uns vis à vis des autres, qui sont la conséquence d'un milieu de vastes dimensions, ne favorisent jamais de façon plus sensible l'indépendance de l'individu que dans le grouillement des grandes villes : la promiscuité physique y fait apparaître de manière plus frappante la distance morale entre individus; le fait qu'on s'y sente parfois plus solitaire, plus abandonné que partout ailleurs, n'est évidemment que le revers de cette liberté, car ici comme dans d'autres cas, il n'est nullement nécessaire que la liberté de l'homme se reflète en son bien-être.•

*Dimension planétaire de la grande ville*

Les grandes villes ont été aussi de tous temps le lieu d'élection du cosmopolitisme. De même que la fortune personnelle, après avoir dépassé un certain stade, se développe de plus en plus rapidement et comme de façon automatique, de même l'horizon, les relations économiques, personnelles, intellectuelles de la ville, sa sphère d'influence idéale s'agrandissent en quelque sorte en progression géométrique, dès qu'une certaine limite se trouve franchie; toute extension acquise lui sert d'étape pour une extension plus considérable, à chaque fil qu'elle lance viennent s'en attacher d'autres, tout comme à l'intérieur de la ville le « unearned increment » de la rente foncière procure aux propriétaires, par le seul accroissement de la circulation des biens, des idées et des hommes, un revenu en constante augmentation. Parvenu à ce point, l'accroissement quantitatif conduit directement à une transformation qualitative. La sphère d'existence de la petite ville est pour l'essentiel limitée à en elle-même. Ce qui est essentiel dans le cas de la grande ville, c'est que sa vie interne se répand en ondes concentriques sur un vaste domaine national et international. Weimar ne saurait prouver le contraire, car son importance relevait de personnalités isolées et disparut avec elles, alors que la grande ville se caractérise précisément par son indépendance essentielle vis-à-vis même des plus grandes personnalités : c'est l'envers et le prix de la liberté dont l'individu peut y bénéficier. Le trait le plus significatif de la grande ville réside en cette dimension fonctionnelle qui dépasse de loin ses dimensions concrètes : et cette action sur l'extérieur entraine une réaction de sens contraire, qui donne à sa vie poids, importance et responsabilité. De même que l'individu ne se trouve pas confiné à l'espace qu'occupe son corps, ni à celui qu'il remplit de son activité immédiate, mais s'étend jusqu'aux points où se font sentir les effets temporels et spatiaux de cette activité, de même la grande ville n'a pour limites que celles qu'atteint l'ensemble des actions qu'elle exerce au-delà de ses frontières. C'est là sa véritable dimension, celle où s'exprime son être.•

*Individualisme et intellectualisme*

Parallèlement à son extension croissante, la ville offre de plus en plus nettement les conditions nécessaires à la division du travail : un milieu qui, par sa taille, peut accueillir une multitude de produits divers, alors qu'en même temps la concentration des individus et leur lutte pour acquérir une clientèle, les force à se spécialiser, de sorte que chacun ne peut que difficilement être évincé par d'autres. Ce qui compte avant tout, c'est que la vie dans les grandes villes a transformé le combat pour la nourriture en un combat pour l'homme, c'est que l'objet de cette lutte n'est plus accordé par la nature, mais par l'homme. C'est là que réside non seulement l'origine de la spécialisation que nous venons d'évoquer, mais celle d'une autre caractéristique plus profonde : le vendeur ne peut cesser de provoquer chez l'acheteur des besoins nouveaux et de plus en plus particuliers. La nécessité de spécialiser les produits et les services pour découvrir une source de profits non encore épuisée, une fonction pour laquelle il n'est pas facile de trouver un substitut, pousse à la différenciation, à l'affinement, à l'enrichissement des besoins du public, qui visiblement doivent conduire à leur tour à des différences personnelles croissantes.

Et cela nous conduit à l'individualisation des traits plus spécialement intellectuels de la personnalité que la ville suscite à mesure qu'elle grandit. Nous allons découvrir pour ce phénomène toute une série de causes évidentes. Et d'abord la difficulté de faire valoir sa propre personnalité dans le cadre de la grande ville. Celui qui voit son importance quantitative, son énergie atteindre une limite, a recours aux distinctions qualitatives pour, d'une manière ou d'une autre, attirer sur lui, en excitant sa sensibilité aux différences, l'attention de son milieu social : ce qui mène finalement aux égarements les plus étranges, aux extravagances spécifiquement citadines de l'originalité à tout prix, du caprice, de la préciosité, le sens de ces comportements ne résidant plus du tout dans leur contenu mais dans leur forme même, dans le désir d'être autre, de se distinguer et donc de se faire remarquer — ce qui pour beaucoup d'hommes, est la seule façon de préserver, au moyen d'un détour par la conscience des autres, l'estime de soi et la certitude d'occuper une certaine place au sein de la société.

*Culture de l'objet dans la grande ville*

La raison la plus profonde cependant qui fait que la grande ville pousse à l'existence personnelle la plus individualisée — ce qui ne veut pas dire qu'elle le fasse toujours à bon droit ni avec succès — me semble être la suivante. L'évolution de la civilisation moderne se caractérise par la prédominance de ce qu'on peut appeler l'esprit objectif par rapport à l'esprit subjectif : dans la langue comme dans le droit, dans les techniques de la production comme dans les arts, dans la science comme dans les objets qui forment le cadre de notre vie domestique, se trouve concentrée une somme d'intelligence dont la croissance continue, presque quotidienne, n'est suivie qu'incomplètement et à une distance de plus en plus grande par le développement intellectuel des individus. Si nous embrassons du regard l'immense civilisation qui depuis cent ans s'est incarnée dans les choses et les connaissances, dans les institutions et les instruments du confort, et si nous comparons à cette expansion le progrès que la culture des individus a réalisé dans le même laps de temps — tout au moins dans les couches sociales les plus hautes — nous constatons une différence de rythme effrayante et même, en certains points, une régression en matière de spiritualité, de finesse, d'idéalisme. Cet écart grandissant est, pour l'essentiel, le résultat de la division croissante du travail : car celle-ci réclame de l'individu une activité de plus en plus parcellaire, dont les formes extrêmes ne provoquent que trop souvent le dépérissement de l'ensemble de sa personnalité. De toute façon, l'individu résiste de moins en moins bien à une civilisation objective de plus en plus envahissante. Moins peut-être dans sa conscience que dans la pratique, et par les sentiments vagues et généraux qui en résultent, il se trouve rabaissé au rang de « quantité négligeable », de grain de poussière vis à vis d'une énorme organisation d'objets et de pouvoirs qui, peu à peu, font échapper à son pouvoir propre tout progrès, toute vie intellectuelle, toute valeur.* Il nous suffira de rappeler que les grandes villes sont le lieu d'élection de cette civilisation qui déborde tout contenu personnel. Là s'offre à nous, sous forme de bâtiments, d'établissements d'enseignement, dans les miracles et le confort des techniques de transport, dans les formes de la vie sociale et dans les institutions visibles de l'État, une abondance à ce point écrasante d'Esprit cristallisé, dépersonnalisé, que l'individu n'arrive pas, pour ainsi dire, à se maintenir en face de lui. D'une part, la vie est rendue à l'individu infiniment facile, car de tous côtés, s'offrent à lui des incitations, des stimulations, des occasions de combler le temps et la conscience, qui l'entraînent dans leur flot au point de le dispenser d'avoir à nager par lui-même. Mais d'un autre côté, la vie se compose de plus en plus de ces éléments, de ces spectacles impersonnels qui refoulent les traits vraiment individuels et distinctifs; il en résulte que les éléments personnels doivent, pour subsister, faire un effort extrême; il faut qu'ils l'exagèrent, ne fut-ce que pour rester audibles, à commencer pour eux-mêmes. L'atrophie de la culture individuelle par suite de l'hypertrophie de la culture objective est une des raisons de la haine farouche que les prêtres de l'individualisme extrême, Nietzsche tout le premier, vouent aux grandes villes; mais ç'en est une aussi de l'amour passionné qu'on leur porte précisément dans ces grandes cités où ils apparaissent comme les prophètes et les messies d'aspirations insatisfaites.

Pour celui qui s'interroge sur la place dans l'histoire des deux formes d'individualisme nées des conditions quantitatives de la vie urbaine — l'indépendance individuelle et le développement de l'originalité de la personne —, la grande ville acquiert une importance toute nouvelle. Le xviii<sup>e</sup> siècle à son début trouva l'individu enserré de liens politiques, agraires, corporatifs et religieux qui lui faisaient violence et avaient fini par perdre toute raison d'être — imposant une forme d'existence anti-naturelle et des inégalités injustes. C'est dans cette situation que naquit la soif de la liberté et de l'égalité — la croyance en la liberté totale de l'individu dans toutes les circonstances aussi bien sociales qu'intellectuelles — qui feraient immédiatement resurgir chez tous les hommes le noble fonds commun que la nature y avait déposé et que la société et l'histoire s'étaient bornées à déformer. A côté de l'idéal du libéralisme, il s'en développa un autre tout au long du xix<sup>e</sup> siècle, exprimé par Gœthe et le romantisme d'une part, provoqué d'autre part, par la division du travail : les individus libérés de leurs liens traditionnels désirent maintenant se distinguer les uns des autres. Ce qui fait la valeur de l'homme, ce n'est plus « l'homme en général », mais cette singularité qui empêche de confondre chacun avec ses semblables. En se combattant et en se combinant de diverses façons, ces deux manières d'attribuer au sujet son rôle dans la société ont déterminé l'histoire aussi bien politique que spirituelle de notre temps. C'est le rôle des grandes villes que de fournir le théâtre de ces combats, et de ces tentatives de conciliation.*

*Die Grossstädte und das Geistesleben* in *Jahrbücher der Geheftiftung,* tome 9, Dresde 1903. (Pages 187 à 205, avec des suppressions partielles. Traduction de Pierre Aron.)

# Oswald Spengler

## 1880-1936

*Avant de soutenir en 1904 une thèse sur Héraclite, le philosophe allemand O. Spengler avait étudié les mathématiques et les sciences naturelles. Ces dernières ne furent pas sans influencer sa philosophie de l'histoire : pour lui, les civilisations — orientales, gréco-romaine, occidentale — se développent selon un cycle vital, vivent et meurent comme de véritables organismes végétaux.*

*Cette métaphore est d'autant plus exacte que la terre et le sol jouent dans la vision spenglérienne du monde un rôle fondamental : la jeunesse d'une civilisation se mesure à la force du lien qui l'attache au sol. Les villes, à mesure de leur développement, desserrent et finissent par nier ce lien : fondamental dans les petites cités grecques, il est aboli à Alexandrie. L'apparition des métropoles signe la vieillesse des civilisations. L'histoire du monde se lit dans l'histoire de ses villes.*

*Pour Spengler, l'Occident, à son tour, a atteint sa phase de déclin. D'où le titre pessimiste de son œuvre fameuse* Der Untergang des Abendlandes *( Le déclin de l'Occident ), publiée en 1918. Selon la terminologie germanique, le moment intense de la* culture *est maintenant passé, et nous vivons dans le confort matériel de la* civilisation *: en témoignent ces déserts de pierre que sont les métropoles de l'ère industrielle.*

*Dans le traitement de ces thèmes, Spengler développe de nombreuses intuitions nietzschéennes ; son analyse de la grande ville occidentale doit également beaucoup à Simmel. Sa pensée a eu une influence considérable dans les pays anglo-saxons, et en particulier aux États-Unis, où son pan-naturalisme rencontrait l'anti-urbanisme américain.*

*Spengler a également écrit :*

— Der Mensch und die Technik, *( 1931 ) ;*

*et divers essais et articles réunis sous les titres :*

— Politische Schriften *( 1932 ) ;*

— Reden und Aufsätze *( 1937 ).*

# STÉRILITÉ DE LA GRANDE VILLE

*L'errance et l'enracinement*

L'homme originel est un *animal errant*, un être dont l'être éveillé ne cesse de se tâter toute sa vie, pur microcosme sans feu ni lieu, avec des sens aigus et craintifs, tout entier à son métier de veneur pour disputer quelque chose à la nature hostile. L'agriculture a introduit, la première, une profonde révolution — car elle est *art* et, comme tel, absolument étrangère au chasseur et au pasteur : on bêche et laboure non pas pour détruire, mais pour *transformer* la nature. Planter n'est pas prendre quelque chose, mais le *produire*. *Mais ainsi, on devient soi-même plante,* c'est-à-dire paysan. On prend racine dans le sol qu'on cultive. L'âme humaine découvre une âme dans le paysage, un nouvel enchaînement de l'être à la terre s'annonce comme devant être un nouveau mode de sentir. D'hostile, la nature devient notre amie, notre *mère*. Nous sentons un profond rapport entre semer et engendrer, entre la moisson et la mort, le grain et l'enfant. La piété chthonienne a un culte nouveau pour la campagne fructifère qui grandit avec l'homme. Et partout la forme parfaite de ce sentiment de la vie est *la figure symbolique de la maison paysanne,* dont la disposition des pièces et chaque détail de la forme extérieure parlent le langage du sang de ses habitants. La maison paysanne est le grand symbole de la sédentarité. Elle est plante elle-même, elle enfonce dans son « propre » sol ses racines profondes. Elle est *propriété* au sens sacré. Les esprits favorables du foyer et de la porte, du bien-fonds et des appartements : Vesta, Janus, Lares, Pénates, y ont leur domicile fixe à côté des personnes.

La maison est le fondement de toute culture, laquelle germe à son tour, comme une plante, dans le sein du paysage maternel et approfondit encore une fois l'enchaînement psychique de l'homme au sol. La maison est au paysan *ce que la* ville est à l'homme de culture.•

*Les cités enracinées...*

Le sentiment de l'enchaînement à la terre, de la plante cosmique, ne s'est exprimé nulle part avec autant de force que dans ces vieilles cités minuscules, à peine plus étendues qu'un carrefour, autour d'un marché, d'un château ou d'un sanctuaire. C'est ici ou jamais le lieu où l'on voit clairement que chaque grand style est lui-même une plante.•

*... et déracinées*

L'être isolé des puissances du paysage, tranché pour ainsi dire par le pavé qu'il piétine, s'affaiblit à mesure que la sensation et l'intelligence se renforcent. L'homme se « spiritualise », « s'affranchit », se rapproche à nouveau davantage du nomade, sauf qu'il a moins d'espace et de chaleur. L' « *esprit* » est la forme citadine spécifique de l'être éveillé intelligent. Tous les arts, toutes les religions, toutes les sciences, en se spiritualisant peu à peu, deviennent étrangers au paysage, incompréhensibles au serf de la glèbe.• Le civilisé, *nomade intellectuel,* redevient pur microcosme, absolument sans patrie et spirituellement libre, comme le chasseur et le pasteur l'étaient corporellement.•

*Village et ville*

Avec ses toits muets semblables à des collines, avec ses fumées vespérales, ses fontaines, ses enclos, son bétail, le village est complètement perdu, alité, dans le paysage. Le paysage *confirme* la campagne et en rehausse l'image qui ne sera défiée que par la ville tardive. La sihouette de la ville contredit les lignes de la nature. Elle *nie* toute nature. Elle veut s'en distinguer, la dépasser. D'abord les frontons aigus, coupoles baroques, faîtes, cimes n'ont aucune parenté dans la nature, et ils n'en veulent point; enfin, la ville mondiale, géante, *la ville conçue comme un monde* sans autre monde à ses côtés, commence l'œuvre destructrice de l'image rurale. Jadis, si elle s'est sacrifiée à cette image, aujourd'hui elle veut se l'approprier. Elle transforme alors les chemins extérieurs en rues, les forêts et les prés en parcs, les montagnes en points de vue, tandis qu'à l'intérieur elle crée une nature artificielle : fontaines remplaçant les sources, parterres, bassins, et haies taillées au lieu des prairies, des étangs et des buissons. Dans un village, le toit de chaume a encore la forme d'une colline, la rue ressemble à un fossé. Mais en ville, des défilés de rues empierrées, longues, surélevées, remplies de poussières multicolores et de bruits étranges, s'ouvrent et abritent des hommes qu'aucun organisme naturel n'avait jamais pressentis. Les costumes et les visages eux-mêmes sont comme rapportés sur un fond pierreux. Le jour, la rue s'anime de couleurs et de sons bizarres ; la nuit, une lumière nouvelle éclipse celle de la lune. Et le paysan perpexe reste sur le pavé, figure idiote, ne comprenant rien, incompris de tous, idoine assez pour être un personnage de comédie et pour approvisionner de pain cette cité mondiale.•

### Grandes et petites villes

On note la différence profonde, avant tout psychique, entre *la grande et la petite* ville, la seconde devenant, avec son nom très symptomatique de ville de campagne, une partie du paysage qui ne compte plus. Dans ces petites villes, la distinction aussi accusée, entre le villageois et le citadin, est cependant effacée par la nouvelle distance qui les sépare tous deux de la grande ville. La malice du bourgeois de campagne et l'intelligence du grand citadin sont deux extrêmes de l'être intelligent éveillé, qui n'admettent guère de moyen terme intelligible. On voit qu'ici non plus, il ne s'agit pas du nombre, mais de l'esprit des habitants. Il est clair aussi que chaque grande ville a conservé des coins où vivent dans leurs ruelles, comme aux champs, des fragments d'humanité restés presque ruraux et entretenant, par delà la rue, des rapports presque villageois. Une pyramide d'organismes, de plus en plus marqués de stigmates citadins, s'élève de ces hommes presque ruraux, traverse des couches de plus en plus étroites et atteint, au sommet, un nombre plus restreint encore de grands citadins authentiques, qui sont partout chez eux où leurs conditions psychiques sont remplies.•

### La ville mondiale

Enfin nait la ville mondiale, symbole extraordinaire et récipient de l'esprit entièrement affranchi, point central où se concentre enfin tout le cours de l'histoire universelle : ces villes gigantesques et très peu nombreuses bannissent et tuent dans toutes les civilisations, par le concept de province, le paysage entier qui fut la mère de leur culture. Aujourd'hui, tout est province : campagne, petite et grande ville, à l'exception de ces deux ou trois points. Plus de nobles et de bourgeois, d'hommes libres et d'esclaves, d'Hellènes et de Barbares, d'orthodoxes et d'infidèles, il n'y a *que des provinciaux et des habitants de la capitale*. Cette antithèse éclipse toutes les conceptions philosophiques.•

Un millénaire d'histoire du style a transformé la pierre animée de l'architecture gothique en matériau inerte de ce démoniaque désert pierreux.

## *Ville-esprit et ville-monde*

La ville mondiale est *tout* esprit. Ses maisons ne remontent plus, comme les édifices ioniques et baroques, à la vieille maison paysanne où la culture prit naissance un jour. Elles ne sont même plus du tout des maisons ayant un refuge pour Vesta, Janus, les Penates, les Lares, mais de simples abris ayant pour créateurs, non le sang, mais l'opportunité, non le sentiment, mais l'esprit d'entreprise économique. Tant que le foyer reste, au sens pieux, le centre réel significatif d'une famille, le dernier lien avec la campagne n'a pas non plus disparu. Mais dès que ce lien est rompu, dès que la masse des locataires et des hôtes de passage commence à errer de toit en toit dans cette mer domestique, comme le chasseur et le pasteur de la préhistoire, l'éducation intellectuelle du nomade est aussi achevée. Il voit dans sa ville un monde, *le* monde. *Seule la ville dans son ensemble* garde encore la signification d'habitation humaine. Les maisons qui la composent sont des atomes.

## *L'ordre organique*

Maintenant, les villes plus vieilles dont le noyau gothique composé d'une cathédrale, d'un hôtel de ville et de maisons à pignons sur rue, a développé, à l'époque baroque, une ceinture plus claire et plus spirituelle de maisons patriciennes, de palais et d'églises à portiques entourant les tours et les portes : ces villes commencent à déborder de tous côtés en masses informes de maisons locatives et autres bâtisses opportunes qui avancent leurs tentacules sur la campagne déserte et, par des reconstructions et démolitions, détruisent la vénérable physionomie du bon vieux temps. Quiconque observe du haut d'une tour cette mer d'habitations, histoire pétrifiée d'un organisme, sait exactement où finit la croissance organique et où commence l'entassement anorganique, donc illimité, dépassant tous les horizons. Et c'est maintenant aussi que naît un phénomène artistique et mathématique complètement étranger au paysan, celui de la joie purement spirituelle de la création opportune : *la ville d'architecture citadine* qui a, dans toutes les civilisations, pour but la forme en échiquier, symbole de l'absence d'âme. Ce sont ces carrés réguliers de maisons qui ont étonné Hérodote à Babylone et les Espagnols à Ténochtitlan. Dans le monde antique, la série des villes « abstraites » commence avec Thurioi, qu'Hippodamos de Milet « traça » en 441. Viennent ensuite Priène,• Rhodes, Alexandrie, villes de province impériales. Chez les architectes musulmans, la construction méthodique commence à Bagdad à partir de 762.• Dans le monde européo-américain, le premier grand exemple est le plan de Washington (1791). Sans aucun doute, les villes mondiales chinoises du temps de Han, et indoues de la dynastie de Maurya, ont eu les mêmes formes géométriques. Les villes mondiales de la civilisation européo-américaine sont loin d'avoir atteint le sommet de leur évolution. Je vois venir le temps où — après 2000 — on construira des cités urbaines pour dix ou vingt millions d'âmes, distribuées sur d'immenses paysages et ayant des édifices auprès desquels les plus grands des nôtres sembleraient des grottes lilliputiennes, et des pensées économiques qui nous paraîtraient de la folie.•

### La ville moderne et l'infini

Mais, l'idéal formel de l'homme antique reste le point corporel : tandis que nos géantes villes modernes traduisent toute notre tendance à l'infini, en couvrant un vaste paysage de faubourgs et de colonies de villas, de grands réseaux de communications très différentes qui vont dans toutes les directions, et de larges artères régulières qui passent sur, au-dessous ou au-dessus du sol dans les quartiers trop étroits ; la ville antique authentique cherche toujours, au lieu de s'étendre, à se *condenser* en rues étroites et serrées, excluant tout transport rapide.•

*Stérilité de la ville-mondiale*

Ce qui rend le citadin de la ville-mondiale incapable de vivre ailleurs que sur ce terrain artificiel, c'est la régression du tact cosmique de son être, tandis que les tensions de son être éveillé deviennent chaque jours plus dangereuses.•

Et, de ce déracinement croissant de l'être, de cette tension croissante de l'être éveillé, il résulte, comme conséquence suprême, un phénomène préparé de longue date, sourdement, qui se manifeste soudain à la claire lumière de l'histoire pour mettre fin à tout ce spectacle : *la stérilité du civilisé.*

*Der Untergang des Abendlandes,* traduction française de M. Tazerout, *Le déclin de l'Occident,* Gallimard, Paris. (Tome II, pages 84, 86-89, 91-94, 96-97.)

# Martin Heidegger
## 1889-1976

*Philosophe allemand qui a enseigné à l'université de Marbourg (1923) puis à celle de Fribourg en Brisgau, où il s'est définitivement établi. Son* œuvre la plus célèbre, Sein und Zeit, *a été publiée en 1927 et traduite en français en 1964* (L'Être et le Temps). *Ont été traduits, en outre, de nombreux recueils d'essais, ainsi que* Kant et le problème de la métaphysique, Qu'est-ce que penser? *et* Chemins qui ne mènent nulle part.

*La pensée de Heidegger procède par questionnement du langage tel qu'il apparaît dans ses manifestations courantes, mais surtout dans les systèmes et concepts philosophiques et dans la parole poétique. Cette mise en question s'assigne une double tâche de démystification et de fondement ontologique. Heidegger tente de dépasser la métaphysique comme savoir de ce qui est ( « l'étant » ), vers l'être même.*

*Les pages qu'on va lire illustrent la méthode heideggerienne. Il s'agit d'élucider « l'habiter ». Un moment destructif élimine l'apport artificiel du langage et de l'histoire (en particulier de l'ère industrielle) ; le moment constructif vient ensuite, fondé sur la recherche étymologique, et qui finit par révéler la richesse de l'habiter : occupation très simple et qui, cependant, pratiquée dans sa vérité, donne accès à l'être authentique. Comme toute activité vraie, habiter fonde l'être de l'homme.*

*On peut lire l'essai de Heidegger comme une critique du corbusiérisme et des théories de l'architecture progressiste pour qui la maison est machine et outil, et selon laquelle habiter se réduit à un rapport d'utilisation. Ces lignes s'appliquent aussi bien à la demeure individuelle, la maison, qu'à la demeure collective, la ville.*

*La pensée de Heidegger appartient sans conteste à l'orientation idéologique que nous avons appelée culturaliste. L'intérêt des textes cités ici est de donner au problème de l'urbanisme, par delà ses diverses implications culturelles, sa dimension primordialement « poétique » d'ouverture sur l'être.*

# BATIR, HABITER, PENSER [1]

*Bâtir, loger, habiter*

Nous ne parvenons, semble-t-il, à l'habitation que par le « bâtir [2] ». Celui-ci, le bâtir, a celle-là, l'habitation pour but. Toutes les constructions, cependant, ne sont pas aussi des habitations. Un pont, le hall d'un aéroport, un stade ou une centrale électrique sont des constructions, non des habitations; une gare où une autostrade, un barrage, la halle d'un marché sont dans le même cas. Pourtant ces constructions rentrent dans le domaine de notre habitation : domaine qui dépasse ces constructions et qui ne se limite pas non plus au logement. L'homme du tracteur devant ses remorques se sent chez lui sur l'autostrade; l'ouvrière se sent chez elle dans la filature; l'ingénieur qui dirige la centrale électrique s'y trouve chez lui. Ces bâtiments donnent une demeure à l'homme. • A vrai dire, dans la crise présente du logement, il est déja rassurant d'en occuper un; des bâtiments à usage d'habitation fournissent sans doute des logements, aujourd'hui les demeures peuvent même être bien comprises, faciliter la vie pratique, être d'un prix accessible, ouvertes à l'air, à la lumière et au soleil : mais ont-elles, en elles-mêmes, de quoi nous garantir qu'une *habitation* a lieu ? •

Habiter serait ainsi, dans tous les cas, la fin qui préside à toute construction. Habiter et bâtir sont l'un à l'autre dans la relation de la fin et du moyen. Seulement, aussi longtemps que notre pensée ne va pas plus loin, nous comprenons habiter et bâtir comme activités séparées, ce qui exprime sans doute quelque chose d'exact; mais en même temps, par le schéma fin-moyen, nous nous fermons l'accès des rapports essentiels. Bâtir, voulons-nous dire, n'est pas seulement un moyen de l'habitation, une voie qui y conduit, bâtir est déjà, de lui-même, habiter.

---

1. Titre de Heidegger.
2. « Bâtir » tient lieu de l'allemand *bauen,* qui ne veut pas dire seulement « bâtir », mais aussi « cultiver » et qui a signifié « habiter ». C'est donc toujours le mot allemand qu'il faudra voir derrière le terme français. ( *Note du Traducteur.* )

Qui nous en assure ?• La parole qui concerne l'être d'une chose vient à nous à partir du langage, si toutefois nous faisons attention à l'être propre de celui-ci.• L'homme se comporte comme s'*il* était le créateur et le maître du langage, alors que c'est *celui-ci* qui le régente.•

*Être et habiter*

Que veut dire maintenant bâtir ? Le mot du vieux-haut-allemand pour bâtir, *buan,* signifie habiter. Ce qui veut dire : demeurer, séjourner. Nous avons perdu la signification propre du verbe *bauen* (bâtir) à savoir habiter. Elle a laissé une trace qui n'est pas immédiatement visible, dans le mot *Nachbar* (voisin) [1].• Les verbes *buri, büren, beuren, beuron* [2], veulent tous dire habiter ou désignent le lieu d'habitation. Maintenant, à vrai dire, le vieux mot *buan* ne nous apprend pas seulement que *bauen* [3] est proprement habiter, mais en même temps, il nous laisse entendre comment nous devons penser cette habitation qu'il désigne. D'ordinaire, quand il est question d'habiter, nous nous représentons un comportement que l'homme adopte à côté de beaucoup d'autres. Nous travaillons ici et nous habitons là.• Là où le mot *bauen* parle encore son langage d'origine, il dit en même temps *jusqu'où* s'étend l'être de l' « habitation ». *Bauen, buan, bhu, beo* sont en effet le même mot que notre *bin* (suis).• Que veut dire alors *ich bin* (je suis) ? Le vieux mot *bauen,* auquel se rattache *bin,* nous répond : « je suis », « tu es », veulent dire : j'habite, tu habites. La façon dont tu es et dont je suis, la manière dont nous autres hommes *sommes* sur terre est le *buan,* l'habitation. Être homme veut dire : être sur terre comme mortel, c'est-à-dire : habiter. Maintenant, le vieux mot *bauen,* qui nous dit que l'homme *est* pour autant qu'il *habite,* ce mot *bauen,* toutefois, signifie *aussi :* enclore et soigner, notamment cultiver un champ, cultiver la vigne. En ce dernier sens, *bauen* est seulement veiller, à savoir sur la croissance, qui elle-même mûrit ses fruits. Au sens d' « enclore et soigner », *bauen* n'est pas fabriquer.• Les deux modes du *bauen* — *bauen* au sens de cultiver, en latin *colere,*

1. Où *nach* est une forme ancienne de *nah,* près, proche. *( Note du Traducteur.)*
2. L'étymologie *beuron* se retrouve dans le mot français *buron,* qui désigne l'habitation des bergers du Cantal *(F. C.).*
3. Forme moderne de *buan. ( Note du Traducteur.)*

*cultura,* et *bauen* au sens d'édifier des bâtiments, *ædificare* — sont tous deux compris dans le *bauen* proprement dit, dans l'habitation. Mais *bauen,* habiter, c'est-à-dire être sur terre, est maintenant, pour l'expérience quotidienne de l'homme, quelque chose qui, dès le début, est « habituel ». Aussi passe-t-il à l'arrière-plan, derrière les modes variés dans lesquels s'accomplit l'habitation, derrière les activités des soins donnés et de la construction. Ces activités, par la suite, revendiquent pour elles seules le terme de *bauen* et avec lui la chose même qu'il désigne. Le sens propre de *bauen,* habiter, tombe en oubli.

Cet événement semble d'abord n'être qu'un fait d'histoire sémantique, de ces faits qui ne concernent rien de plus que des mots. Mais, en vérité, quelque chose de décisif s'y cache : nous voulons dire qu'on n'appréhende plus l'habitation comme étant l'être *(Sein)* de l'homme; encore moins l'habitation est-elle jamais pensée comme le trait fondamental de la condition humaine.

### Habiter et « ménager »

Nous n'habitons pas parce que nous avons « bâti », mais nous bâtissons et avons bâti pour autant que nous habitons, c'est-à-dire que nous sommes les *habitants* et sommes *comme tels*. En quoi consiste donc l'être de l'habitation ? Écoutons à nouveau le message de la langue : le vieux-saxon *wuon,* le gothique *wunian*[1] signifient demeurer, séjourner, juste comme l'ancien mot *bauen*. Mais le gothique *wunian* dit plus clairement quelle expérience nous avons de ce « demeurer ». *Wunian* signifie être content, mis en paix, demeurer en paix. Le mot paix *(Friede)* veut dire ce qui est libre *(das Freie, das Frye)* et libre *(fry)* signifie préservé des dommages et des menaces, préservé de..., c'est-à-dire épargné. *Freien* veut dire proprement épargner, ménager. Le véritable ménagement est quelque chose de *positif,* il a lieu quand nous laissons dès le début quelque chose dans son être, quand nous ramenons quelque chose à son être et l'y mettons en sûreté, quand nous l'entourons d'une protection. *Le trait fondamental de l'habitation est ce ménagement.* Il pénètre l'habitation dans toute son étendue. Cette étendue nous

---

1. Formes en *wu,* plus originelles que les formes infléchies en *wo* du haut-allemand (allemand moderne *wohnen). (Note du Traducteur.)*

apparaît, dès lors que nous pensons à ceci, que la condition humaine réside dans l'habitation, au sens du séjour sur terre des mortels.•

Les mortels habitent alors qu'ils sauvent la terre.• Sauver *(retten)* n'est pas seulement arracher à un danger, c'est proprement libérer une chose, la laisser revenir à son être propre. Sauver la terre est plus qu'en tirer profit, à plus forte raison que l'épuiser. Qui sauve la terre ne s'en rend pas maître, il ne fait pas d'elle sa sujette.•

Les mortels habitent alors qu'ils accueillent le ciel comme ciel. Au soleil et à la lune ils laissent leurs cours, aux astres leur route, aux saisons de l'année leurs bénédictions et leurs rigueurs, ils ne font pas de la nuit le jour ni du jour une course sans répit.•

*La maison paysanne*

Bâtir est, dans son être, faire habiter. Réaliser l'être du bâtir, c'est édifier des lieux par l'assemblement de leurs espaces. *C'est seulement quand nous pouvons habiter que nous pouvons bâtir.* Pensons un instant à une demeure paysanne de la Forêt-Noire, qu'un « habiter » paysan bâtissait encore il y a deux cents ans. Ici, ce qui a dressé la maison, c'est la persistance sur place d'un ( certain) pouvoir : celui de faire venir dans les choses la terre et le ciel, les divins et les mortels en leur simplicité. C'est ce pouvoir qui a placé la maison sur le versant de la montagne, à l'abri du vent et face au midi, entre les prairies et près de la source. Il lui a donné le toit de bardeaux à grande avancée, qui porte les charges de neige à l'inclinaison convenable et qui, descendant très bas, protège les pièces contre les tempêtes des longues nuits d'hiver. Il n'a pas oublié le « coin du Seigneur Dieu » derrière la table commune, il a « ménagé » dans les chambres les endroits sanctifiés, qui sont ceux de la naissance et de l' « arbre du mort » — ainsi là-bas se nomme le cercueil — et ainsi, pour les différents âges de la vie, il a préfiguré sous un même toit l'empreinte de leur passage à travers le temps. Un métier, lui-même né de l' « habiter » et qui se sert encore de ses outils et échafaudages comme de choses, a bâti la demeure.

C'est seulement quand nous pouvons habiter que nous pouvons construire. Si nous nous référons à la maison paysanne de la Forêt-Noire, nous ne voulons aucunement dire qu'il nous faille, et que l'on puisse, revenir à la construction de ces maisons, mais l'exemple

montre d'une façon concrète, à propos d'un « habiter » qui *a
été*[1], comment *il* savait construire.•

*Habiter et penser*

Habiter est *le trait fondamental* de l'être *(Sein)* en conformité
duquel les mortels sont. Peut-être, en essayant ainsi de réfléchir
à l'habiter et au bâtir, mettons-nous un peu mieux en lumière que
le bâtir fait partie de l'habiter et comment il reçoit de lui son être
*(Wesen)*. Le gain serait déjà suffisant, si habiter et bâtir prenaient
place parmi les choses *qui méritent qu'on interroge* (à leur sujet) et
demeuraient ainsi de celles *qui méritent qu'on y pense.*

Que pourtant la pensée elle-même fasse partie de l'habitation,
dans le même sens que le bâtir et seulement d'une autre manière :
le chemin de pensée que nous essayons ici pourrait en témoigner.

« Bâtir » et penser, chacun à sa manière, sont toujours pour
l'habitation inévitables et incontournables. Mais en outre, tous
deux sont inaccessibles à l'habitation, aussi longtemps qu'ils
vaquent séparément à leurs affaires, au lieu que chacun écoute
l'autre. Ils peuvent s'écouter l'un l'autre, lorsque tous deux, bâtir
et penser, font partie de l'habitation, qu'ils demeurent dans leurs
limites et savent que l'un comme l'autre sortent de l'atelier d'une
longue expérience et d'une incessante pratique.

*Habiter aujourd'hui*

Nous essayons de réfléchir à l'être de l'habitation. L'étape suivante sur notre chemin serait la question : qu'en est-il de l'habitation
à notre époque qui donne à réfléchir ? Partout on parle, et avec
raison, de la crise du logement. On n'en parle pas seulement, on
met la main à la tâche. On tente de remédier à la crise en créant de
nouveaux logements, en encourageant la construction d'habitations,
en organisant l'ensemble de la construction. Si dur et si pénible
que soit le manque d'habitations, si sérieux qu'il soit comme entrave
et comme menace, *la véritable crise de l'habitation* ne consiste pas
dans le manque de logements. La vraie crise de l'habitation,

---

1. *Gewesenen*. — « Par *das Gewesene*, nous entendons le rassemblement de ce
qui précisément ne passe pas, mais est, c'est-à-dire dure, en même temps qu'il
accorde de nouvelles vues à la pensée qui se souvient » (*Der Satz vom Grund*,
p. 107). *( Note du Traducteur.)*

d'ailleurs, remonte dans le passé plus haut que les guerres mondiales et que les destructions, plus haut que l'accroissement de la population terrestre et que la situation de l'ouvrier d'industrie. La véritable crise de l'habitation réside en ceci que les mortels en sont toujours à chercher l'être de l'habitation et qu'*il leur faut d'abord apprendre à habiter*. Et que dire alors, si le déracinement *(Heimatlosigkeit)* de l'homme consistait en ceci que, d'aucune manière, il ne considère encore la *véritable* crise de l'habitation *comme étant la* crise *( Not ) ?* Dès que l'homme, toutefois, *considère* le déracinement, celui-ci déjà n'est plus une misère *( Elend )*. Justement considéré et bien retenu, il est le seul *appel* qui invite les mortels à habiter.

Mais comment les mortels pourraient-ils répondre à cet appel autrement qu'en essayant pour *leur* part de conduire, d'eux-mêmes, l'habitation à la plénitude de son être ? Ils le font, lorsqu'ils bâtissent à partir de l'habitation et pensent pour l'habitation.

*Vorträge und Aufsätze,* Pfullingen, 1954, traduction d'André Préau, *Essais et conférences,* Gallimard, Paris, 1958. (Pages 170-176, 177-178, 191-193.)

# Index des auteurs cités

# Index des lieux cités

## INDEX DES LIEUX CITÉS

# Index analytique

# Table

IMPRIMERIE HÉRISSEY À ÉVREUX (6-99)
DÉPÔT LÉGAL : 4e TRIM. 1979. No 5328-6 (84381)